장군의 후예

이 도서의 국립중앙도서관 출판시도서목록(CIP)은 e-CIP 홈페이지
(http://www.nl.go.kr/ecip)에서 이용하실 수 있습니다.
(CIP 제어번호 : CIP2013001059)

장군의 후예
— 제3권 지리산 뱀사골

2013년 2월 21일 초판 1쇄 인쇄
2013년 2월 28일 초판 1쇄 발행

지은이 | 박찬두
펴낸이 | 孫貞順
펴낸곳 | 도서출판 작가
　　　　 서울 서대문구 북아현3동 1-1278 (우120-866)
　　　　 전화 | 365-8111~2　 팩스 | 365-8110
　　　　 이메일 | morebook@morebook.co.kr
　　　　 홈페이지 | www.morebook.co.kr
　　　　 등록번호 | 제13-630호(2000. 2. 9.)

편집 | 손희 김민정
디자인 | 오경은
영업 | 손원대
관리 | 이용승

ISBN 978-89-94815-29-9 04810 셋트

값 12,000원

마지막 빨치산 사단장 황의지

박찬두 휴먼다큐

장군의 후예

제3권 지리산 뱀사골

작가

차 례

제1권 비운의 패장

제1부 비운의 패장

제2부 강제 징병

제4부 지리산 뱀사골

회문산 퇴각

오직 시시각각 다가오는 운명을 기다리고 있을 수밖에는 없었다.

도당부 부위원장 조병하 외 몇 십 명의 간부진은 착잡한 분위기였다. 사령관은 오후 7시가 넘자 고지를 사수할 것인가 아니면 고지에서 퇴각할 것인가를 놓고 고뇌를 거듭하는 것이었다. 한참 생각을 하고는 나에게 와서 어떻게 하는 것이 좋은지 물었다.

나는 내일 대대적인 공세가 있을 것 같다며 지리산과 변산으로 두 부대로 나누어 퇴각할 것을 제의했다.

도사령관은 나의 제의에 따라 즉시 전 도당부 산하 각 사회단체와 각 병단 그리고 해방구 주민까지 모두 퇴각할 것을 명령하였다.

지리산 방면으로 들어가는 부대는 나의 책임 하에 이동을 하게 되었다.

이 부대에는 도당부 요인과 각 사회단체 요원들, 그리고 해방구 주민까지 무려 11,000여 명에 이르는 엄청난 인원이 배속되었다.

그리고 변산반도 방면으로 가는 부대는 벼락 병단 박판쇠의 책임 하에 카투사 병단과 순창·임실·정읍 군당부와 해방구 주민 일부가 포함되어 무려 10,000여 명이 이동하게 되었다.

출발은 각기 1951년 1월 21일 새벽 2시경이었다.

어둠이 짙게 내린 밤하늘에는 가랑비가 추적추적 내리고 있었다. 아직도 포연이 가시지 않았는지 냄새가 코를 찔렀다. 동지들의 피로 물든 투구바위는 서서히 씻겨 제 모습을 찾고, 피는 땅 속으로 스며들고 있었다.

죽은 시신도 거두지 못하고 빗속에 남겨 두고 떠나야 했다. 그뿐만이 아니었다. 부상자와 환자가 아주 많았으나 동행이 불가능하여, 약간의 식량을 주어 비트에 남게 하고 그대로 두고 떠날 수밖에 없었다.

이때에 쓰라린 심정을 누가 알겠는가?

미래의 승리를 위해 투구바위 일대의 거점을 떠나는 회문산 후퇴행렬은 시작되었다. 빨치산 투쟁 중 가장 많은 수의 인원을 데리고 이동하는 것이었다.

군인들은 회문산을 포위한 채 전 능선의 참호 속에 배치되어 있으면서, 부대간의 무전연락을 취해가며 야광탄을 쏘아 올리며 간혹 중화기를 퍼부어 댔다.

후퇴라고 해도 자동차가 아닌 걸어서 가는 것이므로 400여 년 전 임진왜란 당시 일본군을 피해 북으로 밀려갔던 조선군의 후퇴와 다름없는 아주 힘든 후퇴였다. 남녀노소에 비전투요원들이 중간중간 끼어 있었고, 워낙 많은 인원이 이동을 하다 보니, 속도가 느리고 답답하기 그지없었다.

우리 부대 간부들은 앞뒤를 부지런히 오가며 말소리가 나지 않도록 이르고 어둠 속을 걸어나갔다. 길이 대로가 아니고 산길인지라 험하여 조심하라고 이르고는, 수군거리나 말소리가 나지 않도록 주의를 주었다.

재촉을 했지만 각자의 휴대품이 무거워서인지 넘어지는 사람도 있었다. 쉬지도 않고 하는 강행군이었지만 빨치산들이 하는 민첩하고 기민한 이동과는 거리가 먼 느린 행군이 될 수밖에 없었다.

밤새도록 걸어 회문산을 빠져나온 것이 다음날 오전 11시였다. 새벽 2시에 출발을 했으니 무려 9시간을 이동한 셈이었다.

임실군 삼계면 망전리 일대를 더 가지 못하고 쉬게 되었다. 겨우 5km 정도 산지山地에서 야지野地로 위치만 변경해 있는 셈이었다.

그 간 회문산에서 여러 날 공세를 받았던 뒤라 아무리 행군을 재촉해도 소용이 없었다. 지쳐 있는데다가 전투요원들이 아닌 대부분의 일반 사람들이니 늦어질 수밖에 없었다.

대낮에 행군을 한다는 것은 힘들었다. 그래서 부근 야산에서 가끔 공방전을 벌여해야만 했다.

그 사이에 군인들은 우리 대열의 행방이 지리산임을 알아차리고 미리 요소요소에 부대를 배치하여 공격을 해오는 것이었다.

할 수 없이 방향을 바꾸어 임실 성수산으로 갈 수밖에 없었다. 역시 이 코스에도 공격이 없는 것은 아니었으나, 그저 저항하면서 가까스로 성수산에 도착할 수 있었다.

불과 8km 남짓한 행군은 참으로 길고 험난한 행군이었다. 해방구 주민과 비전투원들은 처음으로 겪는 일이라 놀라고 공포에 떨었다. 특히 행렬이 너무 길어 앞과 뒤를 통제하지 못하여 낙오되는 사람이 많았다.

부대원들은 독자행동을 하며 목적지로 가기로 하고 대열에서 나와 먼저 출발했다. 이렇게 가다가는 모두 공멸共滅할 것 같았기 때문이었다.

그리고 해방구 주민과 비무장원들은 자수를 하거나 이탈하는 것을 허락하였다. 어차피 다 데리고 간다 한들 산 속에서 함께 생활한다는 것은 불가능하였기 때문이다. 그리고 중간중간 공격으로 죽거나 생포되거나 행방불명된 사람도 부지기수였기 때문에 이대로 가다간 많은 사람이 희생될 것이 뻔하였다.

그래도 함께 간다는 사람들을 이끌고 갔다. 성수산에 도착해 보니 반수가 훨씬 넘는 숫자가 이탈되었다. 그러나 선발대의 후미에 배속되어 온 도당부 이하 각 단체 요인들은 무사히 도착하였다.

나는 산악 적소에 급히 비트를 만들게 하고는 비상선을 정해주는 등 신속한 행동을 취했다. 나의 지휘 여하에 살아남느냐 죽느냐 하는 상황이었기 때문이다.

하여간에 도당부와 인민위원회·농맹·여맹·직맹·신문사·연예대·통신대·당학교·후방부요원 등 모두를 안전지대인 지리산까지를 무사히 호송하는 것만이 우리 부대의 소임이었다.

그러나 모든 상황이 여의치가 않았다. 매일 전투가 벌어져 7일을 성수산에서 머물러야 했다.

만일 회문산에서 나의 결심이 우유부단하여 몇 시간만 더 결단을 늦추었어도 그 다음날은 완전 포위 된 채 아비규환의 피바다, 생지옥을 맞았을 것이다. 군이 다음날 대대적인 공습을 계획해 놓았었다는 사실이 뒤늦게 정보망을 통해 들어온 것이다.

우리가 장소를 이동하자 국군 11사단과 8사단이 작전지역을 교체하게 되어 잠시 동안 군인의 공세는 잠잠했다.

그러나 각 지역마다 있는 경찰들의 만행이 계속되었다. 그들은 너무도 야비하게 행동을 하는 것이었다.

1951년 3월 16일 임실군 대한청년단은 잔인무도한 학살극을 벌였다.

무고한 양민들을 빨갱이니 좌익이니 통비분자니 하면서 모두 색출하여 죽인다는 터무니없는 소문을 퍼트리자, 이에 겁을 먹은 양민들 137명이 청웅 뒷산 금광굴로 들어가 은신을 하고 있었다.

이 사실을 알게 된 대한청년단과 한독당 인사들과 경찰들은 마치 좋은 기회나 포착한 듯 굴 안에 들어 있는 그 많은 사람들을 죽이기 위해, 붉은 고추 세 가마니를 가져다가 굴 입구에 놓고 불을 붙여 연기를 불어넣었다. 그러자 그 안에 들어 있는 양민들이 모두 질식하여 죽었다. 그러고도 혹시나 살아 나온 자가 있을까 봐 심지어 생솔가지로 불을 피워 불어넣었던 것이다.

그 안에 들어 있는 137명은 모두 고추불 연기에 이미 질식되어 죽었는데도, 거기에다 생솔가지 불을 피워서 재차 불어넣다니, 사람을 죽이는 수법도 잔인하고도 끔찍하였다. 독일의 나치가 유태인을 독가스를 불어넣어 죽인 것과 무엇이 다르겠는가?

무엇 때문에 순진한 양민들에게 허무맹랑한 소문을 퍼뜨려 가며 그토록 잔인하게 죽인단 말인가?

지난 1월 초순경에도 국군 11사단 20연대 3대대 병력들이 전북 고창군 공음면에 들이닥쳐 무고한 양민들을 통비분자로 몰아붙여 무려 500여 명 이상의 인명을 무차별 총살하는 만행을 저지르는가 하면, 순창 구림면이나 남원 운봉면 등 도처에서 통비분자, 좌익분자를 색출한다는 명목으로 양민을 무차별 학살하는 만행을 저질렀다는 소식도 들었다.

반면에 재산자의 토벌작전은 잠시 동안 뜸했다. 그러자 도당사령부는 효과적인 작전을 추진하기 위해 다시 부대 개편을 단행했다. 전 병력을 통합해서 27부대, 36부대, 418독립연대로 개편한 것이다. 따라서 부대마다 새로운 임무가 부가되었다.

27부대는 200여 명으로 후방부장의 지휘 하에 각종 보급만을 전문적으로 하는 임무를 맡았다.

36부대는 도당사령부 호위부대로 보위 병단 병력과 독수리 병단 병력을 중심으로 150여 명이었으며, 부대장은 맹봉이었다.

418독립연대는 탱크 병단이 주축이 되어 220여 명이었으며, 연대장으로는 내가 임명되었다. 418로 명명하게 된 이유는 4월 18일 부대 편제를 했기 때문에 붙여진 명칭이었다.

도사령관 동지는 이때에도 성수산 일대를 간혹 괴롭히는 군경부대의 시선을 다른 방향으로 돌리기 위한 목적으로 나에게 새로운 작전명령을 내렸다.

"학살 연대장은 418독립연대 전 병력을 이끌고 성수산을 떠나 진안 백운지서를 습격하고 장수군 장안산으로 빠져라."

이렇게 한다면 지금까지 우리 뒤를 따라다녔던 군경들은 418부대를 따라갈 것이며, 그렇게 함으로써 군인들의 시선을 돌리자는 작전이었다. 그리고 또 하나의 명령은 무기와 실탄을 한 트럭 분량을 확보하라는 것이었다.

도당사령부 대 개편을 단행하기 전까지는 도당사령관을 모시고 다니면서 정규전을 하다시피 한 때도 있었고, 때로는 반 정규전을 해오다가, 이제야 유격전을 하게 되니 참으로 마음이 홀가분했다. 그러나 앞으로 도당부가 어찌 될 것인지 걱정되었다.

명령에 따라 성수산을 떠나 백운지서를 습격했다. 우리 소대장 이하 4명의 전사자가 발생했다. 큰 성과도 없이 철수하여 팔공산으로 퇴각했다. 다음 날이 되어서야 장안산으로 가게 되었다.

유격투쟁

이제부터는 정말로 자유자재로 유격투쟁을 하게 되었다.

서둘러 참모진과 각 대대장을 모아놓고 자유로운 분위기 속에서 작전계획을 새우게 되었다. 투쟁목적은 후방 교란전이면서도 우리 유격대의 무력을 보여주는 것도 의의가 있거니와, 도사령관 동지의 명령을 받들어 무기와 탄약 한 트럭을 노획하는 작전계획을 허심탄회하게 토의하였다.

항간에 명성이 높은 외팔이 문남호 참모장의 발의에 따라 지금까지 각자의 마음에 두고 말하지 못했던 것을 유감없이 토로하는 시간을 마련한 것이다.

토의 후 결론은 요즘 너무나도 우리 제3유격대를 깔보고 겁 없이 달려들고 있는 군경들을 유인해서 따끔하게 혼내주자는 데 의견의 일치를 보았다.

이 작전을 하기 위해서 전략을 세웠다.

"우선 노약자만을 10여 명 골라서 보급 투쟁을 보낸다면 부락민들은 당장에 빨치산들이 왔다 갔다는 신고를 할 것이다. 그러면 주민들은 차후 경찰의 호된 탄압이 무서워서 반드시 보급투쟁을 나왔던 부대의 모습과 숫자를 자세하게 보고할 것이다. 이 보고를 받은 경찰들은 곧바로 쫓아 나올 것이다. 그것에 대비해 매복조는 번암지서에서 멀지 않은 지지골 근처에 의심을 받지 않을 만한 장소를 골라 참모장 이하 20명을 매복시켜 그들을 격파한다."

모두 지원자로 선발하였다. 전투는 스스로의 의지에 의해 참여할 때 더 큰 효과를 볼 수 있다는 것을 알고 있었기 때문이다.

보급투쟁은 소대장 인솔 하에 노약자만을 골라서 하루 전날 내보내기로 했다. 다음은 매복조의 퇴로를 호위하며 만약의 경우를 대비해 엄호사격조로 20명을 선발했다. 엄호사격조는 지지골 앞산에 매복하고 있다가 유사시에 후원토록 1대장에게 책임을 맡겼다.

이와 같은 작전 계획을 세우고는 모두 현지로 보냈다.

우리 인민유격대 곧 조국의 민주민족 통일독립 전선에 앞장을 서서 싸우는 인민해방군을 너무도 가소롭게 보았던 경찰들은 신고가 들어가자 5백여 명의 경찰병력을 출동시켰다. 그 중 150명은 번암지서를 출발해서 빠른 길을 따라 장안산을 들어와 우리가 매복하고 있는 지점으로 오는 것이었다. 그리고 350명의 주력부대는 장안산 넘어 팔공산 방면에서 장안산으로 올라가 고지를 점령한 다음 업어치기 작전으로 골짜기 전체를 토벌하기 위한 작전을 펴고 있었다.

그러나 150명의 경찰선발대는 지지골에서 매복하고 있는 우리 유격대에 걸려들었다. 멋도 모르고 올라오던 그들은 완전히 박살이 나고 말았다. 급습을 당한 경찰의 사상자는 엄청 났다. 시체만도 몇 차를 실어냈다는 민간의 정보가 들어왔다.

박격포 1문하고 그에 따른 포탄, 중화기와 소총실탄, 수류탄 등 기대 이상의 많은 전리품도 노획했다. 이번 전과는 11사단 공세 후 우리 도사령부에서 올린 전과 중 가장 큰 것이었다.

이렇게 하는 것이 바로 유격전술의 진수였다. 속임수를 바탕으로 예상하지 못하는 엉뚱한 장소에 매복을 하여 급습하는 전술이 유격술의 장점이다. 여기에 걸려들면 반격도 하지 못하고 그저 죽을 수밖에 없는 것이다.

우리 4 · 18독립연대는 이번에 단행한 전투로 하면 된다는 자부심과 이승만 괴뢰집단의 경찰주구들을 때려잡았다는 통쾌함에 대원들의 사기는 충천하였다.

그리고 작전을 수행함에 서로가 신뢰하고 지혜를 모아 행하는 것이 얼마나 중요하고 성공할 가능성이 높은지를 알게 해주었다.

이 공격이 있고 난 후 우리 독립연대는 편성 후 처음으로 며칠 간 휴식을 취했다.

군경의 공세는 더욱 치열했으나, 우리 속임수 전법에 걸려 따끔하게 당한 후로는 고지에 오르면 무조건 깊고 으슥한 골짜기에는 박격포와 기관총을 한참 동안 마구 퍼붓다가, 오후 3시경이 되면 서둘러 퇴각하고 마는 소극적인 전법만을 반복하고 있었다.

이때에 함양군당부 정보에 따르면 함양에서 남원으로 이어져 있는 국도를 통해 양키들이 간혹 군수물자를 수송하고 있다는 제보가 들어왔다.

나는 이 정보를 들은 즉시 이들을 격파해야겠다는 생각을 했다. 그래서 작전을 짰다. 작전의 내용은 국도 중간에 매복조 20명을 지원자로 선발해서 파견하기로 했다. 은밀하게 매복해 있다가 미군의 군수차량이 지나갈 때에 급습하라는 것이었다.

내가 직접 매복조를 데리고 나갔다.

적당한 장소에서 매복을 하고 있는데, 정말 미국제 차량이 다가오는 것이 시야에 들어왔다. 중화기를 수송하는 차량인 듯 싶었다. 차에는 호위하는 병사들이 무장을 한 채 탑승을 하고 있었다.

나는 그 모습을 보자 잘 됐다 싶었고 한편으로는 분노가 치밀었다. 무슨 사정이 있다고 살상무기만을 반입해 오고 있단 말인가? 그 무기를 가져다가 누구에게 주어서 누구를 죽이려는 것인가? 결국 동족을 죽이려는 것이 아닌가? 외세를 물리치고 미제의 하수인 이승만 괴뢰집단을 타도하고 진정한 우리 조국의 통일독립을 쟁취하려고 자진해서 나와 싸우는 인민유격대가 무슨 죄가 있단 말인가? 바로 이 원수놈부터 때려잡아야겠다는 생각을 왜 진작 못했을까 하는 생각이 들었다.

20명의 사격수는 차량이 사격권내에 들어오자 한 놈이라도 놓칠세라 정확하게 조준을 해서 총알을 퍼부어 댔다. 그들을 태웠던 차량들은 박살이 나고 미국놈들은 모두 40여 명 중 거의가 다 죽었다. 그 중 한 놈이 물건에 가려 간신히 죽지 않고 살아남아 남원 방면으로 도망을 쳤을 뿐, 전원이 이국 땅 전라북도 남원에서 귀신이 된 것이다.

그 뒤 민간정보에 의하면, 그 일행 가운데 미군사고문단과 경남 거창 조사단도 포함되어 있었다는 것이어서, 중요한 인물도 살상하는 전과를 올리게 되었음을 알 수 있었다.

수송차량은 화염에 싸여 재가 되었고, 탑재한 신무기는 있는 대로 노획할 수 있었다. 그러나 이번 매복전에서 대량 노획했던 중화기는 정규군이나 큰 작전을 할 때나 사용하는 무기였다. 그러나 우리 유격대가 쓸 수 있는 무기인 M1 소총과 카빈 소총, 실탄, 수류탄도 다수 있어서 성과가 아주 좋았다.

신출귀몰하게 수행한 우리 유격대 투쟁은 한 명의 피해도 없이 대승을 거두고 전원 무사하게 돌아왔다. 퇴로를 견제하는 부대원들과 합류하여 많은 무기를 짊어지고 대낮에 자랑스럽게 돌아온 것이다.

나는 우리 대원들에게 무한한 찬사를 아끼지 않았다. 그리고 이어서 대원들에게 미국놈들의 참전에 대해 분노에 섞인 말로 연설을 했다.

"도대체 미제국주의자들이 우리 조국 통일 독립을 위해 싸우는 동족전쟁에 무엇 때문에 참전을 하고 살상무기까지 실어온단 말입니까?

바로 이 자들 때문에 민족전쟁은 가열되고 조국의 독립과 통일은 난항을 겪고 있는 것이 아닙니까? 이 자들은 우리 조국과 민족의 통일을 방해하는 원수들이 아닙니까?

하루 빨리 이 자들이 이 땅에서 사라질 때까지 다 같이 싸워나가야 할 것입니다. 그리고 민족의 반역자 주구들의 감언이설에 속아 넘어가지 말고, 민족을 위해 투쟁하는 본의를 잃어서는 안 됩니다."

"옳소!"

모두들 '옳소'를 제창하며 나의 연설에 찬성의 박수를 보내주었다.

이제 두 차례의 유격투쟁으로 노획한 무기가 상당히 비축되어 있었다. 당장 사용해야 할 무기만을 사용하고 나머지는 비장해 두고 덕유산으로 이동했다.

경찰이나 미국놈들은 두 차례나 얻어맞았지만, 어디에 거점을 두고 있는 유격대에게 두들겨 맞았는지도 모른 채 매우 당황해하면서 공격의 수위를 높이기 시작하였다.

군인들은 성수산·팔공산·장안산 일대를 마치 이 잡듯이 뒤지는 대공세를 펴는 바람에 도당부를 따라 다니는 27부대와 36부대들이 많은 피해를 보았다.

이들의 공세로 심지어는 우리 418독립연대와 접선마저 두절이 되었다. 도당사령부는 우리 418독립연대가 커다란 전과를 올렸다는 말을 들어 알고는 있었으나, 접선이 안 되자 크게 당황하였다.

많은 피해를 입은 도당사령관 이하 전 병력이 우리 418독립연대를 만나려고 최선을 다해 쫓아 헤매다가, 천신만고 끝에 덕유산 골짜기에 있다는 것을 알고 접선을 시도해 왔다.

이때 우리 418독립연대는 덕유산으로 이동한 다음날부터 우리 연대의 월동준비를 하기 위한 식량 확보에 나섰다. 가을 추수기를 맞아 식량을 확보하여 여기저기 비축해 두었다. 추위가 닥쳐오면 야지野地로 진출하여 분산이합分散離合 전법을 병행하여 여유만만하게 유격작전을 하기 위해 월동작전까지 세운 것이다.

그래서 이 기간 동안은 군인과의 투쟁은 쉬고 보급투쟁만을 나갔다. 추수기라 식량확보는 수월하였다. 상당량의 식량을 비축할 수 있었다. 그리고 보급투쟁에 나갈 때도 번갈아 나가도록 하였다. 그러자 여유 있게 휴식을 하며 지낼 수 있었다. 회문산에서 매일같이 군경들과 대치하고 공방전만 해가며 고지를 고수하던 때와는 너무나 다른 생활이었다.

해방투쟁과 사단장

하루는 보급투쟁을 나갔던 대원이 농우(農牛 : 농가의 소) 한 마리를 몰고 오게 되었다. 아침 늦게 도착한 소를 잡느라고 상당한 시간이 걸렸다. 대원들은 소를 잡아 밥을 먹으며, 며칠 간의 휴식과 더불어 경계를 소홀히 하고 있었다.

그런데 이 틈을 비집고 경찰들의 기습을 받았다. 첫발 신호탄이 나의 오른팔을 관통하였다. 팔에서는 심한 출혈과 함께 통증이 심하여 나는 그만 주저앉고 말았다. 경찰의 총성은 이어 덕유산 골짜기를 울리며 산이 떠나갈 듯 계속 요란스럽게 울려왔다. 그러나 동작 빠른 우리 대원들이 능선에 올라 반격을 가하자 골짜기까지 접근하지는 못했다.

그런데 내가 총상을 입고 누워 있는데, 장수군당 군사부장으로 새로 임명된 이북 출신 인민군 장교는 나를 보고도 못 본 체하고 지나치는 것이었다.

조금 뒤에 뛰어오던 우리 418여성대원동무는 나를 보더니 놀라며 붙들어 껴안고는 뛰는 것이었다. 이 여성동무는 제주도 출신으로 감달삼 부대에서 4·3투쟁 때부터 싸운 구빨치산이었는데, 30세에 얼굴도 예쁘기도 하거니와 남자대원 못지않은 체력과 정신력으로 다른 여성대원의 귀감이 되고 있는 김정분 동지였다.

공격을 받고 퇴각하면서 전투대원은 황급히 반격을 가하고 다시 돌아올 생각들이었으나 전황은 군경의 총공세로 여의치 않아 모두 포위망을 빠져나가야 할 형편이었다. 그러나 장수군당 군사부장은 나를 못 본 척하고 자기만 빠져나가는 것이었다.

하지만 여성대원은 남자도 하기 힘든 나를 부축하며 이동을 하기 시작하는 것이었다. 산능선에 두 명의 우리 418대원이 퇴로를 도와주고 있었기 때문에 포위망을 뚫고 무사히 빠져 나갈 수 있었다. 나는 그 여성대원에게 거듭 감사의 말을 전했다.

이날부터 우리 418연대는 나의 부상으로 참모장의 통솔 하에 후방교란전과 보급투쟁을 나가도록 지시하였다. 그리고 나는 연락병·호위병·간호원까지 3명만을 데리고 비트에 들어가 매일같이 치료를 받으며 요양을 하였다.

요양을 하며 일주일을 지내고 있는데 느닷없이 비트 아래편 한쪽 기슭에서 소리가 났다.

"쉿, 조심, 조심!"

나는 긴장을 하며 그 소리에 귀를 곤두세우고 있었다. 어떤 사람들인가 조심조심 몸을 숨기며 자세히 살펴보니, 우리 도당부 사령관 동지 이하 26부대와 36부대 등 전원 300여 명이 군경의 공세를 뚫고 올라오고 있는 것이었다. 덕유산에만 들어간다면 우리 418연대를 만날 수 있을 것이라는 기대 속에 그저 막연하게 사전 연락도 없이 올라오고 있는 것이었다.

다행히 나를 만나게 되어 모두 안도의 한숨을 돌리는 것이었다.

며칠 간을 군경들의 포위망 속에서 굶어가면서 헤매고 다녔는지 참으로 몰골이 말이 아니었다. 그야말로 죽기 일보직전의 사람들 같았다.

사령관 동지의 말은 덕유산 일대에서 빨치산의 교란전이 심하다는 당 세포망의 정보를 듣고 우리 418독립연대가 벌이는 것으로 예측을 하고 이리로 왔다는 것이다.

나는 곧바로 비축미를 풀어 식사를 지어먹도록 했다. 며칠 간을 편안하게 휴식을 하도록 하였다. 이발도 하고 남루한 옷도 세탁하도록 하였다. 그랬더니 대원들의 사기는 다시 솟아오르는 것이었다.

이때 사령관동지는 나의 총상을 크게 걱정하면서 20명 정도의 호위병을 두지 않고 있는 것은 지각이 없는 일이라고 하였다. 한 사람의 중요한 지휘관을 얻는다는 것은 쉬운 일이 아니라는 것을 알아야 한다고 하였다. 내가 불찰로 일어난 일이므로 앞으로는 주의하도록 하겠다고 하였다. 그러나 나를 그토록 훌륭한 지휘관으로 생각해주는 말에 기분이 좋았다.

이로부터 전북도당부는 각 군당부 조직강화를 추진하였다. 효율적인 전술을 펴기 위해서 조직을 재정비할 필요가 있었기 때문이다.

도당부 산하에 남부와 북부 두 곳에 블록을 두어 블럭분담제를 추진하기 위한 방안을 모색하고, 아울러 유격대 투쟁 역시 이에 준하여 조직을 개편하도록 하였다.

이번에 조직을 개편하면서 각 군당부를 한 곳에서 지도하는 것보다 블럭제를 실시하여 군경의 공세 중에도 항상 조직망 접선이 쉽게 이루어지도록 하였다.

북부불럭 도당책임자에 오완 동무를 임명하고 관할구역은 전주 · 완주 · 무주 · 금산 · 진안 · 장수 · 이리 · 익산 · 군산 · 옥구였다.

남부블록은 북부관할과 남원군당부를 제외한 전부였고, 부대는 항미연대抗美聯隊로 불렀다. 병력은 7백 명 미만으로 연대장에 박판쇠(호는 백암)를 임명하였다. 활동구역은 회문산 · 변산 · 잡방산 · 가막골 · 방장산 등으로 정했다.

도당부는 지리산에 근거지를 두고 남원도당부를 직속에 두었으며 호위병력은 400명으로 편제되어 장돌진을 호위대장으로 임명하였다. 그리고 연락망을 강화하여 북부블럭과 남부블럭 간에 이중 삼중으로 비상선을 정하고 당지도체계를 갖추었다.

이와 같은 당부지도체제는 군경의 공세가 가열되어 연락이 두절되는 경우가 많아지면서 취해진 것이었다. 6 · 25전쟁에도 그러한 블록제도로 공동전선을 형성하여 투쟁한 적이 있었다.

그런데 나의 418독립연대의 유격투쟁지역은 전라북도 북부관할 일원이며 투쟁임무는 종전보다 더욱 광활하였다. 각 군당부사업을 할 수 있도록 지원하고 군인과의 격전에 대응하여 적의 후방 깊숙이 들어가 교란전을 과감하게 펼치는 것이었다.

그와 같은 투쟁과업을 추진하기 위한 418독립연대는 종전의 탱크병단 성원을 근간으로 구국연대로 개편하게 되었다. 병력은 700명으로 증원하여 개편하였다.

이것은 내가 빨치산 투쟁을 전개한 후 가장 많은 정예부대를 거느리는 것이었다. 그리고 인원은 금산군당부와 완주군당부, 진안군당부에서 대원을 차출 받아 보강하였다. 구국연대장에는 내가 임명되었고, 정치위원에 김일성 대학을 이수한 김규락을 그대로 유보하고, 참모장에 금산출신 김수남을 각각 임명하였다. 활동지역은 운장산·덕유산·장안산·성수산 일대로 정했다.

그러나 무엇보다도 시급한 것은 연대가 상하 혼연일체가 되어야 함은 물론이요, 건강 증진에도 최선을 다하여 전투력을 높이는 일이었다.

그래서 당분간은 보급투쟁 정도로 하면서 소련 볼셰비키 혁명당사와 사회발전사를 강의하면서, 우리들이 무엇 때문에 다 같은 민족끼리 피를 흘려가면서 싸워야 하는가에 대한 강의를 자주 가졌다. 이와 같은 것은 의식적인 혁명투사를 양성하기 위해서였다.

그러나 이때 조선 노동당 중앙당 위원이며 남부군 유격대 총사령관으로 또 6·25전쟁 전에도 여순반란군을 이끌었던 이현상 동지가 주축이되어 회의를 개최하였다.

일차로 송치골에서, 다음은 달궁골에서 긴급 6개도당위원장 연석회의가 열렸다. 회의석상에서 결의하여 우리 전북도당 사령부 산하에 조직된 2개연대는 남부군으로 편입되었다.

그로부터 나의 418구국연대는 45사단으로, 백암(박판쇠)의 항미연대는 46사단으로 각각 승격했으나 병력은 종전 그대로였다. 내가 45사단의 사단장이 된 것이다.

사단지휘부 조직체제도 많은 변화가 있었다. 우선 병단시절에는 문화부로 불렀고, 연대시절에는 정치주임이라 불렀던 것을 사단으로 승격되면서 정치위원으로 부르게 되었다. 정치위원 산하에 간부부장, 조직부장, 선전부장, 후방부장, 연예부장을 두었다. 참모부 산하에 작전과장, 대열과장, 정보과장, 연락과장 등의 과장을 두었다.

그리고 작전은 종전과 같이 전북 북부도당부 관내에 거점을 두고 당 사업을 지원하면서, 남부군 유격대 총사령관 이현상 동지의 명령을 받게 되었다.

남부군의 작전 관할지역은 충청남북도와 전라남북도, 경상남북도 등 소위 삼남 전 전지역이었고, 남부군사령부의 본거지는 지리산이었다.

남부군 총사령부 산하에 내가 속한 전북 45사단과 46사단, 전남에 2개 사단, 경남에 1개 사단, 충남에 68지대, 충북에 72지대와 사령부 직속에 72사단과 68사단이 있었다.

남부군 사령부는 조선노동당 중앙당부의 지령에 따라 조국해방전쟁에 호응하는 투쟁을 전개하고 적의 후방에서 대대적인 교란전을 전개하는 데 목적이 있었다.

만약 돌발적인 사태에 처하게 되면 6개 도당위원장과 남부군단사령관은 중앙당 대역지도부의 성원이 되고, 임시대행기관으로서 전 위원의 의결을 거쳐 남부군 유격대 총사령관이 지시를 내리게 되면 이를 집행하는 유격투쟁활동 체제로 되어 있었다.

남부군 사령부와 전북도당 사령부는 지리산 뱀사골에 거점을 두고 상호 유기적인 연락망을 가져 시의적절한 유격투쟁을 수행하였다. 우리 전북도당 군사부는 남부군단 사령부와 함께 있으면서 남부군단의 지부

역할 역할도 함께 수행하는 형식을 취했다.

그러나 내개 속한 우리 45사단은 남부군단 사령부와 함께 있어도 직접적인 작전명령을 받지 않고 언제든지 전북도당부 군사부장을 전북도당부 부사령관으로 승진 발령하여 그를 통해 명령이 하달되도독 하였고 투쟁보고도 하였다.

그리고 이미 전북도당부는 조선노동당 중앙당부와 통신을 언제든지 직접 주고받을 수 있도록 하기 위해서 지리산 뱀사골에 통신시설을 갖추었다. 그러나 수신은 되어도 발신은 잘 되지 않았다. 우리 전북도당에 이달호라는 사람이 통신도 하면서 도당위원장 호위 역할도 했다. 그는 재주가 뛰어나서 군인과 경찰들이 쓰는 암호를 해독하여 위급할 때는 군인에게 무전을 쳐서 혼란을 일으키는 작전도 구사했다.

무기수리공장은 달궁 앞산 봉산골에 설치하고, 무기의 수리는 물론 사제납탄, 소총납탄, 사제수류탄, 지뢰 등을 만들어 대원들에게 보급하였다. 산 속에서 어떻게 무기를 만들 수 있는지 의아하게 생각할 것이지만, 그러나 기술자들이 꽤 있었다. 그 기술자들이 재료를 구해다가 만들었던 것이다.

우리 45사단 참모진 체제는 대개 인민군 중진간부와 국군 출신이었고, 402연대장에 김소암, 403연대장에 강철, 404연대장에 조길환을 각각 임명하였다. 덕유산에서 전북도당부 부사령관 김명곤이 참석한 가운데 엄숙하고 성대하게 사단 발대식을 가졌다.

이 자리에서 사령관 대리로 참석한 전북도당부 부사령관 김명곤은 일장 훈시를 하였다.

"우리 유격대의 투쟁목적은 이승만 괴뢰집단을 타도하고, 그자들이

종주국으로 삼고 있는 미제국주의를 몰아내어 조국의 자주적인 통일 독립을 쟁취하는데 있습니다. 그리고 당면한 임무는 주전선에서 전개되고 있는 전쟁에 호응하여 적의 후방을 깊숙이 파고들어 교란함으로써 적의 세력을 무력화시키는 데 있습니다."

우리 45사단 정치위원 김규락은 답사에서 다음과 같이 말했다.

"우리 당의 영도에 따라 조국의 통일 독립을 위해 전 세계 인류의 평화와 행복을 위해 싸우고, 승리의 그날이 올 때까지 어떠한 난관이 닥쳐와도 최후까지 힘을 모아 싸울 것을 맹세합시다."

승리를 다짐하고 만세 삼창을 하였다.

이와 같이 우리의 45사단 발대식을 마친 뒤에, 바로 주전선 후방에서 매국노와 친일파의 하수인 역할을 하고 있는 경찰지서의 치안행정 업무를 마비시켜 혼란을 주기 위한 작전계획을 먼저 세웠다.

우선 장수경찰서 계북지서 해방투쟁을 하게 되었다. 산간에 위치한 지서로 많은 보루와 참호를 구축하여 방호시설이 비교적 공고하였다. 그러나 사전에 정확한 정보와 지형정찰을 하고 작전계획을 세웠다.

작전을 하는 날 밤 일부 병력이 먼저 출동했다. 칠흑 같은 어둠이 사방을 뒤덮고 있었다. 어둠 속을 뚫고 먼저 출동한 대원을 따라 나머지 대원들도 조심조심 계북지서로 향했다.

공격신호와 더불어 일제히 사격을 가하며 각자에게 부과된 지역을 기습공격 하였다. 10여분만에 지서를 완전 점령하는 전과를 올렸다. 한 사람의 희생자도 부상자도 없이 속전속결로 작전을 수행한 것이다. 그리고 노획한 총과 탄약 등을 가지고 신속히 다음 장소로 이동했다.

얼마 후에 어디선가 총성이 들려왔다. 장안산 언저리까지 여운을 남기며 들려왔다. 군부대가 계북지서 쪽으로 이동을 하고 있었던 것이다. 그러나 우리는 계북지서를 파괴하고 45사단 전 병력이 운장산으로 이미 이동해 있었다.

이번 작전으로 경찰지서를 공포에 떨게 하고, 지리산 주변에 집결한 국군병력을 분산시키는 등 효과가 컸다. 우리 사단이 올린 이 전과를 상부에 보고하자 칭찬이 대단하였다.

우리 사단 정치위원은 이것을 계기로 가일층 정신무장을 하기 위해 대원들을 모아 놓고 정신교육을 시켰다. 일제시대 조선총독부 통계자료 표제에 있는 김일성 장군의 항일 투쟁사 일편을 토로하였다.

"수많은 애국지사들은 일제의 광폭한 탄압에 맞서 보다 자유롭게 활동하기 위해 만주지역을 무대로 항일무장투쟁을 전개하기 시작하였습니다.

이미 1920년대부터 1925년까지 6년간에 걸쳐 압록강과 두만강 연안에서는 3,929회의 전투가 전개되었습니다. 연인원 약 16만여 명이나 되는 숫자입니다. 이 같은 만주에서의 무장투쟁은 1930년대에 접어들면서 더욱 대규모로 전개되고 격렬하게 전개되었습니다. 항일 무장부대가 이미 이 지역을 장악하고 있었으며 전투 횟수도 급속히 늘어났습니다.

조선총독부의 통계에 나타난 1931년에서 1936까지의 항일무장대 출몰횟수는 무려 2만 3,928회이며, 전투에 참여한 연인원만도 136만 9,027명에 달했습니다. 탈취한 총기는 3,779정에 이르렀습니다.

이처럼 만주지역에서 우리 민족이 벌인 대대적인 무장투쟁은 이 지역이 일제의 대륙침략의 거점이었다는 점에서 특히 중요한 의의를 지니고 있습니다.

즉 일제는 모든 병력과 군장비의 보급을 담당하고 있는 생명줄과도 같은 이 지역을, 항일무장부대의 위협으로부터 지키기 위하여 막대한 부대를 투입할 수밖에 없었고, 이로 인하여 일제의 대륙침략은 상당한 차질을 빚게 되었던 것입니다.

반면 항일무장부대는 이 지역이 갖는 중요성을 고려한 일제의 대대적인 공세에 직면함으로써 크나큰 시련을 겪어야만 했습니다.

결국 상당부분의 무장부대는 1930년대 중엽에 이르러서는 중국본토로 퇴각하지 않으면 안 되는 상태에 이르게 되었습니다.

물론 이러한 퇴각은 국내에서 투쟁하는 민중과의 연계도 결정적으로 약화되는 것을 의미하는 것으로서, 항일독립운동사에 커다란 시련을 의미하는 것이었습니다.

한편 일부 무장부대의 중국본토로의 퇴각에도 불구하고 여전히 한반도와 인접해 있는 동만주 지역에서 끈질기게 저항을 계속하고 있던 일단의 무장부대가 있었습니다.

1930년대 중반을 넘어서도 계속 한반도에 근접한 위치에서 활동을 하였던 이 부대를 가리켜 당시 일본총독부에서는 '김일성 마적대' 라고 부르고 있었습니다. 김일성 부대에 관해 미국무성에 의해 소개된 자료를 하나 소개해 드리겠습니다.

일본제국주의자들과 전투를 하는 과정에서 유능한 지도자들이 나타났다. 그 가운데 김일성 부대는 특히 뛰어났다. 김일성 부대 사람들은 매우 용감했다. 이 부대가 이 지역에서 거의 모든 작전들을 수행하였다. 이 부대의 행동은 항상 계획적이고 재빨랐으며 정확했다. 이 부대는 두 대의 총포를 갖고 있었기 때문에 일본군과의 격렬한 전투에서도 버틸 수 있었다. 일본인들은 김일성 부대를 잡기 위해 1년이나 쫓아다녔지만 허사였다.

여러 가지 자료를 종합해 볼 때 김일성 부대가 다른 항일무장부대에 비해 오랫동안 계속 투쟁을 전개하고 있었던 것은 분명합니다. 그리고 김일성 부대가 이렇게 오랫동안 지속할 수 있었던 것은 이 지역에 거주하고 있는 민중, 특히 그 중에서도 농민들과 긴밀하게 협조를 하였기 때문으로 분석됩니다.

이 같은 농민들과의 협조관계는 주로 만주와 한반도 북부지방을 기반으로 성립된 '조국광복회'를 통해 조직적으로 추진되었습니다.

예컨대 김일성 부대의 간부들이 지도적 역할을 담당하고 있던 '조국광복회' 갑산공작위원회와 이를 발전시킨 조선민족해방동맹은 국내에서 모든 항일세력을 단결시키기 위한 활동을 전개시키는 한편, 이를 기반으로 항일 유격대에 참여할 청년을 모집하고, 필요한 식량·피복·정보·자료를 조달하는 등의 활동을 전개하였습니다.

이와 같이 국내에 지반을 갖게 된 김일성 부대는 1937년에 이르러서는 괄목할 만한 활동을 보이게 됩니다.

즉 1937년 6월 4일 김일성은 약 150명의 유격대를 이끌고 혜산진에서 약 24km 떨어진 압록강변의 황량하고 외딴 마을 보천보에 대한 공격을 단행하였습니다.

현지의 동조자들이 제공한 뗏목을 타고 압록강을 건너와 김일성 유격대는 밤 10시를 기해 경창 주재소, 면사무소, 산림보호구, 농업시험장, 우체국 등등의 관공서에 대해 공격을 개시하여, 경찰 7명을 살해하고 7명에게 중상을 입혔을 뿐만 아니라, 각종 선전문을 살포하고 물자를 노획하였습니다.

김일성은 마을주민을 모아놓고 열정적인 연설을 한 뒤 압록강을 건너 산악지대로 사라졌습니다.

최초로 한반도 내에 항일무장부대가 진격해온 이 혜산진 사건은 두말할 필요도 없이 일제에게 엄청난 충격을 안겨주었습니다. 김일성 부대의 한반도 진공작전에 놀란 일제는 대규모 토벌작전을 감행하기 시작했습니다.

김일성 부대의 정보망을 검거하고 유격대에 대한 식량공급을 차단하기 위해 외딴 마을 주민들에게는 식량배급제도를 실시함으로써, 유격대에게 제공할 여분의 식량을 보유하지 못하도록 하였습니다.

또한 백두산과 압록강 근처의 6백여 마을에는 집단부락제를 실시하고, 무장 자위대를 조직한 뒤 이들 자위대에게 1만 6천여 정의 소총을 지급하기에 이르렀습니다.

이와 함께 일제는 토벌작전을 용이하게 하기 위해 약 1,000km에 달하는 도로를 새로 개설하는 한편, 기존도로에 대한 대대적인 보수작업을 추진하였습니다.

이 밖에도 유격대와 그 동조자들의 출몰을 감시하기 위한 방편으로 모든 주민들에게 사진이 부착된 주민증을 지니고 다니도록 조치하였습니다.

이러한 일제의 대토벌작전이 김일성 부대의 활동을 완벽하게 봉쇄했는지는 알 수 없습니다. 그러나 만주지역에 보다 대규모의 일본군부대가 주둔하기 시작한 1941년 이후부터는 적어도 일제총독부 자료에 나타난 김일성 부대의 활동은 급격히 퇴조하게 됩니다.

그러나 김일성은 나름대로 다가오는 일제의 패망을 예견하고, 역량을 효과적으로 보호하기 위해 대규모 전투를 중단하고 소부대 활동과 정치 사업에 치중하는 쪽으로 방향을 전환했던 것으로 추측됩니다.

1945년 6월의 일본경찰의 기밀문서들은 김일성이 8월 소련으로부터 '해방군'을 이끌고 한반도로 진격해올 예정이라는 정보에 촉각을 곤두세웠다고 전하고 있습니다.

우리는 이 투쟁사를 거울삼아 남북으로 양단된 우리 조국에서 민족의 반역자 매국노와 친일주구배들을 한 놈도 남김없이 몰아내고 물리쳐 민주민족 통일독립 국가를 쟁취하여야 하겠습니다.

전 세계 인류의 약소민족들은 우리 민족의 남북통일 독립의 염원을 하루 빨리 이루도록 뜨거운 성원을 보내오고 있습니다.

동지 여러분!

우리 모두 끝까지 투쟁하여 기필코 승리를 쟁취합니다!'

모두가 환호성을 질렀다. 박수소리가 터져 나왔다. 조선총독부의 객관적인 자료를 이용해 말을 하니 감동이 더하는 것 같았다.

정치위원의 말을 듣고 보니 생각이 났다.

8·15 해방을 앞두고 6월 하순경 만주 조량진에서 우리 교관 이와다키 소위를 따라 어느 조선촌을 갔을 때 부락대표자로부터 들은 말이 생각났다. 그들은 우리가 간 날보다 이틀 전 밤에 이웃 동네에 김일성 마적단이 와서 한 마을을 몽땅 털어 갔다는 말을 했었다. 그때 내가 그 뒤의

소식을 묻자 한 번 떠나면 그만이라고 했다. 이때까지도 김일성은 후방 교란전을 하고 있다는 것을 알 수 있었다.

나는 이 자리에서 대원들에게 덧붙여 말했다.

"정치위원의 말씀은 매우 감동적이었습니다. 우리는 이 이야기에서 소부대의 유격전일망정 그 전력전술의 영향은 매우 크다는 것을 알 수 있습니다. 김일성 부대를 잡기 위해 일본군이 쏟아 부은 노력은 엄청난 것입니다.

그래서 저는 유격전의 작전방법을 말씀드릴까 합니다.

유격전의 요체는 기민함과 신속함에 있고 속임수를 바탕으로 행동하는 것이 매우 효과적입니다.

유격전의 방법은 중국 모택동 주석이 말한 16가지 전법에 가장 잘 나타나 있습니다. 그 중에서 몇 가지만 말씀드리겠습니다.

우선 진격해 오는 적의 세력이 왕성할 경우 적과는 싸우지 말고 피해 버리라는 것입니다. 이길 만한 싸움만 하는데 질 까닭이 없는 것입니다. 이것이 바로 적을 가려 싸우는 적진아퇴敵進我退의 전법입니다.

다음은 적이 정지하여 야영 중일 때는 집적거리면서 교란전을 펼치라는 것입니다. 말하자면 잠시라도 시간적 여유를 주지 말고 신경전을 펴라는 것입니다. 옆에서나 뒤에서나 적을 피로하게 하고 감쪽같이 사라져 버리는 이것이 바로 적지아우敵止我優입니다.

그 다음은 적이 역부족으로 방향을 바꾸려 할 때는 여지없이 들이치라는 것입니다. 피하는 적은 먼저 선제공격을 하라는 것입니다. 이것이 바로 적피아격敵避我擊입니다.

그리고 적이 퇴각할 때는 진격을 하라는 것입니다. 이것을 적퇴아진

敵退我進이라고 합니다. 대규모 전투에서나 소규모 전투에서나 다를 것이 없습니다.

중국혁명투쟁사를 더듬어보면 이 원칙에서 한 발자국도 벗어나지 않고 있습니다.

특히 우리 항일 빨치산들이 사용하던 전법으로 소리는 동쪽에서 내고 치기는 서쪽에서 친다는 성동격서聲東擊西, 적세가 강한 곳은 피하고 약한 곳으로 허점을 노려 친다는 이정화령以整化零, 치고 나서 흩어져 종적을 감추고 필요하면 다시 모여 세력을 이룬다는 이령화정以零化整 등도 매우 좋은 전법입니다. 필요에 따라 없어졌다가 생겼다가 하는 신출귀몰하는 전법입니다. 이런 것을 기병법奇兵法이라고 하는 것입니다.

'바람처럼 빠르고, 숲 속 같이 조용하고, 불길처럼 진공進攻하고, 산처럼 움직이지 않고, 어둠처럼 찾기 어렵고, 번개같이 움직여라.' 는 『손자병법孫子兵法』 '군쟁편軍爭篇' 에 나오는 말도 바로 유격전법을 말하는 것이며 기병법을 말하는 것입니다.

즉 유격전의 요체는 기민함과 신속함에 있다는 말이며, 그 결론은 병이사립兵以詐立 즉 병사는 속임으로써 설 수 있다는 것입니다.

아지트 하나를 잡는 데도 병이사립의 전법이 적용됩니다. 이와 같이 유격대는 한시라도 방심하지 말고 만사에 경계심을 갖고 신출귀몰한 전법을 사용한다면 반드시 성공할 수 있습니다."

나의 전술전법 강의에 대원들은 경청하였고, 강의가 끝나자 우레와 같은 박수를 쳐주었다. 이러한 정신교육은 두어 시간 동안 계속된 후 각자 휴식을 가졌다.

계북지서를 습격한 후 다음 공격목표가 정해졌다. 완주경찰서 운주지서를 습격하는 것이다.

먼저 계북지서 습격을 성공적으로 마친 우리 대원들은 자신감을 가지고 나의 지시에 따라 은밀히 접근했다. 그들은 우리가 들이닥칠 것을 예상하지 못한 상태라 손 쓸 틈도 없이 당하고 말았다.

역시 먼저와 같이 우리의 대승이었다. 너무도 쉽게 끝나버린 작전이었다. 속전속결로 경찰들을 사살하고 무기를 가지고 운장산 거점으로 다시 돌아왔다.

생명의 소중함

이로부터 며칠 뒤에 연대지휘관들의 새로운 제의가 있었다. 다름 아닌 충남 논산훈련소를 해방투쟁하자는 것이었다. 이 제의를 상부에 보고했더니, 담당 관할에서 작전을 수행하다가도 작전 이외의 지역과 긴밀하게 연계하여 합동작전을 할 수 있으니, 사전에 해당 도당부와 협의하여 사단장의 재량에 맡겨 작전을 해도 괜찮다는 허락이 떨어졌다. 타도에서 작전을 말없이 하다가 당의 인민유격대에서 조직망에 피해가 일어날 수도 있기 때문이다.

회신을 접한 즉시 우리는 충남도당부에 연락을 했더니, 대환영을 하며 지형을 안내할 사람까지 소개해 주는 것이었다.

당시 논산훈련소는 남한 병사의 대부분이 훈련을 하는 아주 중요한 곳이었다. 이번 훈련소 해방작전을 하는 목적을 네 가지로 두었다. 첫째는 유격대의 무력시위이고, 둘째는 이승만정군에 끌려간 훈련생들을 포섭하자는 것이고, 셋째는 병기와 실탄을 확보하자는 것이며, 넷째는 군인공세를 분산시키자는 것이었다.

우리 사단 동원병력은 2개 연대였고, 1개 연대는 퇴로를 확보하도록 지시를 하였다.

우리 사단은 운장산을 출발하였다. 운장산에서 익산군 왕궁면을 지나 산길을 가자면 봉실산 옥녀봉을 지나야 한다. 논산훈련소 외곽 야산의 중요한 고지인 이곳을 통과해야만 논산훈련소로 들어갈 수 있다. 이곳 고지에는 커다란 보루가 두 개나 구축되어 있었다.

그런데 민간정보에 의하면 요소요소에 국군병력이 항시 4천 명이나 포진하고 있다는 것이었다. 4천 명의 병력이라면 우리의 10배가 넘는 엄청난 숫자였다.

그러나 우리 45사단 참모진들은 자신만만했다. 대낮에 우리 사단의 무력을 보여줌으로써 공포감에 빠지게 한다는 효과도 있다는 판단 하에 공격을 감행하기로 하였다.

우선 두 개의 보루를 공격목표로 삼고 치밀한 작전계획을 세워 기습전을 시도하기로 했다.

우리 사단은 은밀하게 봉실산 옥녀봉에 잠입하였다. 그리고는 중화기로 정면에서 엄호를 하고 측면에서 기습전을 하였다. 군인들은 순식간에 두 개의 보루를 빠져나가 도망치는 것이었다. 잠시의 여유도 주지 않고 맹렬히 추격하자 군인들은 풍비박산이 되어 사방으로 흩어져 갔다. 주력부대는 앞을 다투어 진산면 소재지로 퇴각을 하는데, 우리 부대가 뒤를 따라 추격을 하였다.

진산면은 운장산에서 멀지 않은 산중 면소재지이다. 방어진지가 잘 구축되어 있어 완벽하고도 철저한 경비를 하고 있었다.

우리 사단은 사방이 잘 보이는 뒷동산에 작전지휘부를 정하고 연대별로 진격목표를 정하였다. 그리고는 야간에 불의에 기습작전을 전개하기로 하였다.

밤이 되었다. 기습조들이 목적지에 접근했다. 보루는 조용하였다. 아마도 병사들이 주간 작전을 끝내고 휴식을 취하거나 잠을 자고 있는 모양이었다.

기습조의 침투가 성공한 듯 하여 공격개시의 신호탄을 발사했다.

진산면 소재지는 삽시간에 아수라장이 되었다. 총소리가 천지를 진동하고 비명소리가 밤하늘에 길게 울려 퍼졌다. 돌격하는 병사들이 함성으로 적들의 간담을 서늘하게 하고, 수류탄이 터지는 소리는 하늘과 땅을 깨뜨릴 듯이 으르렁거렸다. 불길과 빛이 벌겋게 타올라 밤하늘을 대낮처럼 훤하게 밝혔다.

그때였다. 경찰 두 명이 체포되어 왔다. 이 경찰을 심문한 결과 바로 내가 작전지휘하고 있는 고지 아래쪽에 견고한 참호를 만들어 놓고 그 안에 전기배선 장치를 해놓았다고 했다. 목적은 내가 서 있는 그 자리에 지뢰매설을 해두고 참호에서 스위치만 누르면 폭발하도록 해놓았다는 것이다. 지뢰를 터뜨릴 상황을 엿보던 중 우리 사단 정찰병에게 잡혀오게 된 것이다. 참으로 아슬아슬한 장면이 아닐 수 없었다. 나의 목숨은 산산조각이 나서 허공 속에 흩어질 뻔한 아찔한 순간이었다.

보루대를 탈환하고자 하는 치열한 공방전이 전개되면서 큰 보루대 중 하나가 우리 수중에 들어왔다. 나머지 하나만 점령하면 되는 순간 나는 철수신호를 보냈다. 우리가 목포로 하는 것은 진지의 완전한 정복이 아니었다. 그만큼 군경을 교란하고 공포에 떨게 하면 성공한 셈이었다.

그리고 대원들의 피곤함도 많아지고 있고 희생도 생겨나고 있기 때문이었다. 그리고 새벽녘에 철수해야 멀리 도망가 자취를 감추고 다음날 무난하게 휴식을 취할 수가 있기 때문이다.

모두 철수하여 돌아오는 길에 체포한 두 명의 경찰과 당에서 지목하고 있는 일반민 3명을 데리고 운장산 깊숙이 들어갔다. 빨치산 하면 모두가 공포에 떠는 존재인데 산 깊숙이 잡혀오니 공포감이 여간 아닌 듯 싶었다.

나는 이들의 처리문제를 진산면당에서 처리할 일이므로 곧 통보를 했더니 3명 중 숙청 대상은 있으나 모든 것을 나의 재량에 맡긴다는 것이었다.

나의 투쟁전략은 매국노와 친일파 주구도당들이 아닌 사람은 무모하게 죽이기보다는 진실한 양민이 될 수 있도록 교화를 우선하자는 생각이었다.

그래서 나는 상대방과 교전 중에 발생한 희생은 불가피한 일이지만, 자수와 생포자는 지위 고하를 막론하고 죽이지 않았다. 그 이유는 사람의 생명은 다 같이 소중하다고 생각하였기 때문이다. 죽기 전에 살기 위한 몸부림을 치는 것을 보면서 모든 생명은 죽음을 두려워하고 싫어한다는 것을 알 수 있었다. 생명을 가볍게 죽이면 그것을 지켜본 사람은 끝까지 반항심을 일으키게 되어 있다.

그리고 나아가 우리 45사단과 싸우다가 잡혀가도 모두 살려보낸다는 소문이 나면 반항하는 정도가 약화되어 상대방을 쉽게 제압할 수 있는 효과도 있기 때문이다.

나는 잡아온 경찰과 민간인에게 먼저 죽이지 않는다는 안도감을 주고는 친절하게 대해 주었다. 그러자 비로소 공포감에서 벗어나 진정을 하고는 나의 그런 태도에 감탄을 하는 것이었다.

나는 그들에게 먼저 밥을 주고 마음을 편안하게 가지라고 말한 다음, 우리들이 이런 산 속에서 좌익이니 빨갱이니 공비니 하는 소리를 들어가며 죽음을 각오하고 빨치산 투쟁을 하는 이유를 말한 다음, 우리 모두다 같이 궐기하여 매국역적 원수들과 싸워야 한다는 것을 호소하였다.

"친일파 일색의 이승만 괴뢰정권을 타도하고 미제국주의자를 우리 삼천리강토에서 몰아내고 민주민족 통일독립 국가를 쟁취해야 합니다."

나의 호소력 있는 연설에 그들은 반항의 기색은 아예 찾아 볼 수 없었다. 오히려 진심으로 감복하는 듯했다.

이어서 우리 45사단 20여 명으로 구성된 연예대演藝隊를 동원하여 공연까지 보여주었더니, 빨치산 투쟁을 하면서도 이와 같은 단체가 있다는 것이 믿어지지 않았는지 놀라면서 더욱 감격해 하는 듯하였다.

5일 간이나 여기에서 인민유격대의 생활상을 보여주고는 경비원을 딸려 안전지대까지 환송해 주었다.

그 후 며칠 뒤 그들에 대한 세포망의 보고에 의하면 풀려난 일반민에 대해서는 알 수 없으나, 풀려난 경찰들은 대전형무소로 압송되었다는 것이다.

우리는 다 같은 백의민족이다. 서로 동족임을 생각하여 살려 보냈건만, 경찰관들은 그들의 신분을 의심하고 형무소로 압송한 것이다.

그러나 이번 작전은 본래의 목적을 달성하지 못했다. 논산훈련소 해방작전을 위해 출동했지만 중간에 군경들과 전투가 벌어지고, 그들을 쫓다가 진산면 해방작전만 하고 돌아오게 되었다.

그래서 나는 다시 충청남도 깊숙이 들어가 작전할 곳을 찾도록 하였다. 우선 충남 68지대와 합동으로 그 지역의 장소 중 공격목표를 물색하기 시작하였다. 민간조직망의 정보와 68지대가 정확한 정찰을 하도록 충남도당부 군사부에 제의했더니 며칠이 안 되어 연락이 왔다.

옥천군 소재지를 탐색한 결과 그곳은 군인·경찰·민간인 간에 우리 인민유격대의 공격을 받은 바가 없어 경계가 소홀하고 방어력이 약하다는 것이었다. 그리고 그곳의 지형은 시가지 밖으로 천연적인 제방이 둘러 있고, 그 주변에는 금강물이 감돌아 흐르고 있으며, 인공적인 보루대까지 19개가 구축되어 있는 상황이라고 했다. 그러면서 가부를 결정하여 연락해 달라는 것이었다.

나는 이와 같은 연락을 받고 해방작전을 하자고 회신을 보냈다. 적의 후방 깊숙한 곳도 안전한 곳은 없다는 것, 그리고 도처에서 전면전을 하고 있다는 것을 보여줌으로써, 호남지방에 집중하여 빨치산을 토벌하고자 하는 군경을 분산시키는 효과도 있기 때문이었다.

이 작전의 총지휘는 내가 맡았다.

동원되는 병력은 약 400여 명이었다. 충남 68지대와 합동작전을 하기로 하고 즉시 출동했다. 그런데 우리 45사단에서는 옥천길을 아는 사람이 없어 68지대 대원들의 안내를 받으며 가게 되었다.

계절은 1951년 가을로 접어들고 있었다.

들판에는 쭈뼛쭈뼛 솟아오르던 벼이삭이 어느 새 고개를 숙이고 있었다.

본격적인 이동은 어둠이 깔리기 시작하면서 시작했다. 야간 산행을 통해 아무도 모르게 이동해야 하기 때문이다. 항상 산길로만 가는 것은 아니었다. 때로는 들판을 가로질러 논두렁길을 갈 때도 있었다. 그러면 익어 가는 벼이삭이 몸에 부딪혀 벼의 익은 정도를 알 수 있었다.

옥천에 도착한 것은 밤 12시가 다 되어서였다. 어둠 속에서 살펴보니 산세가 얕고 지형지물이 작전하기에 좋지가 않았다. 그러나 작전지역이 바라보이는 곳에 자리를 잡고 각 조의 임무를 하달하는가 하면 적당한 퇴로를 정하여 주었다.

작전개시는 새벽 1시였다.

기습조가 옥천지서에 다다를 즈음 기습신호탄을 올렸다. 먼저 기습조의 대대적인 총격소리가 요란하게 울렸다. 무방비상태에서 갑작스럽게 쏘아대는 총소리에 놀란 경찰들은 보루대를 빠져 도망가기에 바빴다. 도망가면서 마구 쏘아대는 총소리와 우리 대원들의 총소리로 밤하늘은 콩 볶듯이 울려댔다.

그러나 기습조와 주력조가 가세하면서 물밀 듯이 쳐들어가는 우리 사단의 총공세에 그들은 맥없이 무너지고 말았다. 그대로 밀고 간다면 옥천군 소재지를 전면적으로 해방시킬 수 있는 상황이었다. 그리고 보루대도 19개에서 3개만을 남기고 모두 수중에 넣었다.

유격전은 유격전으로 끝내는 것이 나의 소신인지라, 나는 곧 신호탄을 쏘아 퇴각명령을 내렸다. 내일 군인공세를 예측하면서 치고 빠지는 작전을 구사해야 했다. 전 병력이 안전하게 빠져나갈 수 있도록 퇴로를 확보하도록 했다.

우리 45사단 대원들은 18정의 무기와 약간의 실탄과 수류탄을 노획하고 씩씩한 모습으로 전원 무사히 집결장소에 도착하였다. 시간을 보니 새벽 4시가 넘어서고 있었다. 시간이 촉박하였다. 바로 대열을 정비하고 강행군으로 이동을 시작하였다. 먼동이 트고도 한참을 이동하였다. 거의 9시경이 되어서야 우리 거점인 운장산에 당도하였다.

모두들 이번 작전의 성공을 치하하면서 이구동성으로 시간이 없어 남겨 놓은 3개의 보루대를 아쉬워했다. 그러나 과유불급過猶不及 즉 지나친 것은 미치지 못함과 같다는 교훈을 잊지 않아야 한다. 우리는 이것으로 만족을 하였다.

이로부터 며칠 간은 편안한 휴식을 취했다. 그러면서 이번 작전에 대한 토의를 가졌다. 대부분의 의견이 합동작전이라 어려움이 많았다는 것과, 사전에 정확한 지형을 정찰할 수 없어 조심스러웠다고 했다. 나도 동감을 했다.

합동작전으로 성공을 거두자, 이번에는 충북도당 72지대가 먼저 제의를 해오는 것이었다. 공격목표는 영동군 소재지였다. 이 작전의 요지도 충남 옥천군 소재지 작전과 같이 후방 교란전과, 호남지역에 집중된 군인과 경찰의 타격대를 충청도 지역으로 분산시키는 것을 목적으로 한 것이었다.

우리 사단이 충남까지 원정을 하여 큰 성과로 인정받게 되자 대원들의 사기는 충만되어 있었다. 만주벌판을 배경으로 펼치던 일제시대의 유격대처럼, 우리의 유격대가 남한 전체를 배경으로 유기적으로 전개되는 양상이어서 너무나 기분이 좋았다.

이번 작전의 총지휘도 내가 하게 되었다. 동원되는 병력은 우리 45사단에서 350명, 72지대에서 150명 모두 500명이었다.

그리고 이번에는 지난번 옥천군 작전과는 달리 영동관내 열차를 전복하고 영동시가지 해방작전도 함께 하기로 결정했다.

우리는 운장산 거점을 떠나 덕유산으로 갔다. 천황봉 중턱을 지나 금강을 건너가기까지 며칠이 걸렸다. 영동에 못 미쳐 철길과 산이 가깝고 경사진 길을 택하여 열차전복작전에 돌입했다. 그러나 방법이 미흡하여 엄두조차 낼 수가 없었다. 다음 목표를 위해 재촉해서 영동시 가까이에 도착했다.

가을밤이라 달은 은색의 가루를 뿌리며, 도시의 거리를 은은하게 비추고 있었다.

무려 500여 명의 대부대가 거리를 활보하며 영동시가지까지 접근하는 데도 군부대의 외각보초가 근무 중이었으나 처음에는 발견을 하지 못했다. 그러나 곧 우리 부대의 행렬을 발견한 보초는 겁에 질려 카빈 총에 실탄을 장전하고도 쏘지도 못하고, 소리도 지르지 못하며 그대로 얼어붙어 버리는 것이었다.

우리 부대 군복차림의 선발대 척후병이 태연스러운 자세로 주머니에 손을 넣은 채 접근하면서 소리쳤다.

"손들어!"

그 소리에 더욱 놀란 보초는 손을 번쩍 드는 것이었다. 보초는 생포되고 무기는 압수되었다. 총성 없이 초소를 점령한 것이다. 이 사병으로부터 영동시가의 부대배치 상황을 정확하게 다시 확인한 다음, 그 제보에 따라 야간 기습작전을 전개하게 되었다.

영동시가지 기습작전은 쉽게 진행되었다. 몇 개의 보루대를 점령하고, 시간 관계상 몇 개의 보루대는 남겨 놓은 채 퇴각 신호탄을 발사했다.

일찍 퇴각을 결정한 것은 군인들이 의외로 맹렬한 반격을 하지 않는 것이 아마도 퇴로를 차단하는 것에 집중하는 것이 아닌가 하는 의심이 갔기 때문이다.

정규전이라면 영동시가지를 완전히 점령하고 남음이 있는 전투였지만, 유격전이라 아쉬움을 남기고 퇴각을 단행하였다.

영동시가전에서 얻은 무기는 5정이었다. 이것을 72지대에 넘겨주고 실탄, 수류탄, 피복, 식량, 생활용품 등을 전원이 가득 짊어지고 큰 사고 없이 운장산으로 돌아왔다.

아마도 이번 작전으로 행정관청에 공포감을 주었을 것이며, 인민유격대의 활동이 전국적으로 벌어지고 있다는 것을 일반 주민들에게도 인식시켜 준 큰 성과라고 평가되었다.

그러나 나로서는 충남북 지대와 유대를 더욱 강화하는 기회가 되었다는 것에도 큰 성과를 두었다. 군경을 협공하는데 서로 간에 협조한다면 매우 큰 성과가 있다는 것을 확인한 계기가 되었기 때문이다.

그리고 머지않아 닥쳐올 겨울철 총공세에 대비해 우리 45사단 활동지역을 확대함으로써 군경의 작전지역을 분산시키는 데도 큰 효과가 있을 것으로 생각되었다.

토벌 작전

영동시 해방투쟁을 성공리에 마치고 강행군을 거듭하며 운장산을 향해 돌아오는데, 금산군 금성면 관내 희미한 골짜기를 통과하는 중에 군인들인지 경찰들인지 아니면 의경인지 알 수 없지만 첩보망에 걸려들었다.

첫번째 쏘아대는 총탄이 바로 나의 무릎을 관통하는 것이었다. 카빈 총알이었다. 그리고는 더 이상의 총성도 없었다. 아마도 달빛이 밝은 새벽녘에 벼이삭이 무르익는 사이로 끝이 보이지 않는 우리 부대의 대열을 보고 겁에 질려 도망을 친 모양이었다. 별안간 공격을 받은 우리는 신속하게 역습을 했으나, 인기척도 없고 철모와 물통이 떨어져 있는 것을 주워왔을 뿐 아무 것도 발견할 수 없었다.

나의 무릎을 관통한 총탄은 조개뼈 사이를 뚫고 지나갔다. 다행히 심줄을 다치지 않았다. 운장산 비트까지 업혀서 가다가, 들것에 메이어 가다가, 정오경에 겨우 도착했다.

이번에 입은 총상은 다리라서 움직이기도 어렵고, 그 상처가 심하여 낫기가 어려울 것 같았다. 산 속이라 좋은 약도 없고, 주사도 맞을 수도 없는 형편이니 그럴 수밖에 없었다.

다행히도 늙은 호박 속이 매우 좋아 상처가 빨리 아무는 것이었다. 총상에는 호박 속이 좋다는 말을 대원 중에 누가 해주어, 혹시나 하고 그것을 구해다가 붙여 놓았는데, 그것이 총독을 뽑아내고 새 살이 돋아나게 하는 데 효과가 아주 좋았다. 나의 생각으로는 양약보다 오히려 더 나은 듯 싶었다.

한 달여 간의 고생 끝에 걷는 것은 겨우 하게 되었다. 이번 간호에도 지난번에 나를 구해준 여성대원인 김정분 동지가 자청해서 맡았다. 나는 그를 옆에서 보면서 참으로 마음씨가 곱다고 생각했다. 이런 유격대 활동을 할 만한 여자 같지가 않았다.

그러나 그 동안 나의 총상으로 군산·옥구와 이리·익산 지구, 김제 방면의 해방 전투까지 할 예정이었으나 하지 못하게 되었다.

이때 전북 도당부에서 45사단 참모장 김수남 동무와 402연대장 김소암 동무를 소환해 갔다. 그리고 참모장 후임으로 금산군당 군사부장 길병래 동무를 임명해 왔다. 김수남이나 길병래 동무는 모두 금산 출신이다.

군당 군사부장 신분으로 사단참모부장에 발탁된 것은 예외의 일이었다. 그가 항일독립투사의 후예로 금산 지방의 존경받는 집안에서 자라났고, 일대의 산악지형에 밝은 것이 사단 참모장으로 기용된 이유인 듯하였다.

그러자 새로 부임한 우리 45사단 참모장 길병래는 부임한지 1주일이 지나 금산 군당부에 가서 지금까지 군사부에서 보아왔던 일체 조직사업을 후임에게 인계해주고 오겠다고 나가더니 종종 무소식이었다.

며칠 후에 금산 군당부의 통보에 따르면 불의에 생포를 당해 경찰들에게 붙잡혀 갔다는 것이다.

그 후 금산 주민들의 새로운 정보에 의하면 전북 경찰국장 신상묵은 생포된 길병래에게 관용을 베풀어 경찰 경위 계급장을 달아주었다고 한다. 곧이어 운장산과 덕유산에서 자수한 자나 생포한 자를 모두 모아서, 전라북도 경찰국 산하에 새로운 조직체인 '보아라부대'를 만들고는, 그를 대대장으로 앉혀 놓고 역이용하고 있다는 제보였다.

그 당시 금산 군당부 조직체가 아주 강했고, 군사부 유격대원도 약 200여 명이 넘는 부대였으나, 길병래의 전향으로 자수자가 속출하였고, 또 피살되거나 생포되는 일이 자주 발생하는 등 많은 피해를 보면서, 군당부 조직체가 궤멸될 상태에 놓이게 되었다.

그뿐만 아니었다. 우리에게도 직접 간접으로 피해가 오기도 하였다. 역시 우리 45사단에서도 금산과 완주에서 차출된 대원들이 많았는데, 45사단이 어려운 고비를 당할 때 또는 지역관념이나 연고관계에 치우쳐 더러는 작전시 지원을 기피하는 자가 생기기도 하였다. 그리고 때로는 보아라부대의 잠복망에 걸려들어 상상 이외의 피해를 당한 사실도 간혹 있었다.

이번 도당부의 인사 이동으로 우리 45사단은 치명상을 당했다. 그래서 참모장은 공석 중이었고, 402연대장 김소암의 후임에는 인민군 소령 출신 강철을 기용했다.

그런데 강철도 얼마 후 보급투쟁을 나갔다가 연대장이라는 직책도 망각하고 뒤에 처지더니, 통 연락이 되지 않는 것이었다. 한참 후에 도당 군사부에 있다는 연락을 받은 사실이 있었다.

　강철은 개인주의적 경향이 농후한 자로서 이러한 일이 발생할 수 있는 소지가 있는 자였다. 그래서 다시 그를 불러 연대장에 임명할 수 없으므로 조길환을 402연대장에 임명하였다.

　1951년 겨울이 다가왔다. 겨울철이 되면 유격대원들은 활동하기가 매우 어렵다. 은거지로 삼고 있는 산의 녹음이 사라지면서 은폐와 엄폐가 어렵고 이동과 숙식이 어렵기 때문이다.

　겨울에 들어서면서 호남 일대에 군 병력이 대폭 증강되었다. 그리고 남원에 주둔하고 있는 야전사령부 8사단장 백선엽(白善燁, 1920~) 장군은 지리산 일대의 빨치산 토벌을 위해 대대적인 공세를 펴기 시작하였다. 백선엽은 박정희와 함께 만주군관학교 제9기로 졸업하여 만주지역에서 일본군 장교로 간도특설대에서 복무하였으며, 중위로 있을 때 1945년 광복을 맞았고, 해방 직후에는 고당 조만식의 비서로 활동했다. 이내 소련군이 이북지역에 진주하게 되자 1945년 12월에 월남하게 된다. 1946년 군정기 남조선국방경비대에서 활동하였고, 1949년 제5사단장이 되었으며 훗날 대한민국의 창군 주역으로 대한민국 국군 창설에 참여하였다. 1950년 한국 전쟁에 대한민국 국군 장군으로 전쟁에 참전하여 많은 공을 세웠다. 한국 전쟁 중 낙동강 반격작전에서 최초로 반격하여 대한민국 국군의 북상 돌파구를 마련하고 북진 작전시 가장 처음으로 평양에 입성하여 능력을 인정받았다. 1950년 제1사단장으로 승진하였다. 후에 후방에서 빨치산의 활동이 우려할 만한 지경에 이르자 야전군사령관으로 파견되어 빨치산 토벌작전에 참여하게 된 것이다.

12월 10일까지 지리산에 근거지를 두었던 전북도당사령부와 각 사회단체, 그리고 호위대까지 천여 명의 군인과 인사들이 일체 말없이 군인의 대공세를 피해 우리 45사단이 있는 운장산으로 피해 오게 되었다.

이미 우리도 지난 해 1950년 12월 순창 회문산 일대에서 군인 대공세로 대원들의 희생이 너무 많이 발생하여 결국 운장산으로 피신해 온 사실이 있었다.

그러나 당시 치열한 최후결전을 치르고 물러 나왔던 전북 도당 최고간부들이라면 월동 대책을 세웠어야 할 터인데, 군인공세가 시작됨과 동시에 이겨내지 못하고 무조건 모두가 피해왔다는 것은 잘못된 것이 아닌가 싶었다.

다행히 함께 있었던 남부군 사령부와 직속 기동사단은 오지 않고 군인들의 공세와 맞서 싸울 것이라고 하였다.

그런데 문제는 많은 인원이 운장산 한 곳으로 집중해 있다는 것은 유격대란 원칙에도 벗어난 일일 뿐만 아니라, 자칫 모두가 자멸할 수 있는 행위라는 사실이다. 특히 운장산은 지리산보다 산세가 험하지 않기 때문에 작전하기도 불리하고, 많은 인원이 거주하기에는 적합하지 않다는 점이다.

유격대란 정체가 노출되면 치명상을 입게 되어 있다. 그러기 때문에 겨울이 오기 전에 월동대책을 한다는 것은 먹을 식량이나 피복 등을 충분하게 준비하는 것도 있지만, 완전히 정체를 숨길 만한 장소를 마련하는 일이 필요한 것이다.

그 뿐만이 아니다. 충분한 식량을 준비하여 비트에 저장하는 일만 능사가 아니다. 만약 그 비트가 발각되면 식량을 일순간에 잃게 된다. 그러므로 식량을 비트 이외에 곳곳의 세포망을 이용하여 저장하기도 하고, 또는 산이 아닌 들판 은밀한 곳에 숨겨두기도 해야 한다. 모든 곳을 활용하면서 겨울을 나야 한다. 또한 단순히 시간만 보내서는 안 된다. 모든 수단과 방법을 다 동원하여 유격활동을 전개해야 한다.

그러나 나는 6 · 25 전후가 되는 1949년과 1950년에 있었던 겨울철 군경공세로 피해가 컸던 경험을 되살려, 일찍이 야산으로 진출하여 분산작전까지 계획을 세우고 있었다.

그런데 우리 45사단에서 가장 중요한 간부 2명을 도당부에서 소환하여 가는 바람에 많은 피해를 당하여 상심하던 차에, 지리산 소재 도당부 간부와 각 사회단체 간부들까지 그리고 이들을 호위하는 전투병력까지 모두 들이닥치니, 운장산 일대는 복잡하기 이를 데 없는 아수라장이 되었고, 군인들이 총공세를 펼 경우 독 안에 든 쥐새끼 신세가 된 셈이 되었다.

이번 대공세는 백야전사령부 산하에 수도사단, 8사단, 예비사단 등 군단 병력과, 서남지구 전투사령부 산하에 5개 연대 전투경찰 병력이 합세하고 있었다. 또한 공군 무스탕 전투기 편대도 사천 비행장에서 동원되고 있었고, 지방단체로 치안경찰, 의경대, 부락자치대원까지 동원되고 있는 대대적인 총공습이었다.

작전 지역도 장안산 · 덕유산 · 운장산 · 회문산 · 백아산 · 화악산 · 백운산 · 변산 · 가막골 등 거점지대 전체를 포위하고, 마치 토끼몰이 하듯이 빈틈없이 소탕작전을 전개하는 것이었다.

작전을 하다가 지리산 거점세력들이 모두 운장산으로 이동하여 운집해 있다는 정보를 알았는지 바로 뒤를 따라 우리 사단의 활동지역 운장산 일대를 군경이 완전히 포위하고 공격해 오기 시작하였다.

공중에서는 무스탕 제트기 편대가 굉음을 내면서 오가며 포탄을 빗발치듯 쏟아 부었다. 군인들은 우리 45사단이 장악하고 있는 능선의 한 고지를 포착하고 이 고지를 탈환하기 위해 105미리 직사포로도 맹공격을 퍼붓는 것이었다.

특히 공중에서 전투기 편대가 퍼붓는 포탄은 네이팜탄으로서 산악 곳곳을 다니며 투하하니 인명 피해가 속출하였다. 그리고 우리 진지에 유산포까지 무자비하게 퍼부어 대었다.

우리 45사단은 전북 도당부 사령관 동지를 모시고 있기 때문에 공격을 피해 자취를 감추는 작전을 수행하기도 힘들었다.

이러지도 저러지도 못하고 그저 당하고만 있었다. 공군의 정확한 포격에 죽어 가는 대원들이 점점 늘어가고 있었다.

사천 비행장에 근거지를 두고 있는 제1전투비행단이 편대를 지어 오게 되면, 먼저 지상군인들의 신호에 따라 공중정찰을 정확하게 한 다음 사격을 하였고, 군인들의 박격포도 정확하게 사격을 하였다.

공중에서는 비행기의 사격과 지상에서는 박격포의 사격 등 중화기의 공격으로 우리의 전열을 흩어놓고는, 지상군 기습조를 앞세워 포위망을 압축해 오기 시작하였다.

지금까지 보지 못했던 전술이었다. 이것은 6·25전쟁에서 많은 전투를 겪으며 터득한 전술이었다. 다시 말해서 육군과 공군의 합동작전이었던 것이다.

그러나 우리 사단으로서는 점령하고 있는 고지를 사수하지 않을 수가 없는 형편이었다. 그 일대 골짜기에 전라북도를 이끄는 도당위원장을 위시해서 중요한 간부들이 모두 있어서 고지를 뺏기면 전멸의 위기에 처할 가능성이 있기 때문이었다.

그런데 이 고지를 겨냥하여 지상과 공중에서 수 시간 동안 맹포격을 하는 통에 수십 명의 사망자가 생겨났다. 하지만 우리 기습 부대들은 폭격을 피해 물러나지 않고 숨어 지키고 있었다.

오후 4시가 넘었을 때였다. 우리 사단 정치위원 김규락 동무가 내 옆에 서 있다가 군인들이 쏜 유탄에 머리를 맞고 전사했다. 참으로 안타까운 일이었다. 그의 정치 훈화는 대원들에게 참으로 많은 감명을 주었는데, 모두가 슬퍼했다.

오후 4시가 넘어서면서부터는 설쳐대던 제트기가 떠나는 것이었다. 대신 점령한 고지로 더 많은 수의 병력을 주둔시키는 것이었다. 낮에는 공격하고 밤에는 물러섰던 종전의 전술이 아니었다. 그리고 다음 날 총공세를 펴기 위해 많은 포탄과 실탄들이 점령한 고지로 운반되는 것이 목격되었다.

우리는 야간을 이용해 작전을 전개할 수밖에 없었다. 그래서 이날 밤 자정을 기해 빼앗겼던 고지를 탈환하기 위해 작전을 전개했다. 빼앗긴 고지를 기필코 탈환을 해야만 다음날 군인공세를 일시나마 견제할 수 있기 때문이었다.

이 고지를 탈환하기 위해 자원자로 30명의 결사대를 선발했다. 우리 부대가 접근할 만한 지점은 군인들의 경계가 매우 엄중하였다.

그래서 고지 절벽 아래 은밀한 곳을 택하여 접근하기로 하였다. 그런데 절벽은 너무나 험준하여 사람이 접근할 수가 없었다. 그래서 사람 위에 사람이 타는 방법으로 여섯 명이 겹쳐서 타고 올라갔다. 군인들은 그쪽으로 오르리라고는 전혀 생각을 못하다가 기습을 받게 되자 우왕좌왕하며 흩어졌다. 수십 발의 수류탄이 던져지고, 30여 명의 결사대가 쏘아대는 총탄에 군인들은 많은 사상자를 남겨 두고 도망쳤다.

우리는 고지를 탈환하는 데 성공하였고, 그 외에 날라다 놓은 포탄과 총뿐만 아니라 신무기도 대거 노획하였다. 우리 부대들이 쓸 수 있는 무기 외에는 모두 태우고 부수어 버렸다.

며칠 간을 뺏고 빼앗기는 공방전이 계속되었다.

유격전이 아니라 정규전과 같은 치열한 전투였다. 부족한 무기와 병력으로 계속 버티기가 힘들었다. 대원들은 잠도 자지 못하고 식사도 못하면서 결사적인 항전을 계속하다 보니 몰골이 말이 아니었다.

무엇보다도 힘든 것은 운장산이 지형이 취약하다는 것이었다. 1,126m의 산으로, 자그마한 능선들이 얽혀 있는 형국이라, 빨치산의 근거지만 확인되면 포격을 쉽게 할 수 있기 때문에 유격대가 활동하기는 좋은 장소가 아니었다.

날이 밝아오자 또 공중에서는 전투기가 폭격을 퍼부어 댔다. 그저 맞고 죽을 수밖에 없는 것이었다. 밤새 재탈환한 고지를 내 주고 말았다. 마치 논 물고 밑에 모여 있는 올챙이들처럼 모여 있는 대원들과 간부들은 떼죽음을 당할 수밖에 없었다.

이곳저곳에 우리 유격대원들의 시체가 처참하게 피투성이가 되어 즐비하게 나뒹굴고 있었다. 이렇게 있다가는 모두가 몰살당할 수밖에 없었다. 나는 울화통이 터져 견딜 수가 없었다.

나는 시간만 나면 나의 대원들에게 중국 모택동의 전법 중에 적이 쳐 들어오면 우리는 후퇴하고 적이 물러가면 친다는 16가지 전법을 밥 먹 듯이 말하곤 했다. 그러나 지금은 후방의 지원도 받지 못하고 자신의 근 거지를 노출시킨 채, 지상포와 전투기의 무차별 공격을 받으면서 치열 한 정규전을 치르고 있으니, 모택동의 전법은 더 이상 통할 수 없는 극한 상황이었다. 엄청난 희생만이 나고 있어 그저 탄식만 할 뿐이었다.

5일간을 이렇게 속수무책으로 얻어맞고서야 도당사령관은 어쩔 수 없는지 당황하기 시작했다. 그제서야 지리산으로 퇴각하자는 것이었다.

나는 도당사령관의 명령에 따라 전원 퇴각할 것을 지시했다.

퇴각은 서둘러 그날 밤에 이루어졌다. 약 1,500명이 운장산을 빠져나 간다고 생각하니 이것은 단순한 문제가 아니었다. 군인의 연대병력 정 도가 움직여야 하는 많은 숫자이다. 그간 총 공세로 희생자도 많거니와 부상자도 많았다. 부상자들은 이동할 수가 없으므로 비트에 남겨 둘 수 밖에 없었다.

생사를 함께 하던 부하들을 사지에 남겨 두고 가야 하는 나의 심정은 너무나 비통했다. 나는 그들의 손을 일일이 잡아주며 그 동안의 노고를 치하하고 말했다.

"동무들, 부디 살아서 다시 만납시다."

하며 위로를 했다. 눈물이 앞을 가렸다.

그러나 그들은

"조국과 당을 위해 이미 버린 목숨이니, 아깝지도 않고 후회도 없습니 다. 우리들의 목숨까지 기필코 승리를 쟁취해 줄 것을 부탁합니다."

하며 나를 위로하는 것이었다.

그리고는 무기를 챙기며 최후의 순간까지 혁명투사답게 죽겠다며 적을 쏘아보는 것이었다. 그런 모습을 보면서 나는 걷잡을 수 없는 눈물이 흘러내렸다.

그들과의 피눈물 나는 이별을 하고 나는 무거운 발걸음을 옮기지 않을 수 없었다. 나를 찾아온 1,500여 명의 생사를 두 어깨에 짊어지고 있었기 때문이었다. 사단장으로서의 임무를 넘어 이제는 빨치산의 주력부대의 운명까지 책임지게 되어 어깨가 무거웠다.

나는 곧바로 퇴각작전에 돌입했다.

우리 45사단 402연대를 전위부대로 세우고, 그 뒤에 다른 부대를 배열했다. 바로 뒤에 우리 45사단 403연대를 세우고 그 뒤에 도당부와 각 기관단체 간부들을 배열했다. 그 뒤에 도당부 호위부대를 배열하고, 그 뒤에 후방부 요원과 일반민을 따르도록 했다. 마지막으로 우리 45사단 404연대가 후미를 견제하면서 대덕산으로 향했다.

지리산까지 가려면 대덕산을 넘고 성수산을 넘어가야 안전하다. 대덕산은 진안군 상전면 용평리 앞 큰 강을 건너 임실과 장수 사이에 성수산 못 미쳐 있는 야산이다.

밤 11시가 넘어 전위부대인 402연대가 무사히 빠져나가는 데 성공했다. 군경들이 배치되어 있지 않은 야트막한 능선과 계곡을 이용해 나가니 눈치를 채지 못하는 것이었다.

특히 높은 능선에 남아 있는 부상자들이 계속해서 소총을 쏘아대고 있어 군경들은 대대적인 공습이 있나 보다 하고 그곳에 집중을 하는 것이었다.

생각했던 것보다는 쉽게, 그리고 무사히 전 대원이 퇴각하는 데 성공하였다. 전위부대인 우리 45사단의 402부대가 먼저 대덕산 고지를 장악하고, 모든 대원이 전원 무사히 도착하였다. 도착한 즉시 중요한 고지에 우리 사단 병력을 배치하였다. 나머지 고지는 지리산에서 호위하고 왔던 연대병력으로 하여금 지키도록 하였다.

그리고 우리 사단 1개 대대로 하여금 도당부를 호위하도록 하고, 1개 대대는 대덕산 계곡 입구에서 출입로를 수비하도록 하였다.

날이 밝자 비행기와 포를 동원해 총공세를 감행한 군경은 우리가 몇 명의 부상자들만 남겨 두고 모두 빠져나간 사실을 알고는 아연실색을 하였다. 그리고 감쪽같이 사라진 1,500여 명의 행방을 찾기 시작하였다. 우리가 대덕산에 밀집해 있다는 말을 들은 군경은 또 추격해 오기 시작하였다.

오전 10시경이 되자 계곡을 따라 군인들이 아무런 경계심도 없이 계곡 입구를 향해 올라오는 것이었다. 그들은 미리 배치되어 있는 우리 대대 병력 앞에 일격을 얻어맞고 수많은 시체를 남기고 도망치기 시작했다.

우리 대대는 도망가는 군인들을 추격하였다. 그때 군인 트럭 한 대가 증원병력을 싣고 오다가 역시 우리 대대에게 공격을 받았다. 그들 역시 죽은 시체와 트럭을 남기고 도망치기 시작하였다.

우리 대대는 모두 국군 전사자들의 군복을 갈아입고 그 무기를 집어든 채 트럭을 집어타고 계속 추격을 하였다. 그야말로 아수라장이었다.

그러나 군인들이 계속 증강되고 우리 대대원들이 군인들의 옷을 입고 공격을 하는 것을 알아채고는 군인들은 반격을 가해왔다. 전투는 치열하게 전개되었다. 그래서 더 나아가지 못하고 돌아오게 되었는데, 우리 병력 중 10여 명의 사상자가 발생했다.

순간적인 승리감에 도취되어 너무 멀리 추격한 것이 화를 부른 것이었다. 귀중한 애국투사의 생명을 잃었으니 대대장은 마땅히 문책을 받아야 했다. 그러나 지금은 물밀듯이 밀고 오는 군경의 공격을 막아내야 할 화급한 순간이라 그냥 넘어갈 수밖에 없었다.

그런데 그때에 군인 대병력이 대덕산 후방으로 넘어들어 지리산 연대가 방어하고 있는 고지를 공격해왔다. 워낙 많은 수의 군인들이 공격하자 역부족으로 그 고지를 군인들에게 넘겨주고 말았다. 도당간부들이 위치한 거점이 순식간에 불리해졌다.

때는 석양으로 접어들고 있었다. 도당사령관은 상황이 최악으로 몰릴 가능성이 있자 긴급히 후퇴하자는 것이었다.

이에 따라 우리 402연대를 성수산과 장안산 코스를 장악하도록 급파하였다. 그런데 그곳에도 이미 군인들이 장악하고 있었다. 그러나 다른 방도가 없어 기습작전으로 성수산 고지를 탈환하는 데 성공하였다. 그리고는 후속부대가 뒤를 따라 가기 시작하였다. 운장산에서 대덕산, 그리고 성수산까지 오면서 피해는 많았지만 그래도 이동에 성공한 것이었다.

오는 도중 느닷없이 군인들이 우리 대열을 중간을 공격하며 분리시키려고 달려든 일이 있었다. 그러나 대열이 한없이 긴 것을 확인하고는 겁을 집어먹고 물러가기 시작하였다. 공격 중 우리 대원 1명을 납치해 갔다. 도당위원장 방준표 동지의 앞에 가던 호위병이었다.

우리 대열은 혹시 또 측면에서 공격해올 것을 경계하며, 긴급히 성수산을 향해 이동하였고, 다행히도 무사히 성수산까지 도착할 수 있었던 것이다.

도착하자마자 두 고지 사이에 도당간부들을 안전하게 은신하게 하고, 각 방향으로 부대를 배치하였다. 우선 지리산 방향의 고지와 장안산 길목은 우리 45사단 병력이 맡고, 성수산 한편 고지는 지리산 연대에게 맡겼다. 그리고 후방도 우리 부대가 지키도록 하였다.

그런데 이날도 운장산에서와 같이 전투비행단이 산 위를 날아들며 두 고지를 폭격하는 것이었다. 그러자 우리 부대 방어진에서는 사상자가 무수히 나기 시작했다. 결국 지리산 부대가 장악했던 성수산 한 고지는 군인들에게 내주지 않을 수 없게 되었다.

그리고 또 한 부대의 군인들이 장수 방면으로부터 접근하여 수류탄을 투척하는 등 공방전이 치열하여 그곳마저 내줄 위기에 처하였다. 이때 각 사회단체 간부들은 모두가 몰살당할 것 같은 위기감을 느꼈는지 상당수가 흩어져 산을 빠져나가기 시작하였다. 그로부터 이들의 행방은 알 수 없었다.

그러나 우리 사단은 폭격으로 죽어가면서도 고지를 굳건히 지켜내고 있었다.

그때였다. 이번에는 하늘에서 비행기가 날아들더니 기름통을 떨어뜨려 뿌리고는 불을 지르는 것이었다. 산은 온통 불바다가 되었다. 이런 불바다 공격은 처음 당하는 것이라 정신을 차리기가 어려웠다. 사상자가 계속 늘어났다. 그러나 우리 사단은 끝까지 고지를 지켜냈다.

이와 같은 최악의 상황에서도 결사적인 항전을 거듭하며 고지를 지켜내는 모습을 지켜본 도당부 위원장이요 군사부 사령관인 방준표 동지는 빨치산의 불굴의 정신력을 치하하였다. 그러면서도 공군이 잔인하게도 기름통을 사용하여 불을 질러 산림을 잿더미로 만드는 것을 보고는 치를 떠는 것이었다.

낮 12시가 넘어가자 사령관은 전원 퇴각을 하자는 의견을 내는 것이었다. 여기에 전라북도 총사령관이 들어 있음을 알게 된 군인들이 행여나 놓칠세라 오후 들어 더욱 치열한 공세를 펼 것을 예상하고 퇴각하자는 의견에 찬성을 하였다.

그런데 이때는 전 대원이 후퇴하기가 난감했다. 지리산 부대가 견지하던 성수산 한쪽 고지능선 좌우에 군인들이 포진되어 있었고, 대덕산에서 올라오는 길목도 이미 군인들이 장악하고 있었기 때문이다. 다만 우리 45사단이 지키고 있는 장안산으로 나가는 길목만 열려 있었다.

할 수 없이 이 길목을 따라 모든 부대가 후퇴를 하기로 했다. 이제는 천 명도 되지 않는 인원으로 줄어 있었다. 특히 결사항전을 계속하던 우리 45사단 병력의 전사자가 많았으며, 각 사회단체 또는 후방부원들 중에서도 생포된 자와 이탈자가 아주 많아 인원의 삼분의 일이 줄어든 상황이었다.

장안산을 눈앞에 두고 급히 가던 중 팔공산 주변 길가에는 구축되어 있는 보루대에 이미 전투경찰이 배치되어 우리의 행렬을 향하여 계속 총격을 퍼부어 대는 것이었다. 간혹 한두 명씩 전사자가 나는가 하면 부상자도 더러 생겨나고 있었다.

그러나 우리는 그들과 전투를 할 형편이 아니었다. 그저 총격을 받아가며 장안산에 접어들었다.

그런데 이게 웬일인가. 전투경찰대가 먼저 장안산을 장악하고 있는 것이었다. 이렇게 되자 중간에 협공을 당하게 되었다.

처음에 산을 나올 때는 순서대로 대열을 지어 왔는데, 중간에 들어 있던 지리산부대와 각 사회단체 동무들이 경찰대의 협공을 받게 되자 흩어져버리게 것이다.

그러자 행군하는 대열의 후미를 보호하며 따라오던 우리 45사단 404연대가, 중간에 끼어 있던 지리산 부대의 분산으로 사단 대열에서 낙오되어 버린 것이다. 이 얼마나 원통하고 허망한 일인가. 울화통이 터질 일이었다.

도당부와 우리 사단 지휘부가 협공을 받으며 고립된 것이다. 그러자 도당위원장은 당황하는 것이었다.

할 수 없어 내가 앞장을 서서 속보로 장안산 오솔길을 향해 오르기 시작하였다. 그런데 가다보니 우리 45사단 402연대와 403연대가 와 있는 것이었다. 병력은 모두 300명 가량 정도였다. 안도의 한숨이 저절로 나왔다.

하지만 이미 경찰전투부대들이 장악하고 있는 장안산의 고지를 탈환해야만 당분간이나마 거처를 가질 수 있었다. 만약에 고지 탈환을 하지 못한다면 큰일이었다. 팔공산을 장악하고 있던 경찰전투부대와 성수산을 장악하고 있는 군인들이 우리의 뒤를 추격하고 있기 때문에 오던 길로 되돌아간다는 것은 어려운 일이었다. 오직 전진뿐이었다.

그래서 나는 우리 사단 병력을 그대로 장안산 고지를 향해 진격시켰다. 전투경찰대와 치열한 공방전이 벌어졌다. 총탄이 쏟아지고 수류탄이 날아왔다. 고함소리가 요란하고 비명소리가 산을 메아리쳤다. 잠시 후 잠잠해지더니 우리 사단의 함성이 터졌다. 드디어 고지를 점령한 것이다.

우리 사단 애국투사들이 결사적인 싸움이 아니었다면 대낮에 장악하고 있던 고지를 탈환한다는 것은 어려운 일이었다. 모두가 고지에 올라 사방을 둘러보니 장안산 건너편에 바라다 보이는 백운산 고지에 군인들이 점령을 하고 있었다. 그리고 덕유산 방면의 육십령재 부근 일대에도 경찰대가 점령하고 있었다. 사방을 모두가 군경이 장악하고 있어 아주 불리한 상황이었다. 특히 백운산은 우리가 점령한 장안산과 계곡을 사이에 두고 있어 접전이 불가피한 실정이었다. 그래서 먼저 백운산 고지도 탈환하지 않고는 우리들은 잠시라도 마음을 놓을 수가 없었다.

나는 우리 사단 100명의 병력으로 앞산 백운산 고지를 탈환하도록 진격명령을 내렸다. 군인들과 치열한 공방전이 벌어졌다. 마찬가지로 총소리, 수류탄 터지는 소리, 고함소리, 비명소리가 메아리쳤다. 나는 조마조마한 마음을 가지고 지켜보았다. 건너편 고지를 응시하고 있던 나의 눈에 우리 대원의 모습이 어른거리는 것을 보자 나는 드디어 안도의 한숨을 쉬었다.

우리 대원이 고지를 점령한 것이었다.

그러나 안도의 한숨도 잠시, 80㎜ 박격포 소리가 천지를 흔들었다. 잇따라 몇 문의 중화기 포소리가 나의 고막을 찢는 듯이 울렸다. 계곡은 진저리를 치면서 소리를 뱉어냈다. 날아간 소리는 하늘에 구멍을 뚫을 듯이 솟구쳤다. 뒤를 이어 조금 전처럼 수류탄소리·총소리도 연달아 터지고, 고함소리·비명소리가 들리더니 이제는 군인들의 모습이 어른거리는 것이었다.

"아, 저런!"

고지를 빼앗긴 것이다.

우리 대원들이 후퇴를 하기 시작하는 듯하였다. 실탄과 수류탄이 다 되어 후퇴를 하는 것이 분명했다. 대원들의 시체를 남겨 둔 채 한을 품고 돌아서는 마음이야 오죽하겠는가.

이러한 전투 광경을 도당위원장 수행원 중에 단오 동무가 망원경으로 관찰을 하고는 무전으로 보고를 하였다.

그래서 다시 100여 명의 지원부대를 급파였다. 그러나 군인들의 완강한 저항으로 백운산 중허리도 오르지 못한 채 역습을 당하고 말았다. 처참하게 궤멸을 당하고 만 것이다.

이제 우리는 군경의 완전한 포위 속에 고립을 당하고 말았다. 그렇다고 막연하게 상황이 나아질 것을 기다리고만 있을 수만은 없었다.

그러자 도당위원장은 신중한 생각 끝에 내게 말했다.

"속임수를 써보는 어떻겠소?"

"지금 상황에서는 그 길밖에 없는 것 같소."

도당위원장은 무전사 단오 동무를 돌아보고는 명령을 내렸다.

"단오 동무, 무전으로 속임수를 써봅시다."

"속임수라니요?"

"우리가 저들의 암호를 알고 있으니, 육십령재 방면에 배치된 전경대에게 상부에서 내리는 명령을 가장하여 퇴각명령을 내리는 것이오."

"네, 알았습니다."

즉시 단오 무전사는 육십령재 방면에 배치된 전경대에게 거짓 무전을 발신했다. 평소에 써오던 암호를 우리가 알고 있었기 때문에 그들을 부르니까 무전에 응답을 하는 것이었다. 마치 사령관이 새로운 정보를 듣고 전경대에게 작전명령을 하달하는 것처럼 무전을 하달했다.

"지금 덕유산 부근 이현상의 강력한 부대가 그 지점을 통고하려고 하니 지체 말고 전 병력을 퇴각하라고 하시오."

무전을 보내고 나자, 서서히 전투경찰이 빠져나가는 것이 보였다.

우리는 기회를 놓칠세라 서둘러 퇴각하였다. 퇴각하면서 군인들의 철모를 막대기에 씌워 몇 개를 만들어 놓아두었다.

퇴각하는 전체 인원이 800여 명으로 줄었다. 1,500여 명에서 절반으로 줄어든 것이다. 거기에다가 우리 45사단 병력은 300여 명에서 두 차례의 고지 탈환작전으로 사망자와 이탈자와 낙오자 등이 많이 발생하여 80여 명으로 줄어들어 있었다.

빠른 걸음으로 산을 내려와 덕유산을 바라보고 달려가다가 어느 산 밑 마을에 들어가 식사를 부탁했다. 밥을 시키니 마을 사람들은 금방 해주는 것이었다. 그간 주렸던 배를 채웠다. 밥을 먹고 나니 살 것만 같았다.

그제서야 전경대는 우리에게 속은 것을 알게 되었는지 거창 관내 방향으로 60㎜ 박격포탄 10여 발을 보기 좋게 쏘아대는 것이었다. 사또는 떠나고 나팔부는 격이었다.

우리들은 밥을 먹고는 급히 발걸음을 재촉하여 덕유산을 향하였다. 그런데 덕유산으로 가는 직행코스에는 아직도 전운이 남아 있어 길을 돌려 덕유산 북쪽으로 한없이 가다가 금강을 건너 운장산으로 다시 들어갔다.

나는 대열을 보면서 한심하다는 생각을 다시금 하지 않을 수 없었다. 전북도당부의 총사령관 이하 주요 인사들이 있는 대로 몰려와서 우리 45사단에 의지하고 있으니, 이런 일은 사실 부당한 처사가 아닐 수 없었다.

그저 도당부인사만 왔다 해도 이렇게 힘들지는 않았을 것이다. 전투대원도 아닌 사회인사까지 떼 지어 다닌다면 유격대의 활동 즉 게릴라전은 할 수 없는 것이다. 자신의 신분을 속인 채 상대방을 기만하여 속전속결로 최소의 인원으로 최대의 전과를 올려야 할 유격대가 지금은 어떠한가. 있는 장소를 노출시키고 1,000여 명이나 되는 대부대를 이끌고 있으니 전투를 한다는 것은 불가능했다.

그러니 군경으로부터 지상과 공중으로 중화기의 집중 공세를 받으며 유격대는 궤멸 직전에 놓이게 된 것이다. 군경의 공세를 크게 받은 적이 없는 유격대로서는 최대의 고비를 맞고 있는 것이었다.

1950년 11사단의 동계공세는 38선 주 전선에서 정규군의 전쟁이 한창 벌어지고 있던 때였다. 물론 후방 역시 도처에서 활동하는 재산 세력이 10여 만 명에 이를 정도로 군경을 괴롭혔던 때였다.

그러나 이번 군경의 총 공세는 지난 번과 아주 판이하게 달랐다. 미군의 적극적인 참여 속에 백야전사령부가 적극 가담하였고, 게다가 공군 비행단까지 가세했으며, 서남지구 전투경찰대 사령부 산하 5개 연대가 가세하고, 각 지서마다 조직된 의경마저 참전했기 때문이다.

이제는 1천 명도 못 되는 인원으로 궁지에 몰린 쥐처럼 가련한 신세로 전락하고 말았다. 거기에다가 우리 45사단 병력은 7백 명 중에 총상환자까지 108명밖에 남지 않았으니 이것이 무슨 날벼락이란 말인가. 참으로 한심한 일이었다. 인민유격대요 빨치산이 정규군과 매일 공방전을 벌이고만 있으니 한심한 노릇이었다.

무너진 사단

지루했던 군인공세가 잠잠해지자, 도당 위원장 동지는 다시 지리산으로 가겠다고 했다. 우리 사단 병사 모두 해봐야 겨우 부상당하지 않은 80명을 모두 도당부의 호위병으로 데리고 떠나갔다. 그리고 중앙에서 파견된 민청부위원장 김진규 동무를 우리 사단 정치위원으로 임명하였다. 그리고 사단장인 나에게 말하기를, 공세 중에 분산 낙오된 병력을 규합하고, 총상환자 28명이 하루 속히 회복할 수 있도록 최선을 다하라고 하고는 떠나가는 것이었다. 참으로 한심한 조치였다. 700여 명이나 되는 병사가 이제는 부상당하지 않은 80명을 떠나보내고 나니 부상자 28명으로 줄어든 것이다.

이번 공세 중에 완주 군당부나 금산 군당부 유격대들은 자유롭게 인근 야산이나 각자의 연고지에 파고 들어가 있었기 때문에 공세의 피해까지는 크게 받지 않았다고 한다.

그러나 우리 45사단은 느닷없는 벼락은 맞았고, 공세 후에 수습된 병력 80명마저 전부 호위병으로 데리고 떠나보냈으니, 부대가 해체된 것이나 마찬가지였다. 당장 총상환자들에게 무엇을 먹이며 어떻게 간호를 할 것인지 막막하기만 하였다.

도당사령부의 많은 인원이 와서 사단 비축미를 모두 풀어 먹게 하는 바람에 현재는 먹을 것마저도 아무 것도 없었다.

할 수 없이 전북도당 북부 책임자인 오환 동무를 찾아가 총상환자의 구제책을 의논하였다. 오환 동무는

"그런 일까지 난들 어찌하겠소."

하고 단번에 거절하면서

"자체적으로 해결하시오."

하고는 더 이상 말을 하지 않는 것이었다.

나는 다시 말했다.

"국군의 백야전사령부의 지리산 동계 공세를 피해 도당부와 산하단체 전원이 운장산으로 이동하여 왔기 때문에 우리 45단 유격대가 커다란 인명피해를 입게 되었고, 결국 이러한 악조건에 처하게 되었소. 이러한 때에 전북부도당 지도부에서 외면한다면 누가 알아주겠소? 정말로 그와 같이 대한다면 당신도 앞으로 나에게 모든 것을 일체 말하지 마시오."

하고 물러나왔다.

사단본부로 돌아왔으나 모두 총상환자만 있으니 어찌할 도리가 없었다.

때가 되면 밥을 찾고, 통증이 오면 신음소리만 내니 구슬프기만 하였다.

이 모습을 보다 못해 환자 중에 경환자 간부들이 나섰다. 신분이 노출되면 곤란하고, 그렇다고 세포조직이 있는 것도 아니고 하여, 좀도둑질을 하듯 보급투쟁을 하자는 것이었다. 그래서 할 수 없이 허락을 하였다. 그들이 나가 다행히 조금씩 식량을 구해왔으나, 28명이 먹을 양식으로는 하루 먹기에도 급급했다.

또 다시 환자 중에 조금이라도 걸을 수 있는 환자를 골라 보급투쟁을 보냈다. 그런데 나간 지 이틀이 되어도 돌아오지를 않는 것이었다.

기다리다 못해 할 수 없이 작전과장하고 대열과장을 데리고 내가 직접 운장산 골짜기를 타고 내려가, 고산면 관내로 들어가기 위해 산을 내려갔다. 자생하는 돼지감자를 조금이라도 캐다가 환자의 식사대용으로 하려고, 서리가 내렸지만 아랑곳하지 않고 이른 아침에 내려갔다. 몸이 떨려 모닥불을 피워 놓고 한참을 캐는 중이었다.

이때에 뜻밖에도 경찰국 길병래가 이끄는 보아라부대가 산 속에서 밤새도록 잠복을 하고 있다가 우리를 발견하고 공격을 하는 것이었다.

세 사람이 번갈아 가면서 반격을 하며 빠르게 후퇴하던 중에 나의 어깨에 총상을 입는 사고가 발생했다. 그래도 정신을 차려 질서 있게 후퇴를 하자 보아라부대는 우리가 세 사람뿐임을 알아차리고 더욱 심하게 추격하여 오는 것이었다.

그런데 이때에 어느 부대인지 알 수 없으나, 우리가 경찰국 보아라부대에게 쫓기는 것을 알아차리고는, 몇 십 발 사격을 퍼부어 대자 보아라부대는 그제서야 사격을 중지하고 물러가는 것이었다. 우리는 바로 비트로 돌아왔다. 오후가 되자 이틀 전에 보급투쟁을 나갔던 환자들이 빈손으로 돌아오는 것이었다.

그만큼 공세의 여파는 컸다. 모두 총상환자로 몸이 불완전하고 마음이 위축되어 있었다. 모두 입만 살아 있는 불구자였다. 똑같이 외로운 처지라 서로 위로하고, 서로 달래주고, 서로 도와가야만 했다. 그래서 몇몇이 짝지어 나가 몇 되의 양식을 구해 와서 근근이 연명을 해 나갔다.

이러한 생활로 몇 달이 지나갔다. 시간이 흐르자 모두가 그런 대로 거동을 할 수 있게 건강이 회복되었다.

하루는 17명이 보급투쟁을 나갔다. 그러나 헛걸음을 하였다.

28명 중에 사단장과 이번에 배치 받은 정치위원 김진국 그리고 작전과장과 대열과장을 포함하여 10여 명은 총상이 어느 정도 회복되었다. 그래서 과감하게 나가서 보급투쟁 정도는 할 수 있는데도 아직은 나가질 못하고 있었다.

아무리 생각을 해도 그대로 있을 수 없는 일이었다.

나는 아직 어깨의 총상이 아물지 않았으나, 그런대로 움직일 수는 있었다. 그래서 다음 날은 내가 직접 대원 3명을 데리고 정처 없이 산을 내려갔다. 가다가 밤 1시부터 2시 사이에 보이는 마을이 있으면, 크고 작건 간에 들어가서 보급투쟁을 하기로 하였다.

보급투쟁이라는 것이 사회에서는 강도질하는 것이나 다름이 없는 형태로 하게 되니, 6·25전에 비해 빨치산에 대한 주민들의 감정이 좋지가 않았다. 눈에 띄는 대로 강제로 털어가는 경우가 많았기 때문이다. 거기에다가 군경들의 감시가 심해졌고, 뒷일이 두려워서 주민들은 선뜻 보급투쟁에 협조하지 못하는 것이었다.

반면에 우리들은 가혹한 군인의 공세와 경찰들의 철저한 경비 강화로 양식확보가 어렵게 되었음을 말하고, 우리들이 굶어 죽게 되면 구국투쟁도 할 수 없으니 도움을 달라고 사정을 하기도 하였다.

그리고 가능하다면 그다지 시달림을 받지 않은 곳, 즉 산에서 멀리 떨어진 야지(野地 : 들판)로 나가야 쉽게 보급투쟁을 할 수 있음을 알고는 위험을 무릅쓰고라도 진출을 하지 않을 수 없었다.

어디가 어디이며, 어떠한 사람들이 살고 있는지조차도 전혀 알 수 없는 상황에서 어느 마을에 들어갔다. 약 50여 호가 사는 것 같은데, 온 동네가 아담하게 산으로 둘러싸여 한 울타리 속에 들어 있는 것 같았다. 한밤 중 2시라면 모두 마음 놓고 잠자는 시간이었다.

어느 집에 숨어 들어가 아무 사고 없이 한 가마니 정도의 쌀을 4명이 나누어서 짊어지고 울타리를 빠져나오는 데, 어느새 부락민의 신고를 받고 출동한 경찰들이 총을 쏘고 고함을 질러가며 달려오는 것이었다. 몇 명 안 된다는 것을 미리 알고는 대담하게 뛰어오며 총을 갈겨대는 것이었다.

그때에 우리 대원 몇 사람만 더 있어도 보기 좋게 혼내줄 수 있었으나, 쌀을 두고 그냥 물러 나오지 않을 수 없었다. 그저 아쉬울 뿐이었다. 우리들은 환자의 몸이었고, 그것을 지고 추격을 피해 비트까지 무사히 돌아올 수가 없었기 때문에 그냥 물러나올 수밖에 없었다.

문장산 기슭에 도착하여 능선을 타고 급히 올라가다가 무엇인가 넝쿨이 발 정강이가 걸리는 느낌이 들었다. 뇌관줄이었다.

"꽝!"

하는 소리를 듣고는 정신을 잃었다.

꿈인지 생시인지 아무 생각이 없는데 누군가가 나를 흔들어 깨우는 것만 같았다. 희미하게 정신이 들어 쳐다보니, 같이 보급투쟁을 나갔던 김정분 여성동무가 흔들어 깨우는 것이었다.

무심코 벌떡 일어나려고 했더니, 왼다리가 힘이 없어 그대로 넘어지는 것이었다. 오른팔을 짚으려 하니 팔도 힘이 없어 넘어져 버렸다. 팔하나와 다리 하나로 몸을 일으켜 주변에 있는 대원을 쳐다보니, 두 명은 이미 저승 사람이 되어 버린 상태였고, 나를 깨운 김정분 동무만 보였다.

그런데 그도 역시 아랫배 부분에 큰 파편을 몇 군데나 맞았는지 피를 흘리며 쓰러져 있는 상태로 꼼짝도 못하면서도, 나의 몸에 박힌 수류탄 파편을 빼주면서 나를 깨우는 것이었다.

그 여성 동지는 위험이 있을 때마다 나를 구해주는 것이었다. 이번에도 자신도 상처를 입었으면서도 나를 보살피느라, 정작 자신의 상처는 살피지 않고 있었다.

나는 그런 여성동무를 보면서 마치 어머니와 같은 거룩한 사랑을 보는 듯했다. 나는 여성 동무의 상처 부위를 살펴 주었다. 아랫배에 박힌 파편을 뽑고는 옷을 찢어 상처를 싸매 주었다.

"위기 때마다 여성동무가 나를 구해 주었소. 고맙소."

"아니에요. 저는 항상 사단장 동무만 보면 힘이 나요. 그리고 늘 존경해 왔습니다. 사단장 동지는 우리 빨치산의 정신적 지도자입니다."

"고맙소. 나도 역시 동무가 있어 든든하오. 마치 어머니 같이 인자하고 한없는 사랑을 가지고 있는 동무 같소. 여자의 몸으로 이런 모진 시련을 겪으니 얼마나 힘이 드오. 그런데도 힘들다는 말도 하지 않고, 이렇게 험한 곳도 따라 오니 말이오."

"저는 사단장 동무가 가는 곳이라면 어디든지 따라 갈 것입니다."

나는 그런 여성 동무가 한편으로는 한없이 거룩하고 한편으로는 한없이 갸륵해 보였다. 우리 유격대에도 이런 아름다운 마음을 가진 여성동무가 있다는 것이 믿어지지가 않았다.

나는 정말 그 여성동무를 안아주고 싶었다. 그녀는 나의 가슴에 기대면서 눈물을 흘렸다. 자기는 여기서 이렇게 죽어도 여한이 없다고 했다. 나와 같은 상관을 만나 아름다운 세상을 꿈꾸며 살아온 지난 세월을 후회하지 않는다고 했다.

나는 그녀를 가볍게 안아 주었다. 깜깜한 능선에서 우리 두 사람은 그렇게 잠시 서로를 맡기면서 하늘을 보았다. 오리온별이 밤하늘 한복판에 보였다. 북극성도 보였다. 별빛이 비치는 하늘 아래는 오로지 나와 여성 동무만이 깨어 있는 것 같았다. 시간이 정지된 느낌이었다. 빛나는 별빛마다 모두가 투쟁하다 죽은 동지들의 영혼처럼 느껴졌다. 저 아름다운 영혼들이 이루지 못한 꿈을 이루려다, 이 밤에 산에서 쓰러져 있는 자신들을 생각하니 저절로 눈물이 났다.

어디서 짐승의 발자국 소리가 부스럭하며 들렸다. 우리는 깜짝 놀라 이렇게 있어서는 안 된다는 것을 알아차렸다. 우리를 기다리는 사람들이 있음을 그제서야 생각한 것이다.

나중에 알았지만 그때 나는 팔과 다리에 25개의 수류탄 파편을 맞았다. 그녀도 대여섯 개의 파편을 맞았다.

아픈 몸을 이끌고 기어다니면서 두 명의 시체를 끌어다가 가매장을 하였다. 그리고 그들이 짊어졌던 식량배낭과 여성동무의 배낭까지 약간 떨어진 곳에 감추어 놓고는, 여성동무를 업다가 끌다가 하면서 거점까지 가기 위해 몸부림을 쳤다.

그러자 여성동무는

"못 가겠어요. 저를 여기에 놓고 가세요."

"안 되오. 나와 함께 살아서 우리들이 바라는 세상에서 행복하게 살아야 되오."

"저를 데리고는 못 가십니다. 그러니 여기에 두시고 얼른 돌아가세요."

하고 애걸을 하였다.

그러나 나는 그녀를 떼어놓을 수는 없었다. 안 가겠다고 떼를 쓰는 그녀를 업고는 발걸음을 옮겼다. 그녀를 데리고 가면서도 환자들의 식사가 걱정이 되어 배낭은 기필코 가지고 가야 하기에 끌면서 가지고 갔다.

그런데 나 역시 너무도 통증이 심해서 결국은 얼마 가지 못하고 내 배낭짐도 감추어 놓고는, 그녀만을 업고서 간신히 거점에 당도하게 되었다. 하늘에 별이 있을 때 출발했는데 거점에 도착하니 한낮이 되어 있었다. 얼마나 힘들게 이동했는가를 알 수 있는 것이다. 조금 가다가 쉬고 가다가 쉬고 하니 그렇게 많이 걸릴 수밖에 없었다.

환자들은 내가 오지 않는 것을 보고는 사고를 당한 줄 알고 벌써 비트를 옮긴 상태였다. 그곳에는 한 사람도 남아 있지 않았다.

비상 신호를 했더니 환자 한 명이 그 부근에 숨어 있다가 수하(誰何 : 누구냐고 불러서 물어보는 것)를 하는 것이었다. 그를 보자마자 나는 그 자리에 쓰러져 더 움직이지 못했다.

그러자 그 부근에 숨어 있던 환자들이 달려와 우리들을 업고는 이동한 비트로 가게 되었다. 책임이란 그렇게도 중한 것인지, 수하 전까지는 악을 쓰고 기어왔건만 수하를 받고는 바로 그 자리에 쓰러져 이동할 수가 없었던 것이다.

이때에 내가 가져오다가 숨겨 놓은 식량을 가져오게 하여, 바로 밥을 지어 환자들을 먹였다. 모두가 오랜만에 먹는 밥이라 맛있고 배부르게 먹는 것이었다. 그것을 보면서 내 마음은 그렇게 흐뭇할 수가 없었다. 그리고 바로 사고지점에 숨겨둔 식량도 그날 밤을 이용하여 가져오게 하여 한 동안 환자들을 연명하게 할 수 있었다.

그리고 나와 여성동무는 즉시 다른 비트로 옮겨 치료를 위해 잠시 은신을 하고 있게 되었다. 내가 완치될 때까지 나 대신 부대를 지휘하라고 나의 권총을 정치위원에게 건네주었다. 대공세 이후 너무도 치명적인 타격을 받은지라 모두 용기를 잃고 위축되어 있었다.

권총은 넘겨 주었지만 유사시에 사용할 수 있는 수류탄 1개는 언제나 가지고 다녔다.

1주일의 시간이 흘렀다. 정치위원의 인솔하여 보급투쟁을 나간 모양이었다. 하루 동안 소식이 없었다. 나는 걱정이 되었다. 다음날 정오경이 되어 우리 부대가 있는 근처에서 총성이 요란스럽게 울리는 것이었다. 기습하는 일방적인 총소리가 분명하였다. 교전이라면 소리가 다르다는 것을 알 수 있기 때문이다. 약 1시간쯤 되어서 총성이 멈추는 것이었다.

어찌나 궁금한지 부어 있는 몸을 일으켰다. 수류탄을 챙기고는 엉금엉금 기다시피 숨어서 갔다. 금방이면 가는 거리를 기어서 가니 3시간은 걸린 듯하였다.

가보니 내 예측이 틀림이 없었다. 경찰의 기습작전에 정치위원 이하

거의가 피살되어 쓰러져 있었다. 기습전에서는 생포되어 간 환자도 있을 것이라는 생각이 들었다. 그렇게 되면 이곳에 남아 있는 환자들이 몇 명 더 남아 있다는 것을 알게 될 것이고, 그렇게 되면 또 다시 공세를 취해 올 것이라는 생각이 들었다. 그래서 일단 잔류대원이 있는가를 알아보니 나까지 5명이었다. 남은 총기는 따발총 한 정이 있었는데 실탄은 7발이었다.

이제는 더 이상 여기서 버티기가 힘들 것이라는 생각이 들었다. 할 수 없이 환자들을 데리고 지리산으로 찾아갈 수밖에 없었다.

때는 1952년 겨울이었다. 찬바람이 제법 옷깃을 헤치며 파고들었다. 웬만한 추위에는 견뎌온 우리들이지만 초라한 퇴각을 하니 더욱 춥게 느껴졌다.

대덕산을 가는 도중에 때 아닌 겨울비가 내려 많은 물이 흘러가고 있었다. 날은 밝아오는데 시간상 후퇴할 수는 없고 오직 전진할 수밖에는 도리가 없었다. 남아 있어도 죽음뿐이니 살기 위해서 전진하다 죽는 편이 났다는 생각이 들어 추운 겨울이었지만 내가 먼저 물에 첨벙 뛰어들었다. 깊은 곳은 거의 키가 넘는 듯 하였으나 떠내려가면서도 다행히 물을 건너갈 수 있었다. 그러자 모두 뒤따라 서로 손을 잡고 건넜다.

대덕산 기슭을 올라가는데 어두움 속에 건물이 보였다. 달려가서 살펴보도록 했더니 몇 집이 안 되고 굴뚝에 연기를 볼 수 없다는 것이었다. 이상하게 생각되어 내가 직접 가서 보니 이미 소개疏開되어 이동하고 아무도 없었다. 한 집에는 벌통이 몇 통 놓여 있었다. 무조건 한 통을 뜯어 모두가 꿀로 허기를 채웠다.

아마도 이것이 나로서는 보약인 듯 싶었다. 몸이 가벼워지고 건강이 회복되는 것 같았다. 나는 다른 대원들도 많이 먹게 하고 상처가 심한 김정분 여성 동무도 많이 먹도록 하였다. 그날 새벽부터 그 근방 숲 속에서 하루 낮을 보내기로 하였다. 나중에 알았지만 그 마을은 소방동이라는 마을이었다.

어둠이 내리자 굶주린 채로 또 다시 가야만 했다. 오솔길을 가다 보니 몇 집 되지 않는 진안 관내의 대방동 마을이 보였다. 그런데 역시 사람은 안 보였다. 그래도 한 집을 들러 조심스럽게 집안 동정을 살펴보니 사람이 있는 듯 한 느낌이었다. 더욱 조심해서 대문을 지나 헛간으로 들어가 다시 엿보는 중인데 서 있는 땅 바닥이 이상했다. 무심코 헤쳐 보았더니 그 바닥에는 많은 식량을 묻어 놓고 있는 것이 아닌가.

우리 5명은 신속하게 이 쌀을 퍼내어 힘껏 짊어지고 길을 떠났다. 아무리 무겁게 짐을 졌지만 무겁지가 않았다. 얼마나 구하기 어려운 식량인가. 얼마쯤 가다가 급히 밥을 지어 주린 배를 채우고는 또 길을 떠났다.

성수산으로 들어가 한쪽 기슭에 자리를 잡고 며칠 간을 몸조리하면서 휴식을 가졌다. 그러나 한 자리에서 너무 오래 머물러 있는 것은 좋지 않기 때문에 밤을 이용해 떠날 생각을 하고 있는데, 난데없이 경찰들의 수색작전에 발각되었다. 다행히 우리가 먼저 발견하고 피했기 때문에 모두 무사했으나, 다급히 피하면서 식량과 식사도구 일체를 놓고 온 것이다. 모처럼 확보한 쌀을 빼앗긴 것은 너무나 아까웠다. 그러나 빨치산에게 모든 것은 그저 흘러가는 바람과 같은 것이다. 잃으면 다시 구하면 되는 것이었다.

우리는 그날 밤 민가를 급습하여 강도형식으로 식사도구와 식량 등 부식물까지 챙겨 바람처럼 밤길을 달려갔다. 가다보니 이제는 남원 관내의 보절 천황봉에 도착하였다.

　다음날은 바라던 지리산 목적지에 도달할 것으로 생각되었다. 너나없이 초행길이 되어서 그저 들어 아는 대로 재를 넘고 평지에 나서자 신작로에 들어서게 되었다.

　한식경을 걸어 가다 보니 삼거리가 나왔다. 바로 좌측 하천을 건너 마주치는 하천의 옆길을 타고 가는 길이 나 있는데 뱀사골이 분명했다. 우리는 한 시간을 더 걸어 개울길을 따라서 들어가는 중인데 느닷없이 소리가 났다.

　"누구냐!"

　소리와 함께 총소리가 났다. 우리는 모두 숲속으로 흩어져 숨었다. 나라는 것을 수하誰何로 하자 지리산 거점을 두고 있는 유격대의 전방 초병이었다. 다행이었다. 흩어져 숲속에 몸을 숨겼던 대원들은 다시 모여 목적지인 도당부에 무사히 도착했다.

변절자

지리산 도당부에 도착한 나는 데리고 온 대원들은 바로 호위부대로 보내고, 군사부에 가서 그날은 쉬었다.

다음날 도당위원장을 찾아가서 그간 우리 45사단의 활동보고를 했다. 도당위원장 방준표 동지는 당의 명령도 없는데 근무지를 무단이탈했다고 호되게 질책을 하는 것이었다. 즉 당원들은 죽는 한이 있어도 당을 위해서 부과된 임무를 수행해야 하고, 무슨 일이 있을지라도 당의 명령 없이 지정된 작전지역을 떠날 수 없다는 것을 엄격히 지적하는 것이었다. 그러나 어쩌겠는가. 이미 이탈해 여기까지 온 것을.

"그저 면목이 없습니다."

하고는 나와서 간부 비트로 갔다.

그 동안 총상치료를 하였는데 너무도 심해서 이곳에 와서도 계속 치료를 하여 103일만에 겨우 상처는 아물었으나 통증은 아직도 심했다.

상처를 치료하는 데도 두 차례나 주천과 이백으로 보급투쟁을 따라나간 적이 있었다.

한번은 주천 방면으로 보급투쟁을 나가는데 뱀사골 병풍산 부근에서 광산골로 넘어들어 달궁골을 지나면서 정령치로 향하게 되었다. 가다가 일대의 정찰대를 앞세워 주변을 살펴보게 하였다. 그런데 정찰대가 보고하기를 적정敵情은 없다는 것이었다.

그러나 나는 아무래도 예감이 이상하였다. 그래서 한식경을 모습을 감추고 자세히 살펴보았다. 그러자 과연 전경대가 정령치를 넘어들어 달궁마을 뒷산에 잠복을 하고 있는 것이 발견되었다.

그래서 우리 보급부대는 광산골로 다시 내려와 방향을 바꾸어 달궁골 앞 도랑 옆을 지나 심원골로 행진하자, 이때 전경들은 우리를 발견하고 소총사격을 퍼부어 댔으나, 이미 그들의 사정권을 벗어나 있어 위기를 모면할 수 있었다.

이날 밤은 주천면 호경 마을로 보급투쟁을 갔다. 부락에 들어서자 어느새 지서에 연락이 되었는지, 보급투쟁 도중 경찰대의 추격을 받게 되었다. 다급하게 후퇴를 하던 중 도당부 기요과에 근무중인 나의 고향에서 온 김공표 소년이 중상을 입고 꼼짝을 못하는 것이었다. 정신이 없어 보이더니 곧 숨이 지고 말았다.

그 어린 소년은 6·25가 발발하자 이승만 괴뢰정권을 반대하고 조국 통일 독립전선에 뛰어들었다. 그 동안 여러 차례 전투에 참여한 소년치고는 매우 성숙한 생각을 가지고 있는 소년이었다. 훤칠한 키에 서글서글한 소년이었는데, 너무나 아까운 죽음이었다. 몇 년 뒤에 그 모친을 본

적이 있었으나, 그날의 이야기를 전혀 말하지 못했다. 어디서 살아 돌아올 것으로만 생각하고 있는 부모에게 죽었다는 말을 할 수가 없었던 것이다.

그날의 보급투쟁도 경찰의 추격으로 별 성과 없이 희생자만 내고 돌아왔다. 나는 이때에도 상처가 아물지 않아 간혹 통증이 있었으나, 일부러 서너 차례 보급부대를 따라다니던 중인데 도당위원장은 나를 부르는 것이었다.

바로 도당부를 찾아가니 도당위원장은 지금 북부에 당지도부 사업이 전면적으로 부진하니 다시 가야 하겠다는 것이었다. 당의 명이기에 즉시 선요원을 따라 나섰다.

지리산에서 나와 임실 성수산에 들어서니, 우리 대원들이 먼저 와서 기다리고 있었다. 모두 나의 부하로 도당부를 수행한 대원들이었다.

한 계곡에서 모두 은폐하고 정담을 교환 중인데, 그날따라 오전 10시경이 되자 경찰들이 산 수색작전을 한답시고 수색은 안하고 사냥을 하고 있었다.

바로 내 앞에서 의경대원 두 명이 산 능선을 타고 내려오다가 나에게 소리도 못 지르고 붙들렸다. 무기 두 정만을 빼앗고는 그대로 놓아주었다.

어둠이 덮이면서 우리들은 서둘러 운장산으로 들어갔다. 요즈음 들어서자 군인들의 공세가 뜸해졌다. 그러나 전라북도 경찰국 보아라부대는 휴식도 없이 기습전과 잠복전 등 다양하게 토벌작전을 전개하고 있었다.

300여 명으로 구성된 보아라부대의 부대장은 변절자 길병래가 계속 맡고 있었다. 그 부대는 운장산 일대의 지리에 밝았다. 그 대원들도 일부는 재산 당시 금산 군당부에 적을 두었던 직속 부하 대원들이 많았다. 그 외에 일부는 운장산을 중심으로 적을 두고 활동하던 무주 · 진안 · 완주 등지의 자수자와 생포자가 많았다.

보아라부대의 적극적인 활동으로 북부도당부 관할 인사들은 거의 자수 또는 생포되어 모든 조직이 망가지고, 단지 북부도당 지도부 책임자로 새로 임명된 양인섭 동무와 그의 연락병 · 호위병만이 남아 있을 뿐이었다.

이때에 우리 부대 역시도 대부분의 작전 도중 죽거나 자수 · 생포로 궤멸되고, 45사단이 겨우 9명만이 살아남아 있을 뿐이었다.

1년 전까지만 해도 쟁쟁한 혁명투사들이 무려 7백여 명이나 있었건만, 나의 부덕과 무지한 소치로 모두 저승길의 고혼孤魂이 된 것이다. 그들이 외치는 소리가 나의 귓전에 맴도는 것만 같았다. 언젠가는 고귀한 투쟁의 역사를 높이 받들어 말할 수 있는 날이 올 것으로 생각하였다.

그런데 이 무렵에 지리산에서는 커다란 이변이 발생하였다.

이북에서 월남하여 자수한 변절자 안진규로 인한 사건이다.

안진규는 황해도 사람으로 1923년생이다. 본성이 영특하여 일찍이 김일성대학을 이수하고, 당성이 충실한 자여서 해주 군당부 위원장에 발탁되었다. 얼마 후에 6 · 25 민족전쟁이 발발한 후가 되어서야, 그의 선친께서 일제시대 면장을 지내며 친일을 하였다는 사실이 밝혀진 것이다.

그러자 안진규는 당부에서 군사부로 전락되어, 인민군 연대장으로 임명되었다. 그 연대는 6 · 25 전쟁 직후 바로 남하 중이었는데, 안진규는 이러다가는 필경 무슨 화가 미치지나 않을까 하는 공포감이 앞서, 남하 도중 이탈하여 대한민국 육군본부에 자수를 한 것이었다.

　육본에서는 북조선 노동당 중견간부로 당 정책이나 많은 인사를 누구보다 많이 알고 있는 안진규를 역이용할 만한 가치가 있다는 판단에서 보호하다가, 북조선 중앙당부에서 새로운 당의 지령을 받아 가지고 연락차 나온 것처럼 위장시켜서는, 지리산에 있는 각 도당부와 남부군 유격대 총사령부를 상대로 투입시켰던 것이다.

　아울러 안진규의 수행원으로 군인 출신 2명을 철저하게 공산주의자처럼 교육을 시켰다. 안진규의 임무는 빨치산의 병력이나 무기, 간부진의 동태를 파악하여 보고하고, 그들을 포섭을 하든가 아니면 암살을 기도하라는 것이었다.

　그래서 안진규는 대담하게도 지리산 일대의 근거지인 남부군 유격대 총사령부를 무조건 찾아 들어갔다. 가서는 대담하게도 총사령관 이현상을 만났다. 이현상은 그가 하는 말에 의심 없이 속아 넘어가고 말았다.

　다음은 남부군 연락부의 안내로 경남 도당부와 전남 도당부, 전북 도당부 위원장을 차례로 만났다. 그런데 경남 도당위원장이나 전남 도당위원장은 대화를 하면서 질문이 여간 까다롭지 않았다. 전북 도당위원장 방준표의 질문은 특히 까다로웠다. 그 중에서도 안진규의 당지령문은 역시 긍정이 가는 듯했으나, 수행원에 대한 별도의 질문을 하던 중 의아심을 자아내게 하였던 것이다.

　물론 국방부가 북조선 실정을 철저히 교육을 시켰으나 깊은 현실은 알 리가 없었다. 여기에서 의심을 사게 되었고, 간첩으로 투입되었음이 탄로가 난 것이다. 그러자 긴급히 중앙당 대역지도부 회의를 열어 이 사건에 대한 심중토론을 하게 되었다.

이현상은 이 사건 처리를 좀 더 두고 보자는 의견이었다. 그러나 방준표는 모두 첩자로 규정하고 처치할 것을 주장하였다.

결국 당분간은 그대로 두고 보자며 유보하였다. 모두 포박을 지은 채 각각 격리시켜 남부군 유격대에 넘겨 그날 밤 철저한 감시를 하게 하였다.

이때에 안진규는 자기의 급박한 위기를 예리하게 간파하고, 그날 밤 감시자의 눈을 피해 양 팔목이 묶여진 채로 빠져나가는 데 성공했다.

구사일생으로 살아서 국군 남경사(南警司 : 남부지구경비사령부)를 찾아간 그는 지리산에서 있었던 모든 일을 상세히 보고하고, 현장에서 당했던 일을 분개하며 부대 하나를 자기에게 달라고 제의하였다.

남경사는 당시 남원에 임시 설치되어 있었으며 초대사령관에 이용문 준장이었다. 이 준장은 안진규의 제의를 받아들였다. 그리고는 소령 계급장을 달아주고 부대의 편제는 자수자와 생포자를 주축으로 하여 정규군 일부병력도 혼합하여 8백여 명의 병력으로 부대를 편성하고, 경비사령부 산하 직속 유격대로 명칭을 정하여 안진규를 유격대장으로 임명하였다.

그래서 안진규는 새로운 각오로 출발하였다. 그는 작전 중 이현상을 생포한다면 어떻게 해서라도 생명을 보장해도, 방준표에 대해서는 죽음으로 보복하겠다는 굳은 앙심을 품고 있었다.

이때 안진규가 탈출하자 지리산 중앙당대역지도부에서는 남부군유

격대 총사령관 이현상에 대한 문제로 긴급회의를 열게 되었다. 방준표
와 박영발은 안진규 사건에 대한 책임을 지라는 거센 항의를 하였다. 비
판 대상에 오른 이현상에게는 남부군 총사령관직을 박탈하고 백의종군
할 것을 의결하였다.

　참으로 허망한 일이었다. 하루아침에 총사령관에서 일개 사병으로 전
락한 것이다. 작전에 실패한 장군이 일개 병사로 전락하는 일이 남한의
군인들에게는 있을 법한 일인가? 그러나 빨치산에서는 엄연한 현실로
나타난 것이다. 나는 이러한 사건을 보면서 참으로 무서움과 공포를 느
끼지 않을 수 없었다.

　이러한 지도부의 극심한 내분으로 지리산의 유격투쟁사는 빛을 잃어
가고 있었다.

　아울러 이때에 남북한 간의 전선은 침공도 퇴보도 없이 38선 고수작
전만 하고 있었다.

　이와 같이 시시각각으로 급변하는 정세 속에도 후방 교란전을 계속
하고 있는 우리 앞에는, 엎친 데 덮친 격으로 운장산과 덕유산 일대는 전
라북도 경찰국 소속 길병래 보아라부대가 사철주야 없이 설쳐대고, 지
리산 일대는 남부지구 경비사령부 직속 안진규 유격대가 설치대고, 서
남지구 전투경찰대 역시 대다수의 변절자들이 모체가 되어 회문산·변
산·가막골·내장산·장안산 등지에서 설쳐대고 있었다.

　모두가 한때는 우리 당 조직 분야에서 활동을 했던 자들이라 각 지구
당 조직체와 유격대의 내부사정을 잘 알고 있을 뿐만 아니라, 산악생활
에도 익숙하고 산악지리도 밝은 자들이어서, 빨치산의 유격투쟁은 어디
를 가나 그들과 부딪히는 판국이 되었으니 참으로 통탄할 일이요, 분개

심이 복받치지 않을 수 없었던 것이다.

속담에 자치(연어과의 민물고기)가 자치를 잡아먹는다더니, 아마도 이를 두고 하는 말인 듯 싶었다. 특히 변절자들이 더욱 날뛰는 데는 그 여파가 극심했다.

이와 같은 상황 속에서도 우리들의 투지와 긍지는 더욱 굳어지면서,

"비겁한 자야, 갈 테면 가라. 제아무리 마수들의 총칼이 덮쳐 와도, 굴복도 좌절도 있을 수 없다."

라고 외치며 투쟁의 의지를 다졌다.

과거 일제 식민지 36년의 수난을 온몸으로 겪으면서, 다시는 외세에게 지배당하는 것을 허용하지 말자며 맹세한 사람들이다.

전 세계 약소민족들과 무산근로자 대중들은 알 것이다. 도대체 제 나라 조국과 민족이 분단을 당한 마당에 민주민족 통일독립을 하기 위한 투쟁을 하는 것은 당연한 일이라는 것을. 우리들의 투쟁은 우리 후손들에게 오로지 민주민족 통일독립 조국을 넘겨주고, 나아가서 전 세계 인류사회의 평화와 행복을 심어주기 위한 것이다. 그래서 우리들은 우리 목숨이 다할 때까지 초지일관 투쟁을 할 것이다. 살아서 조국의 통일독립을 이룩하지 못한다면 저승에서라도 이룩하고야 말 것이다.

이와 같은 결심으로 홑바지에 맨발로 겨울을 나고, 하늘을 지붕으로 삼고, 골짜기를 방으로 삼으며, 바위를 베개로 삼아 잠을 청하기도 하였으며, 하루 세 끼는 고사하고 한 끼의 죽으로 배를 채우기도 하였으며, 산골짜기에 흘러내리는 물과 펄펄 내리는 눈으로 배를 채우기도 했다.

경찰대의 잠복을 피해 가며, 심지어 땔감을 하러 나온 초동과 약을 캐러 나온 채약군의 발길마저 피해가면서 사시사철, 불철주야 생사를 넘나드는 투쟁을 계속했다.

생포와 호송

또 한 해가 지나가고 해는 바뀌어 1953년 2월 초순이 되었다.

그때까지도 경찰대의 잠복망을 조심스레 피해가며, 싸우는 동무라고는 모두 9명이 남아 있으나 모두 총상환자였고, 성한 사람은 없었다. 그러나 목숨이 다할 때까지 우선 보급투쟁을 하기 위해 7명이 동원되어 나갔다.

나는 이때 지난 번의 총상으로 더욱 건강이 악화되어 수일간을 몸조리하며 비트에 남아 있었다.

그런데, 보급투쟁을 나갔던 7명은 2일이 지나도 오지 않고 소식도 없었다. 초조한 마음으로 그들을 기다렸다.

할 수 없이 그 동안 고비 때마다 나를 사지死地에서 구해준 금산 출신 김정분 여성동지만을 데리고 길을 떠났다. 완주군 고산 관내에 사는 우리의 정보망을 찾아가기 위해서였다.

평소에 밤 11시면 도착할 수 있는 집을 새벽 4시경에야 도착하였다.

정보망으로 활동하고 있는 집은 산 속 외딴 곳에 있었다.

집 주위는 목탄을 구워내는 곳이어서 소나무, 참나무를 베어다가 쌓은 통나무가 많았다.

정보망 역할을 해주는 주인은 박재문이라고만 알고 있었다.

이날따라 온종일 잔뜩 흐린 날씨에 가랑비가 오고 있었다. 집에 들어가 수하를 하니, 주인 박재문이 뛰어나왔다.

"추위에 고생들 하십니다. 어서 들어오시오."

하고 반갑게 맞아주었다.

"빨리 식사를 지어 드리겠으니, 안심하고 자신 뒤에 가십시오."

하고는 다정하게 인사를 하며 안심까지 시키는 것이었다.

사실 이때에 여러 날을 굶었으니 배가 몹시 고팠다.

"수고 좀 해주시오."

그의 부인은 부산하게 밥을 짓기 시작했다.

나는 밥을 짓는 동안 박재문에게 돈을 건네주면서, 쌀이나 보리 한 말, 소금 약간, 농구화 한 켤레 등을 사다 달라고 부탁을 했다. 그러자 박재문이 말했다.

"내일 아침 일찍 안사람을 고산장으로 보내 사다 드리겠습니다."

하는 것이었다.

식사는 금방 마련하여 가지고 왔다. 김치와 된장국 그리고 동치미 등 늘상 먹는 음식이었지만, 산에서는 제대로 먹을 수 없었으니 맛있게 먹었다. 밥도 푸짐하게 담아 주어 배불리 먹을 수 있었다. 박재문은 밥을 먹는 옆에서 이런 저런 이야기를 하였다. 우리들의 투쟁 활동에 어려움 겪고 있는 것에 동감을 표시하기도 하며, 앞으로 걱정이라는 말도 하며 제법 걱정을 해주는 것이었다.

바깥에는 계속 가랑비가 오고 있었다. 2월 초순이라 날씨가 아직은 추웠다. 거기에다가 비까지 오니 스산한 날씨였다. 여섯 시가 가까워 오고 있었으나 아직은 새벽이었다. 날이 더 밝기 전에 은신처를 정하기 위해 밖으로 나가려고 하자 박 씨가 말하였다.

"지금 가랑비가 오고 있는데 나가신다면 고생하실 것입니다. 날씨도 추우니 우리 집에서 좀 더 쉬십시오. 누구 하나 오지 않는 곳이니, 안심하고 쉬십시오. 안식구가 시장에 가서 부탁하신 물건을 사 올 것입니다. 저 위쪽에 만들어 놓은 비트가 있습니다."

하며 쉬어가기를 권하였다.

그러나 나는 나가려고 했으나, 몸이 좋지 못해 뭉그적거리게 되었다. 그리고 박 씨의 말을 미덥게 들은 것도 있었다.

방안 비트를 둘러보니 큰방 한 쪽을 한 사람 들어갈 정도의 공간으로 막고는, 그 안 바닥에 가마니 한 장을 깔아 놓았다. 그리고 출입문은 쌀독 항아리로 막아 놓고, 앞쪽에는 고구마 통가리로 위장을 해놓아, 누가 보아도 의심이 가지 않을 정도로 잘 만들어 놓았다.

우선 몸의 통증을 풀고자 비트 안에 들어가서 잠깐 누워 있으니, 여성 동무도 마다 않고 쫓아 들어왔다. 좁은 공간에 들어와 앉아 있다가 피곤한지 옆에 눕는 것이었다. 하기사 밤새 산길을 왔으니 얼마나 피곤하겠는가. 참으로 오랜만에 온돌방의 따스함이 등을 통해 온몸에 전달되어 왔다.

"이른 아침에 여자가 시장을 나가게 되면 누가 보아도 수상하게 볼 것이니, 식후에 제가 나가서 빨리 사 가지고 오는 것이 좋지 않을까 하는데, 어떻게 할까요?"

하고 박 씨가 내게 의향을 묻는 것이었다.

나는 그가 하는 소리마다 진실성이 있어 보였다.

"그렇게 하는 것이 좋겠소."

하고 허락을 하였다. 그리고 나는 우리 일 때문에 불행을 당할까 봐 조심하라고 당부를 했다.

"각별히 주의해서 다녀오시오."

박 씨가 떠나간 뒤, 나와 김정분 여성 동지는 안심하고 따뜻한 온돌에 누워 잠을 청했다.

따뜻한 방에 누우니, 오랜만에 편안해지면서, 산 속에서의 어려운 생활이 떠올랐다.

빨치산 생활은 참으로 어렵다. 식사만 하더라도 그렇다. 식사를 만드는 데 제일 중요한 것은 연기가 나지 않게 해야 된다는 것이다. 그래서 대개 어두워지면 밥을 짓는다. 연기가 잘 보이지 않게 하기 위해서이다. 대낮에 밥을 지을 때는 연기가 잘 안 나는 싸리나무, 관솔 등을 쓴다. 다 하고 나서는 발견이 안 되도록 묻어 버려야 한다.

그리고 밥을 지을 때는 항상 물이 있는 데서 한다. 빨치산도 역할이 분담이 되어 있다. 인원이 적으면 아무나 하지만, 인원이 많으면 연락병도 있고, 호위병도 있듯이 취사병이 있어서 대개 그들이 밥을 짓는다. 간부가 되면 직접 취사는 하지 않는다.

식사를 마련할 때는 일 년 사철 힘 안 드는 날이 없다. 왜냐 하면 언제든지 경각심을 가지고 해야 하기 때문이다. 밥을 하면 한 번에 하루 먹기도 하고, 여러 날 먹기도 한다. 작전이 있을 때는 며칠 것을 미리 하기도 한다.

작전 나갈 때는 밥을 싸 가지고 나가거나 하지는 않는다. 작전 준비만 해 가지고 나간다. 작전이라는 것이 며칠 동안 나가 있는 것이 아니라 짧은 시간에 끝내고 돌아오는 게릴라전이기 때문이다. 작전을 시간 내에 마치고 돌아오지 못하면 그곳에서 알아서 식사를 해결해야 한다.

그릇 같은 것은 비트 같은 데 놓고 갈 때가 있는데, 그럴 때는 다시 그곳으로 돌아갈 경우이다. 그렇지 않을 때는 짊어지고 다닌다. 그런 것은 취사병들이 따로 있으니까, 그들이 맡아서 하게 된다.

사단 같으면 인원이 몇 백 명이나 된다. 그들이 다 한 군데 모여서 식사를 하게 될 경우에는 그 모습이 장관이다. 나의 부대가 700명이나 되었던 때도 있으니까, 지금도 그 모습이 눈에 선하다.

빨치산 사단 병력 700명은 일반 병사 7,000명에 해당하는 인원이라고 생각해야 한다. 그럴 때는 연예대도 따로 있고, 정치부장, 조직부장, 선전부장, 대외부장 등도 있다. 참모도 작전참모, 대외참모, 정보참모 등이 있다. 작전에 관한 것은 작전참모가 책임을 지고, 교양면은 정치위원이 책임을 지는 등 각자 책임을 진다. 그리고 그 모든 것은 사단장이 책임을 진다.

식사뿐만 아니라 거처하는 곳도 여간 어렵지 않다. 유격대는 원래 비트 같은 것이 있을 수 없다. 비트란 비밀리에 만들어 놓고 거처하는 곳을 말한다. 일시 주둔을 할 때는 그런 비트를 만든다. 그러나 사전에 그런 비트를 만들어 놓고 주둔을 하지는 않는다. 항시 전투태세에 들어가 있기 때문이다.

만약의 경우 휴식에 들어가게 되면 천막을 치고 잠을 잔다. 그럴 때는 무엇보다도 경계를 철저히 해야 한다. 각 연대별로 배치하여 천막을 치고 정보중대가 철저하게 경비를 서도록 한다. 누가 오나 안 오나 살피게 하고, 오게 되면 즉각 보고를 하도록 한다.

비트를 만들 때는 남의 눈에 잘 안 띄는 곳에 만든다. 가능한 물 있는 데가 좋고, 물 있는 데 장소 잡았다 하면, 먼저 보초부터 세워 놓는다.

한두 명이 나가 임시로 은거할 때는 물가가 아니라도 은신하기 좋은 곳에 비트를 마련한다. 그럴 경우에는 모포 한 장 덮고 드러누워 잠을 자는 경우가 많다.

비가 오고 눈이 오면 매우 곤란하다. 우선 안 맞게 조치를 한다는 것이 천막을 치고 자는 정도이고, 임시로 바위 밑이나 굴 속 같은 데에 들어가서 자는 경우도 있다.

평소에는 모포를 덮고 깔고 잔다. 겨울에 추울 때는 묘 자리 파듯이 구덩이를 널찍하고 길쭉하게 파고는 썩은 나무 등을 주워다가 불을 놓는다. 그리고 그 위에다가 돌맹이를 주워다가 함께 놓으면 돌이 따뜻하게 데워진다. 불이 꺼지면 그 위에다가 다시 나무 이파리 깔고, 그 위에 모포 깔고 자면 데워진 돌로 인하여 온돌처럼 따뜻하니 온기가 올라온다. 그렇게 임시로 온돌을 만들어 사용하기도 한다. 그러나 여기처럼 방의 온돌만은 못하다.

거처하는 것도 어렵지만 입는 것도 어렵다. 산 속에서 홑바지를 입고 사시사철 보내기도 하고, 양말도 없이 보내기도 한다. 누가 주는 것도 아니라서, 부락에 나가면 하나씩 가져오기도 하고, 전투에 나가면 군인들의 옷을 벗겨 입기도 한다. 군인들의 옷을 입으면 군인행세를 하기도 한다. 그 옷을 입고 가면 마을에서는 군인인지 빨치산인지 모르는 경우도 있다.

빨래는 계곡에서 후다다닥 해 가지고는 말려 입는다. 언제든지 보초를 철저히 서게 하고, 벼락같이 해야 한다.

양말이 없으니까 발싸개라고 하여 수건처럼 발을 둘둘 말아 양말 대용으로 사용하기도 한다. 그리고는 신발에 발을 구겨 넣듯이 해서 신고 다닌다. 신발도 별로 없어서 농구화 같은 것이 있으면 다행이다. 농구화가 있으면 농구화를 신고, 구두가 있으면 구두를 신고, 고무신이 있으면 고무신을 신고, 짚신이 있으면 짚신을 신는다. 닥치는 대로 신는 것이다.

모자는 항시 써야 한다. 그리고 장갑도 낀다. 그러나 모자나 장갑이 없는 경우도 많다.

그 외에 산 속에서 어려운 것은 대소변을 해결하는 것이다. 대소변을 보면 항시 조심을 해야 한다. 흔적을 남기지 말아야 하기 때문이다. 그래서 밥을 해 먹어도 그 자리는 묻어버리고 가듯이, 대변도 항상 땅에다 묻어야 한다. 그리고 항상 종이가 있는 것도 아니어서, 대부분 나뭇잎을 따서 밑을 닦는다.

이런 산 속의 어려운 생활 때문인지, 온돌에서 올라오는 따스한 온기에 취해 깜빡 잠이 들었나 보다.

얼마의 시간이 흘렀을까.

난데없이 총성이 들려오는 것이었다.

"탕!"

깜짝 놀라 잠에서 깨어 벌떡 일어난 나와 김정분 동지는 뭔가 잘못되었음을 직감하였다.

"너희들은 완전히 포위됐다. 빨리 자수하라!"

수일 전에 경찰들에게 생포 당한 북부도당부 조직지도원 강 동지의 목소리가 집 밖에서 들려오고 있었다.

우리가 들어 있는 외딴집은 완전히 포위당한 듯하였다. 동서남북 사방에서 연달아 공포탄을 쏘는 소리가 요란스럽게 울렸다.

'아차, 실수를 하고야 말았구나! 박 씨를 너무 믿었구나. 이 일을 어찌할 것인가! 이제는 도망갈 곳도 없이 완전히 독 안에 든 쥐새끼 신세가 되고 말았으니. 나의 투쟁은 여기서 이렇게 끝이 나고야 마는 것인가!'

주인 박 씨의 감언에 속아 넘어간 것을 한탄하면서, 지금 이 시각이 나의 인생 최후로구나 하는 생각이 스쳤다. 시계를 보니 오전 10시가 조금 넘었다. 이것이 꿈인지 생시인지 도저히 믿어지지가 않았다. 믿는 도끼에 발등이 찍힌 것이었다.

나는 항상 어려운 경우에도 살아남았다. 불사조 같다고들 했다. 여러 차례 총에 맞아도 죽지 않았다. 생포되었다가도 도망쳤다. 군경과 싸울 때도 위급한 순간에는 꿈속에서 아버님이 나타나 산 것이 여러 번이었다. 유격대는 대개 낮에는 잠을 잔다. 밤에는 돌아다니며 투쟁을 하니까 낮에는 보초만 세워 놓고 잠을 자는 것이다.

"야, 이 녀석아, 뭐하느냐. 빨리 행동해라!"

아버님이 꿈속에서 다급하게 얘기하는 경우에는, 우리에게 군인이나 경찰이 바짝 접근하는 경우였다. 그리고 평범하게 얘기하면 우리한테 온 것이 아니라 멀찌감치 접근하는 경우였다. 무력으로 접전을 할 상황이 다가오면 황급하게 말씀을 하시는 것이었다. 그래서 몇 번을 살았다. 자다가 벌떡 일어나 전투준비를 하면 다른 대원들은 처음에는 무슨 영문인지 몰랐다. 그러나 사단장이 명령을 하니까 듣지 않을 수 없었다. 그러나 대원들은 내가 평소에 꿈 이야기를 하면서 아버님께서 현몽現夢을 자주 했다는 말을 하였기 때문에 잘 따라 주었다.

그런데 오늘은 아버님의 현몽現夢도 없었던 것이다. 달콤하게 잠을 자면서도 저들이 우리를 포위하고 있는 것을 몰랐고, 아버님도 현몽을 해주지 않으셨던 것이다. 아쉬운 점이 아닐 수 없다. 이제는 투쟁해도 뜻을 이룰 수 없다는 것을 아시고 일부러 알려주시지 않으셨는지도 모른다.

이 순간에 선택할 것은 단 한 가지뿐이었다. 자폭, 자살하는 것이다.

허리띠에 차고 다녔던 자살용 수류탄을 무언중에 꺼내들고 김정분 처녀동무를 끌어 당겼다. 그리고는 한 마디 말도 없이 수류탄 안전핀을 뽑았다

"김 동무, 우리가 선택할 것은 오직 이것뿐이오. 자수를 해도 우리는 이용만 당하고 결국은 총살을 당할 것이오. 그러니 여기서 조국의 혁명투사답게 함께 죽읍시다."

"사단장 동무, 저는 동무와 여기서 죽어도 여한이 없습니다."

하고는 나의 가슴을 파고들었다.

불쌍하고 가여운 여인. 그러나 그녀는 이러한 상황에서도 죽음을 초월한 혁명투사로서의 자세를 잃지 않았다. 전쟁터에서도 나를 살리기도 하고 믿고 따라준 여성 중의 여성이었다. 그러나 나는 그녀가 나에게 베풀어준 은혜만큼 그녀에게 보답해주지 못했다.

그러나 이것이 무슨 운명인가. 우리는 여기서 함께 이 세상을 하직하

려고 하지 않는가. 이 여자는 내 목숨과 생명의 은인이다. 나를 몇 번씩이나 죽음에서 구해주었다. 물론 나도 그녀를 구해준 적이 있다. 그래서 우리는 서로에게 생명의 은인이었다. 그리고 혁명투사로서 정신적 동반자였다. 그러나 이제 한 많은 세상을 뒤로하고, 우리는 여기서 함께 마지막을 맞이하게 된 것이다.

"김 동무!"

"네."

"미안하오. 김 동무가 나에게 베풀어준 은혜만큼 나는 김 동무에게 베풀어주지 못하였소."

"아니에요. 우리들은 하나의 목표를 향해 서로의 생명까지 바쳐가며 싸워왔습니다. 그 고귀한 뜻을 이루지 못하고 여기서 생을 접어야 한다는 것이 아쉽지만, 사단장님과 함께 마지막을 할 수 있다는 것이 다행이고 영광입니다."

"우리가 이루지 못한 꿈은 다음 생에 이루도록 합시다."

"사단장 동무!"

"김 동무."

나는 김 동무를 끌어안았다. 나의 눈에서는 눈물이 흘러 내렸다. 가슴에 얼굴을 묻은 김 동무도 가볍게 어깨가 떨리고 있었다.

나는 안전핀을 뽑은 수류탄을 두 사람의 사이에 놓고 함께 엎드렸다. 그리고 눈을 감았다. 이제 폭발이 되면 두 사람의 몸은 산산이 부서질 것이다.

"……"

그러나 터질 시간이 지났는데도 수류탄은 터지지 않는 것이었다.

자세히 보니 수류탄의 심지가 썩어서 떨어져 있는 것이었다.

김 동무는 수류탄이 터질 것을 생각하고 순간 기절을 하였던 모양이다. 그리고는 잠시 후에 다시 깨어나 살아 있는 것을 확인하고는 말하는 것이었다.

"사단장 동지, 아마도 우리가 죽을 운명은 아닌가 봅니다."

라고 말을 하는 것이었다.

그녀의 말 중에 들어 있는 의중을 모를 리 없었다. 아직은 결혼도 하지 않는 꽃다운 나이로 입산한 처녀요, 아가씨였다. 죽을 수 없는 상황이라면, 저들에게 목숨을 맡기는 것이 어떤가 하는 의도인 것이었다.

그 말끝에 내가 말했다.

"김 동무, 주머니 속에 무엇이 들어 있는지 있는 대로 다 털어놓으시오."

김 동무는 주머니에 있는 세간들을 모두 내놓았다. 모두 휴지뿐이었다. 나도 주머니마다 있는 대로 모두 털어놓고는 불태워 버렸다. 우리가 잡히더라도 남아 있는 빨치산에게 피해가 가지 않도록 모든 것을 없애 버리기 위함이었다. 그리고는 말을 했다.

"김 동무, 김 동무는 나가시오. 김 동무는 나가도 살아남을 수 있을 것이오. 살아남아서 우리들의 죽음을 헛되지 않도록 해주시오."

안 나가려는 김 동무를 나가라고 밀었다. 잠시 버티다가 내가 완강하게 밀어내자 나가는 것이었다.

빨치산 가운데 여성 빨치산도 많았다. 그때는 여학생들도 많이 산으로 올라왔다. 여성부대도 있었는데, 작전도 잘할 뿐만 아니라 이것저것 일도 아주 잘했다. 어떤 때는 여성 빨치산이 더 무섭게 투쟁을 하기도 하였다. 그 중에 김정분 동지는 심지가 깊고, 착하고, 나와는 생사를 같이 한 동지였다.

김정분 동지가 나가자 이제는 한결 마음이 가벼워지는 것 같았다. 그리고는 밖에서 집을 불태우든 총을 쏘든 하고 싶은 대로 하라고 자리에 누웠다. 그러나 누구 하나 감이 들어오지 못하는 것이었다.

그것은 내가 45사단장 황의지라는 것을 김 동무를 통해 정확히 알게 되었고, M1 소총을 가지고 있기 때문에 감히 접근을 못하는 것이었다. 그리고 사단장을 죽이기보다는 생포하는 것이 그들에게는 더 큰 성과이기 때문에 기다리는 것이었다.

그럭저럭 오후 1시까지 시간을 끌었다.

그제서야 최후로 죽음을 결심하였다. 자결을 하기로 한 것이다.

M1 소총의 방아쇠에다가 오른발 엄지발가락을 넣고는, 총구를 턱 밑에 대고 방아쇠를 당겼다. 그러나 첫발이 불발이었다. 아마도 지리산 우리 병기공장에서 만들어낸 사제 납탄이었는데, 뇌관에 이상이 있었나 보다. 첫 번째 수류탄도 심지가 썩어서 불발이 되더니, 두 번째의 소총 실탄마저 불발이 되다니, 이 무슨 운명의 장난이란 말인가.

밖에서는 여전히 회유하는 소리가 들려왔다.

"황의지 동무, 자수하시오. 자수하면 살 수 있소."

그러면서도 얼른 접근을 하지 못하고, 계속 기다려 주는 것이었다.

나는 이때에도 살겠다는 비겁한 생각은 추호도 없었다. 오로지 경찰들의 속임수에 내가 걸려들다니, 나의 부주의로 최후의 뜻을 이루지 못하고 슬픈 영혼이 되는구나 하는 생각뿐이었다. 원통한 마음이 솟구쳤지만 나는 오로지 죽음밖에 생각하지 않았다. 수 없는 유격투쟁 중에 죽어간 부하들과 동지들을 생각하면 여기서 살아나간다는 것은 비겁한 짓이었다.

그러나 죽고자 두 번이나 시도하고서도 뜻을 이루지 못하니 안타까울 뿐이었다. 죽음이란 극단에 처한 순간에 바로 이루지 못하면 시간을 끌게 되고, 그러면 끝없는 잡념이 생겨 결국 적탄에 맞아 죽을 때까지 미루게 되는 것인가 보다.

그러는 동안에,

'내가 죽기 전에 이렇게 말 한 마디 없이 죽을 수 없다.'

는 생각이 들었다.

문득 안중근 의사 생각이 났다.

안중근 의사는 하얼빈 역에서 이또오히로부미를 암살하고는 떳떳하게 일경에 체포되어 할 말을 다하고 죽지 않았는가.

내가 한 행동이 떳떳하다면 그들에게 당당하게 나서서 할 말을 하고 죽는 것이 옳지 않은가.

그렇다. 나에게 총을 겨누고 있는 경찰들조차도 내가 왜, 무엇 때문에 많은 희생을 감수하면서 싸우고 있는지 모르지 않는가. 그들에게만이라도 말 한 마디는 남기고 죽어야겠다는 생각이 드는 것이었다.

포위된 지 만 4시간이 지난 오후 2시경이었다.

몸을 일으켜 비트에서 방으로 나와 문 사이로 바깥을 내다보았다.

어제 저녁부터 내리는 가랑비는 진종일 부실부실 내리고 있었다. 돌담을 의지하고 있는 수십 명의 무장대가 나에게 총구를 들이대고 서 있는 모습이 역력히 눈에 들어왔다.

운장산 기슭에 자리잡고 있는 고산 땅 산골짜기 외딴집.

돌담이 둘러쳐져 있는 아담한 집이 내 인생의 마지막 집이었다.

산과 계곡을 누비며 따뜻한 구들장에 등 대고 잠 한 번 제대로 편하게 자지 못하고 지내온 지난 빨치산, 유격대, 민족해방군으로서의 생활이 오늘로서 끝이 나는 것이라 생각하니, 뜻을 이루지 못한 여한 때문인가 허망한 생각이 앞섰다.

이때 문을 열까 하다가 나의 손이 다시 주춤거렸다. 일제의 하수인 친일 주구배들의 사술에 걸려 들어 맛을 본 사람은 우리 민족의 원수가 누구라는 것을 알고 있으리라. 직접 심신의 고역을 당해보지 않은 사람은 우리의 깊은 심정을 헤아리지 못할 것이다.

과연 그들이 총을 나에게 겨누고 있으나, 그 중에는 몇 명이나 빨치산에게 증오감을 가지고 있을까. 마지못해 총을 들고 나온 자도 많을 것이다. 매국노와 친일파가 아닌 서민들을 이곳으로 몰고 와서 나에게 총을 겨누게 하는 것을 보니 모두 불쌍하게만 보였다.

나는 다시 용기를 냈다.

"그래! 더 이상 삶에 집착하는 것은 부끄러움이다. 나의 일생은 이것으로 고산 땅 박재문 외딴집에서 끝이다! 마지막 말이나 남기고 죽자!'

문을 열었다. 그리고 당당하게 섰다. 그러자 누구 하나 감히 다가오지 못하였다.

모두가 돌담에 몸을 의지하고 총구만 나에게 겨누고 있었다.

나는 총을 마루에 내려 놓고 마당으로 내려섰다.

그때에 일전에 야외 공작 중에 생포되어 갔던 북부도당 강 모 지도원 동무가 다가와서 큰절을 하는 것이었다. 뒤를 따라 전북경찰국 소속 보아라부대 무장대가 소총과 권총을 앞세우고 다가섰다. 나의 팔목에 포박을 하고 몸수색을 하였다.

그 중에 한 사람은 공포 5발을 쏘아댔다. 아마도 무사히 체포했다는 신호 총성이 아닌가 싶었다.

나는 이때 포박을 당하면서 말하였다.

"지휘자가 누구요?"

한 사람이 앞으로 나섰다.

"나요."

"전 부대원들에게 내가 할 말이 있으니, 잠깐만 모여 달라고 하시오."

혹시 무슨 술수를 쓰려고 하는 것은 아닌가 하고 의심을 하는 눈초리로 나를 보더니만, 무장을 해제하였으니 별일이 없을 것이다 싶어 대원들을 모두 모이라고 하였다.

모두 질서정연하게 모여 내 앞에 섰다. 30여 명이 넘어 보였다.

이때에 앞에 나갔던 처녀 김정분 동지는 어디로 갔는지 보이지 않았다.

나는 전 부대원들이 모여 서 있는 앞으로 나가 마지막이 될지도 모르는 나의 심중을 토로했다.

"나 한 사람을 잡으려고 우중에 장장 4시간을 고생을 했는데, 모두 미안합니다. 그러나 여러분도 알다시피 조선 말기에 이 나라를 팔아먹은 매국노와 친일파 주구도배들이 사라져 없어져야 함에도 불구하고, 다시 등장하여 이승만 정권의 하수인이 되어 날뛰고 있습니다. 이승만 정권은 미제국주의의 충실한 앞잡이가 되어 갖은 만행을 저지르고 있습니다.

나는 이러한 이승만 괴뢰정권을 타도하고 미제국주의를 이 땅에서 몰아내어, 우리 조국의 진정한 민주민족 통일독립 국가를 건설하고, 우리 민족의 영원한 자유와 행복 그리고 항구적인 전 세계 평화를 위해, 몸과 마음 다 바쳐 불철주야 춘하추동 사시절을 눈이 오나 비가 오나 바람이 부나 벼락이 치나 오늘까지 싸워왔습니다.

다 같은 사람인데 어찌 고향에 사시는 그리운 부모님과 형제·처자를 모르겠습니까?

그러나 이 땅에 나라 팔아먹은 역적들을 두고는 앉아 보고만 있을 수가 없었습니다.

이 몸 하나 죽는 것이 무엇이 두렵고 아깝겠습니까?

이 몸 받쳐 조국의 통일독립과 전체 인민의 참다운 해방이 온다면, 그 이상의 광명이 또 어디 있겠습니까?

여러분! 지금 우리는 다 같이 궐기할 때입니다!

여러분! 저 지나간 일제 36년 간 식민지 통치를 다시 한 번 회고해 보십시오.

무엇 때문에 우리 백의민족이 일제의 식민지 지배를 받아야 했으며, 노예와 같은 생활을 해야 했습니까?

바로 매국노와 친일주구도배들 때문이 아니고 누구 때문입니까?

저는 오늘까지 그 무리들과 싸워왔습니다.

매국노 역적들을 때려잡기 위해 싸워왔습니다. 그런데 여러분들은 그런 저를 잡으려고 왔습니다.

저를 잡아가려면 잡아가십시오.

저를 죽이려면 죽이십시오.

그러나 여러분들이 저를 잡아 가두더라도 정의를 잡아 가둘 수는 없을 것이며, 저를 죽이더라도 정의를 죽일 수는 없을 것입니다.

저의 행동은 바로 역사가 심판할 것입니다.

여러분들은 역사가 두렵지 않습니까?'

큰 소리를 질러가며 외쳤다. 나의 목소리는 우렁찼으며, 자신만만했다. 그 소리는 빗소리를 비집고 골짜기를 울리며 퍼져나갔다.

이 말을 들은 전투대원들을 처음 듣는 말은 아니었겠지만, 숙연한 표정으로 고개 숙여 들어주었다.

전주경찰서 사찰계장 백 경감 이하 수십 명은, 나의 일장 연설을 듣고는 무엇인가 느끼는 바가 있어서인지, 아무 말도 없이 나를 연행하기 시작하였다.

나는 포박된 채 곧바로 차에 태워졌다.

무장한 경찰들이 나를 둘러싸고 앉았다.

차는 추척추적 내리는 빗속을 달려 고산지서로 향하였다.

벌써 연락을 받고 고산지서 부근 광장에는 수백 명의 주민들이 나와 운집해 있었다.

그곳에서 주민들을 이리저리 질서를 유지하고 정리하는 사람은 고산리 서장 지옥태 경위였다.

나는 여기에 와서도 죽기 전에 주민들에게 한 마디 하겠다고 기회를 달라고 하였다. 그러나 지서장은 나의 청을 외면하였다. 혹시 주민들이 동요하지나 않을까 염려를 하였던 것 같았다. 그래서 뜻을 이루지 못했다

곧바로 건물 안으로 들어갔다. 사찰계장은 나의 신상에 대해 이것저

것 묻고는 재산세력들이 다니는 통로와 비상선 등도 물었다.

나에게 그런 것을 묻는 사람은 나를 모르는 부족한 사람이라는 생각이 들었다. 아무 말도 하지 않고 침묵을 지켰다.

그러자 모여든 사람이 시끌벅적하였다.

이때에 수일 전 보급투쟁 때에 의경들과 무장 충돌하는 과정에서 인명 피해를 당한 유가족들이 와서는 달려들려고 야단들이었다. 나는 충분히 그럴 수 있다고 이해하였다. 그러자 지서장 이하 수십 명의 경찰이 저지를 시키느라 곤욕을 치르고 있었다.

조금 있으니 전북 도경찰국 소속 차가 왔다.

나는 바로 그 차에 실려 전북 도경찰국이 있는 전주로 가게 되었다.

도착 즉시 전북 도경찰국장 김종원과 대면이 이루어졌다.

무자비하기로 유명한 살인 괴수를 만난 것이다.

"성명이 무엇이오?"

첫 마디가 성명을 묻는 것이었다.

"황의지요."

"직책은 무엇이오?"

"사단장이요."

45사단장이라고 하지만 대원도 모두 죽은 허울뿐인 사단장이었다. 하기사 직책으로 말하면 사령관의 직책도 맡았었다. 그러나 이제는 아무 소용이 없는 것이었다.

"사람은 얼마나 죽였소"

"당신들 기록에 적혀 있는 대로 다 내가 죽였소."

"소는 몇 마리나 잡아다 먹었소"

나는 몇 마리라고는 말할 수가 없었다. 내가 알지 못하는 것을 대원들이 잡아다 먹을 수도 있지 않은가.

"밝혀진 대로 모두 다 내가 잡아다가 먹었소."

나는 말 못할 것이 없었다. 죽는 마당에 모두 내가 책임을 지고 죽을 것이라고 생각했다. 사실 내 부하들이 먹은 것은 나의 책임이기도 하니까. 일개 사단 총지휘관으로서 비겁하고 추잡하게 살기를 바라는 내가 아니었기에 나는 오히려 당당했다. 그러면서도 침착했다. 그들은 계속 질문을 던졌다.

"전투는 몇 번이나 했소?"

"6·25전부터 오늘까지 하루에도 몇 번씩 전투를 했으니, 어찌 말로 할 수 있겠소? 수백 번은 하였을 것이오."

질문이라고 하는 것이 모두 쓸데없는 것들이었다. 그리고 아주 무뚝뚝한 사람이었다.

한참 이것저것 질문을 하고는 말하였다.

"과연 사단장감이요."

라고 나를 평을 하면서 하는 말이

"자네는 이제 살았네. 우리는 자수한 자이거나 생포된 자이거나 죽이지 않네."

라고 말하는 것이었다.

나는 그 말을 듣고는 당장 목소리를 높이며 말했다.

"나는 당신들의 감언이설에 속지 않소. 그러니 빨리 죽여주소. 나는 이미 죽음을 각오한 사람이오."

"사람은 무조건 죽는 것이 최선의 방법은 아니오. 당신은 살아서 더

의미 있는 일을 할 수 있는 사람이오."

하고는 무엇인가 암시적인 말을 하는 것이었다.

듣고 보니 그의 말이 일리가 있기는 있었다. 과연 내가 살아서 더 의미 있는 일을 할 수 있다면 무엇이 있을까 하는 생각을 해보았다. 첫날 도경찰국장의 질문은 이것이 전부였다.

다음 날이 되자 서울 치안국에서 수사사찰과장이라는 경무관 오 씨 이하 총경 등 10여 명이 나를 보기 위해 왔다. 도경찰국장 김종원 경무관과는 판이했다.

첫 인사부터 달랐다.

"그간 고생이 많았소. 자, 마음 편하게 자시고, 담배부터 한 대 피우시오."

하고는 담배를 피우라고 권한다. 그리고는 차근차근 질문을 하기 시작하였다.

"가정사와 입산동기를 말해주실 수 있겠소?"

그 말에 대하여 나는 사실대로 말해 주었다.

그러자 이야기를 다른 데로 돌렸다.

"왜 우리가 동족끼리 서로 피를 흘리게 되었는지 이 세상이 한탄스럽습니다. 저리 가십시다."

하고는 정중하게 청하는 것이었다.

무심코 따라 나갔다. 현관을 나가 보니 큰 잔칫상이 마련되어 있었다. 거기에는 치안국 고위간부와 도경찰국 고위간부 등 모두 20여 명이나 와 있었다.

오 과장은 나에게 술과 음식을 먹으라고 권하면서 천천히 말을 꺼내는 것이었다. 말씨가 여전히 점잖고도 겸손했으며 깍듯한 경어를 사용하는 것이었다.

내용은 공산주의 이론 일편을 해설하다가, 결론은 공산주의와 민주주의의 이념분쟁으로 인한 민족의 분열보다는 화합이 우리가 나아갈 방향이라는 것으로 매듭을 지었다. 과연 간부다운 태도였고 학식과 인품이 있어 보였다.

식사는 제법 맛이 있었다. 이렇게 진수성찬을 먹어본 지가 몇 년인지 몰랐다. 식사가 끝나자 모두 헤어졌다.

이제부터는 전주경찰서 대기실에 갇혀 있게 되었다. 그리고는 취조도 더 받게 되었다.

목숨을 내걸고 싸운 사람 앞에 숨길 것이 없었다. 사실대로 말해 주었다. 취조는 며칠 간 계속되었다. 취조를 끝내면서 취조관이 말하였다.

"전주시내에 연고자가 살고 있소?"

"외가가 있소."

며칠 지나서 그 형사는 연고지까지 가자고 청하였다. 나는 아무 말도 하지 않고 따라나섰다. 뜻밖에 외숙을 찾아뵙게 되니, 외숙은 내가 포로에서 돌아올 때처럼 놀라며 반겨 주었다.

"이게 꿈이냐, 생시냐!"

하시며 깜짝 놀라셨다.

"그 동안 일체 소식이 단절되어 죽은 줄만 알고 있었다."

하시며 말을 잇지 못하시고는 그저 눈물만 흘리시는 것이었다.

"그 동안 저 때문에 걱정 많이 하셨죠? 걱정을 끼쳐 드려 죄송합니다."

"그래. 이렇게 살아 돌아왔으니 정말 잘 되었다."

그리고는 또 눈물을 흘리시며 말을 잇지 못하셨다.

누가 시켜서 한 일도 아니고, 그저 살아온 시대를 원망할 뿐이었다. 자세한 사연은 말하지 못하고, 그저 인사나 드리고 다시 경찰서로 돌아오게 되었다.

그 뒤 여러 날이 되어도 아무 말이 없었다.

4월 초순경이 되어서야 남원에 설치된 남부지구 경비사령부 임시수용소로 압송된다고 하였다. 그곳에는 자수자·생포자·남파 간첩 등 모두가 수용되어 있는 곳이었다.

형사 2명의 호송으로 남원임시수용소에 도착하였다.

정문을 들어서니 경비초소에서 누군가 나오자마자 소리를 쳤다.

"네놈이 사단장이냐? 이놈 맛 좀 봐라!"

하는 소리가 터져 나오더니, 수용소 경비대장 이하 세 명이 각자 몽둥이를 들고 수백 대를 내리치는 것이었다. 얼마간을 사정없이 맞았다. 귀에는 따귀를 내리치는 소리가 철썩하고 났다. 그러나 얼마를 맞았는지 맞는 아픔마저 모르게 될 정도였다. 반죽음이었다. 그저 살아서 온 것이 원망스러웠다.

이때에 경비대장의 이름을 보니 육군 소위 문시묵이라는 자였다. 말씨로 보아서는 이북이 고향인 자였다. 첫 인상이 눈이 작고 매서워 보였다. 그리고 상사와 중사는 남한 출신인데 인상이 고약했다. 한 놈은 광대뼈가 툭 불거지고 눈꼬리가 치켜 올라갔고, 한 놈은 이마에 흉터가 있고 송곳니가 날카로운 것이 마치 야수처럼 보였다.

한참을 얻어맞고 나니 온몸이 아파왔다. 그 자리에 쓰러졌다. 잠시 후

쓰러져 있는 나를 천막 안으로 끌고 들어가는 것이었다. 그날은 천막 안에서 먹고 잠을 자게 되었다.

다음 날부터 본격적으로 취조를 받기 위해 불려나갔다.

일단 취조를 받은 뒤에는 죄의 경중에 따라 고등군법재판소에서 군사재판을 받게 되거나, 경찰서로 넘겨지면 남원경찰서로 압송될 모양이었다.

취조는 특무대, 에이치아이디(HID), 헌병대 순으로 받았다.

제일 먼저 특무대로 소환되어 갔다.

취조관은 이북 출신으로 한때 남조선 중앙민청간부의 직책을 띠고 남파되었던 자로 나와는 안면이 있었다. 이것저것 신상 조사 수준의 취조를 받고 나서 간식 대접을 후하게 받고는 돌아왔다. 그래도 같은 사상을 함께 신봉한 적이 있고, 투쟁도 함께 한 적이 있는 동지라서 그런지 대접이 달랐다.

다음 날은 에이치아이디(HID)로 소환되어 갔다.

취조관은 옷을 말끔하게 차려 입은 젊은 신사였다. 성품이 어딘지 모르게 깐깐하고 빈틈없어 보였다. 취조를 받기 전에 남한에서 화폐 개혁을 한 것에 대한 의견을 묻는 것이었다.

"화폐를 개혁하였다는 소식을 들은 적이 있습니까"

이승만 괴뢰집단을 타도하기 위해 주로 산 속에서만 싸워왔던 나로서는 화폐개혁이라는 것이 있었는지도 모르고 관심도 없었다.

"모르겠소."

그러나 옆에 있던 세 명이 달려들어 몽둥이질을 해대기 시작하였다. 이틀 전에 맞은 궁둥이, 엉덩이, 옆구리의 통증이 아직 가시지도 않았는데, 또 마구 때리고 걷어차고 짓밟는 것이었다. 때리는 자들은 얼굴이 벌겋게 상기되었고, 마치 싸움이라도 하려는 듯이 달려들어 패는 것이었다.

"네 놈들이 세상을 바꾸어 면장을 하면 무엇을 할 것이고, 군수를 하면 무엇을 할 것이여, 이 개새끼들아!"

하며 소리를 지르고, 빈정대며 내리치는데 사정이 있을 리가 없었다. 살이 터져 피가 옷 위로 배어 나오는 것이었다. 반죽음 상태가 되었다.

그리고 난 뒤에 또 취조를 하기 시작하는 것이었다.

이승만 괴뢰정권을 타도하고 민주민족 통일독립 국가를 건설하기 위해 1949년 6월 30일자진 입산해서 1953년 2월 초순까지 3년 6개월 간 빨치산 투쟁을 해온 그래도 명색이 사단장이요 사령관이었다. 누구에게 용서받고 살자고 애원하고 싶지는 않았다. 모든 것을 있는 그대로 솔직하게 그리고 사실대로 말하고 초연하게 죽음을 맞자는 생각뿐이었다.

일제에게 나라를 팔아먹은 매국노와 친일주구도당들이 다시 등장하여 남조선에 단독정부를 세워놓고, 진실한 민족주의자의 말은 무조건 외면하고 탄압하고 억압했기 때문에, 이 정권을 타도하려고 나왔다고, 그 동기를 당당하게 말하였다. 마치 안중근 의사가 일제 경찰에게 자신의 의사를 떳떳하고 자랑스럽게 얘기하듯이, 나도 조금의 부끄러움도 주저함도 없이 당당하게 말했다.

모두들 그대로 받아쓰면서도 오만 가지 인상을 쓰며 말하였다.

"정권타도는 역모요 내란음모 죄에 해당한다는 것을 모르십니까? 그리고 여기는 엄연히 자유민주주의 국가입니다. 빨치산 활동은 공산주의 활동으로서 금지되어 있다는 것을 모르십니까?"

"모든 정권이 정의와 진실 위에 건립되고 운영된다면 누가 혁명을 하겠소? 그러나 그렇지 않을 때는 혁명이 있게 되는 것이오."

나는 당당하게 나의 의견을 주장했다. 그러자 그들은

"빨갱이 새끼! 말이면 다 말인 줄 알아? 입만 살아 가지구 말야!"

예의상 처음에는 존댓말을 쓰다가 나의 말에 말문이 막히자, 반말을 하면서 욕을 해대는 것이었다.

취조를 마치고 미제 천막으로 돌아오기는 했으나, 몸을 가누기 어려웠다. 온몸이 마치 내 살이 아닌 듯 전신이 욱신거리며 아팠다.

며칠 동안을 꼼짝 못하고 신음소리만 내며, 정신이 오락가락하다가 혼수상태에 빠지자, 수용소 내에 상주하고 있는 헌병대장이 급히 왔다.

"어디서 구타를 당했소? 이렇게 심하게 때린 사람이 누구요?"

그러나 나는 차마 맞았다고는 말하지 못하였다.

"맞기는요. 산에서 오랫동안 생활하다가 보니 골병이 들었는지 안 아픈 데가 없소. 여기서 이렇게 편하게 지내게 되니 안 아픈 곳도 아파지는 것 같소."

누운 채 신음을 하면서도 아무 일도 없었다는 식으로 이야기를 하자

"몸조리 잘하시오."

하고는 방을 휘 돌아보더니 나가는 것이었다. 내가 맞았다고 대답을 하지 않은 것이 고마운지 다음부터는 때리는 일은 없었다.

그로부터 며칠이 되어 미군 장성과 한국군 장성 그리고 경비사령관 이용문 준장이 내가 있는 천막까지 찾아왔다.

"당신이 황의지 씨요?"

"예. 그렇소."

"그 동안 수고가 많았소. 이제 좀 쉬시오."

그래도 장군답게 나의 노고를 위로하는 것이었다. 그리고는 다른 질문은 없고 자기들끼리 몇 마디 말을 주고받다가 몇 번 나를 돌아보며 또 몇 마디 말을 주고받는 것이었다. 잠시 머무르며 내가 머물고 있는 천막 안을 둘러보고는 나를 보더니,

"건강을 빨리 회복하시기 바라오."

하고는 나가는 것이었다.

이후에도 장성들의 방문은 수용소에 있는 동안 여러 차례 더 있었다.

이때에 나는 죽지 않고 살아온 것을 한탄하면서 어떻게든 빨리 죽기를 바랐다.

무엇보다도 나는 그 장성들을 보면서 구역질이 났다.

그자들은 일제 때에 친일장교로서 만주군관학교 출신이거나 일본육사출신일 것이다. 만주나 중국에서 번쩍이는 계급장을 어깨에 달고 일제의 승리를 위해 갖은 충성을 다 받치며, 때로는 우리 항일독립투사 소탕전에 동조했던 무리들이었을 것이다.

김석원, 이응준을 비롯한 조선장교들이, 중국 남경에서 공병대에 예속된 우리 조선병사를 찾아와 불러다가 위안하면서 대동아건설을 위해서 몸과 마음을 다 받쳐 싸우자고 외쳤던 자들과 한 무리가 아닌가.

그런 구역질나는 행동을 했던 친일장교들이 지금 뻔뻔스럽게도 내 앞에 얼굴을 들고 나타난 것이다. 그것도 친일행위를 한 결과와 미제죽주의의 앞잡이 노릇을 한 결과로 얻은 번쩍이는 장군 계급장을 자랑스럽게도 달고 나타난 것이다.

일제시대에는 일본천황을 위해 충성을 다하고, 이제는 미제국주의의

앞잡이가 되어 충성을 다하겠다는 것인가? 그들의 이중적 행위와 반민족적 행위가 이렇게 은폐되고, 오히려 추앙 받고 있다는 현실이 분노를 넘어 저주의 마음까지 들게 하는 것이었다.

'저들을 이 땅에서 내 손으로 몰아내야 하는데……'

이제는 철창에 갇혀서 죽음만을 기다리고 있는 나의 신세가 한탄스럽고 원망스러웠다.

조국과 민족의 해방을 위해 국내외에서 다년간 항일투쟁을 해왔던 애국지사들은 그 동안 같은 목적을 위해 싸워왔건만, 해방이 되어서는 서로 앙숙이 되어 싸웠다.

상해임시정부 요인들이 해방과 더불어 서울에 서둘러왔으나, 당초 이승만 일파는 이들과 손잡고 새로운 조국을 건설해야 했는데 이를 거절했던 것이다. 그리고 저렇게 친일주구배들과 손을 잡고 나 같은 혁명투사를 죽이고 고문하고 잡아들이는 것이다.

이런 저런 생각을 할 때마다 착잡하고 괴롭기 그지없었다. 그래서 도대체 대한민국헌법은 어떻게 써놓았는지 알고 싶었다.

나는 당장 수첩을 꺼내들고

"사회를 유지하는 모든 법은 알아야 하고 아는 것이 힘이다."

라는 제목으로 몇 마디 기록을 했다. 그러자 내가 쓰고 있는 것을 경비원들이 보았던 모양이다.

조금 지나자 경비원들이 달려와서는 나의 수첩을 압수하고는 연행을 하는 것이었다.

먼저 나에게 질문을 하였다.

"수첩에 쓰고 있던 것이 무슨 말이오?"

나는 기록된 내용을 설명해주었다.

"사람은 하나의 물건을 보고 평가하는 데는 보는 사람의 입장이나 생각에 따라 그 평가가 다양하게 마련이오. 그러므로 모든 사회는 그 사회에 맞는 법을 제정한 것이니, 그 사회를 알기 위해서는 먼저 그 법을 알아야 하는 것이오. 모든 것은 무지에서 빚어지는 것이니 아는 것만이 힘이라는 내용의 글을 쓰고 있었던 것이오."

나의 말에 수긍이 가는 모양인지 고개를 끄덕이는 것이었다.

장군들이 몇 차례 다녀가고, 구타를 당하고도 당했다고 말하지 않고, 또 하는 말마다 이치에 타당한 말만 해서 그런지, 나에 대한 태도가 많이 달라지는 것 같았다. 그리고 다른 재소자에 대한 대우도 그전보다 잘 해주는 것이었다.

이때에 나의 생사를 모르고 있었던 아내가 어린애를 업고 수용소를 찾아와서 면회를 신청한 모양이다.

잡혀오다가 전주에서 외숙을 보러 나갔으니 외숙이 연락을 했거나, 심문과정에 주소를 물어 나의 신분을 확인하기 위해 고향에 문의를 했었는지, 어떻게 아내가 알고 찾아온 것이었다.

그러나 아직은 취조를 진행하고 있는 중이라 그 청을 받아줄 수가 없었나 보다. 처음에는 안 된다고 하자, 아내는 사정을 하였나보다.

하기사 3년 6개월 여 동안 생사를 모르고, 이제 겨우 소식을 듣고 찾아왔으니 얼마나 반가웠겠는가. 그러나 재판을 기다리는 남편이니, 죽기 전에 꼭 만나보아야 할 남편이었을 것이다.

다행히 그 동안 내가 보여준 행동이 가상했던지 수용소 안에서 서로 거리를 둔 채 얼굴만 볼 수 있게 허용되었다.

나는 아내에게 반갑기도 하였지만 미안하기도 하여 얼굴을 볼 수가 없었다. 그러나 아내의 얼굴을 보는 순간 눈물이 흘렀다. 아내도 나의 생사를 확인하는 순간, 그리고 나의 몰골이 말이 아님을 보는 순간 하염없이 눈물을 흘리는 것이었다.

거리가 멀어 말을 해도 들릴지 모르겠으나 나는 큰소리로 말했다.

"여보, 반갑구료. 그 동안 고생이 얼마나 많았소? 그저 미안할 뿐이오."

내 말이 들리는지 아내도 큰 소리로 대답을 했다.

"저보다 당신이 고생이 많았지요. 이렇게 살아 있는 것만을 보는 것도 정말 꿈인 것만 같아요."

"집안 식구들은 다 별일 없소?"

"네. 모두 별일 없어요. 오직 당신 걱정만을 하고 있어요."

이때 아내는 어린애를 업고 왔다. 나는 아이를 낳았다는 소식을 들은 적이 없었는데 아이를 업고 있는 것이 이상하여 물었다.

"업은 아이는 무슨 아이요?"

"당신의 아들이오."

잘 알아듣기가 어려울지도 모른다고 생각했는지 경비원이 다시 전하는 것이었다.

"아들이랍니다."

그제서야 생각이 났다. 6 · 25전쟁 전에 회문산에 있을 때 군인들의 겨울공세로 쫓기다가 바위에서 떨어져 다친 상태에서 생포를 당한 적이 있었다. 자살을 하기 위해 혀도 깨물었는데, 다행히 탈출에 성공하여 살아났다. 그 후 사람 눈을 피해가며 처가에서 몸을 치료하다가 아내와 함께 밤을 보낸 적이 있었는데, 그때에 임신을 하여 낳은 것이로구나 하는 생각이 들었다.

경비원이 면회시간이 다 됐다며 끝내라고 하였다.

"여보, 식구들을 잘 부탁하오."

"식구들 걱정은 하지 마시고 부디 몸조심하세요."

아내는 연실 눈물을 흘리며 떨어지지 않는 발길을 차마 돌리지 못하고 나를 바라보고 바라보다가 경비원에 이끌려 나갔다.

아내의 모습! 아들의 모습! 아 내가 사랑스럽고 소중한 사람들을 이제 얼마나 더 볼 수 있단 말인가. 어쩌면 저 모습이 이 세상에서는 마지막 모습이라는 생각을 하자 눈물이 왈칵 쏟아졌다.

내가 가족들에게는 몹쓸 짓을 한 것은 아닐까.

아무리 조국이 어떻고, 사상이 어떻고, 민주민족 통일독립 국가 등 거창한 구호를 내걸고 싸웠지만, 결국 가족들에게는 아픈 상처만이 남게 되지 않았는가. 가족을 보자 죄만 짓고 이 세상을 떠나가게 되는구나 하는 생각이 들었다.

아내와 아들을 보고나자 아내와 가족이 더욱 걱정이 되는 것이었다. 여기서 이대로 죽을 것인가. 내가 살아 저들을 먹여 살려야 할 텐데……. 죽음을 불사하던 투사가 순간 한 없이 나약한 하나의 자식이요, 남편이요, 아버지로서의 책무감으로 괴로워하는 평범한 사람이 되는 것이었다.

군사재판

그로부터 며칠이 지나자 군사재판을 받게 되었다.

재판관은 특무대, 에이치아이디(HID), 현병대 간부들이었다.

수용소에 재소자는 수백 명이었으나, 이날은 49명만이 재판을 받았다. 이 중에서 허봉은 남파무장간첩죄가 적용되어 고등군법재판소로 이송되었다.

그러나 나는 고등군법재판소로 이송되지 않았다. 나를 비롯한 48명은 남원경찰서로 이송되었다. 그곳에서 형사재판을 받기 위해 유치장에서 잠시 대기를 하게 되었다.

하룻밤을 유치장에서 자고 나자 경찰서 간부의 인사 이동이 있었다.

남원경찰서장 최란수 총경이 전출되고, 이규형李揆亨 총경이 부임을 하였다. 인사 이동 사실을 전해 준 사람은 경찰서 사찰주임 김동준 경위였다.

그는 남원 보절 출신으로, 내가 2년 전 탱크병단 시절에 정찰가정으로 규정하여 가산을 몽땅 몰수한 적이 있었다.

그러나 나는 그것을 전연 내색을 하지 않고 모른 체 하고 있었다. 그도 알 리가 없었다. 그래서인지 유달리 나에게 성의를 베풀어주는 것이었다.

삼일째 되는 오전이었다. 신임 경찰서장은 우리 48명 전원을 경찰서 광장으로 나오라고 했다. 무슨 영문인지는 알 수 없었으나 모두 광장으로 나가 섰다.

"황의지 씨!"

서장은 나의 이름을 불렀다.

"네."

"나오시오."

나는 앞으로 나가 섰다.

신임 경찰서장 이규형은 자기 곁에 나를 세워 두고는, 앞에 서 있는 일행들은 바라보며 말하였다.

"여러분들 잘 들으시오. 황 동지 하고 죽어도 같이 죽고, 살아도 같이 살겠다는 사람은 이리 나와 주시오."

뜻밖의 말에 나도 놀랐고, 앞에 선 사람들도 모두 어리둥절한 표정이었다.

앞에 선 사람들 중에 재산활동을 한 사람들은 모두 30여 명 정도 되었다. 그 중에서 전북 도당부에 있었거나 전남 도당부에서 왔던 사람까지 모두 17명이 앞으로 나와 섰다.

그러자 명단을 작성하고 유치장을 따로 정해서 들어가게 하고, 지시가 있을 때까지 대기토록 지시를 하는 것이었다. 그리고 나에게는 서장실로 들어와 달라는 것이었다. 도대체 무슨 영문인지 알 수가 없었다.

서장실을 들어가니 서장은 친절하고 예의 있게 대해주면서 말했다.

"그간 고생이 많았습니다. 그런데 황 동지 일에 대해서는 전모를 다 알고 있습니다. 그대로 사건을 송치한다면 황 동지와 이북 출신 3명은 사형에 처해질 것이 틀림없을 것입니다. 그래서 하는 말입니다만……, 과거의 죄는 죄이고, 우선 사람의 목숨이라는 것은 살고 봐야 하지 않겠습니까? 처자식이 있는 사람은 목숨을 가벼이 해서는 안 될 것입니다.

그래서 나의 재량으로 남원경찰서 산하에 사찰유격대를 조직하고자 합니다. 그러나 사찰대를 조직하는 것은 검사, 판사의 결재를 받아야 하는 일이기 때문에 아직 결정된 사항은 아닙니다.

모두 혼란스럽고 복잡한 세상에 태어났기에 이러한 인연으로 만나게 된 것 같습니다. 사찰대를 조직하여 산에 들어가서 황 동지가 다시 입산한다면 나는 서장직에서 물러날 뿐입니다. 다른 것은 없습니다. 비록 경찰직에서 물러난다 해도 나는 괜찮습니다. 나는 황 동지의 목숨도 구하고, 하루 빨리 혼란스러운 사회를 안정시키고 싶을 뿐입니다.

나는 전주 이씨 광평대군의 후예로 21세손입니다. 1922년 12월 19일 생이지요. 대학시절에 전 민주당대표 이철승 씨와 같이 학생운동을 하다가, 일제말엽 세계대전 당시 징병으로 일본까지 끌려가서는 8·15 해방을 맞았습니다. 귀국하자마자 다시 청년운동을 하던 중 국내정세는 6·25 전쟁으로 동족상잔의 비극으로 치닫자 김성수 부통령과 장득수의 간청을 받고 초임에 철도경찰 간부로 등용되어 복무중이다가, 남원 경찰서장으로 승진 발령되어 여기에 오게 되었습니다. 차라리 군부에 투신했다면 어찌 되었을는지 모르지요. 그러나 오늘 일은 누구를 원망 하겠습니까?

나는 지리산의 빨치산들에게 이제는 더 이상의 투쟁이 무의미하므로 나와서 새로운 삶을 살아갈 것을 황 동지를 통해 전하고 싶습니다. 우리 모두 지리산 평화제를 올린 뒤에 안락한 가정을 이루고 평화롭고 행복 하게 산다면 그 이상의 영광이 없을 것입니다."

훤칠한 키에 운동을 한 듯 체력이 우람해보였으나 강직해보였으나, 말하 는 것이나 그 성품이 매우 어질고 너그럽고 부드러워 보였다. 그리고 소 신이 있어 보였으며 신의와 위엄이 있어 보였다. 그리고 생년월일을 들 어보니 나와 나이가 같았다.

나는 끝까지 묵묵히 들으면서 그가 한 말의 의도를 알아보려고 애썼 다.

'사찰대를 조직한다.'

'내가 재입산하게 되면 자신은 서장직에서 물러나면 그만이다.'

'더 이상의 빨치산 활동은 무의미하다'

'지리산 평화제를 올린 뒤에 안락한 가정을 이루는 것이 소원이다.'

그가 한 말의 의도를 이해할 수가 있었다.

군경의 막강한 화력과 병력으로 벌이는 토벌작전에 더 이상의 빨치 산 활동은 죽음뿐이라는 것을 말하고 있는 것이다. 그래서 나를 앞세워 그들의 활동을 마감시키려는 대담한 모험을 하려는 것이다. 내가 다시 입산을 하게 되면 그는 서장직에서 물러나야 할 것은 자명한 것이다.

이승만 괴뢰집단을 타도하자고 내걸었던 구호는 정당하고 분명했으나, 그간에 우리들이 해왔던 주민에 대한 관계는 점점 악화일로惡化一路를 걸어왔다. 지금의 상황에서 거의 궤멸 상태에 있는 빨치산이 군경의 토벌작전에 대항하기란 계란으로 바위를 치는 격이었다.

그러다 보니 상황은 점점 나빠지지 않을 수 없었다. 먹어야 살고 살아야 사명을 완수할 수 있기 때문에, 주민들의 양식과 재산을 때로는 훔치고, 때로는 약탈하는 일까지 비일비재하게 되었다. 빨치산의 활동이 주민들에게 환영을 받을 상황이 아니라 오히려 고통을 주고 있는 상황이 된 것이다.

그래서 주민들로부터 원성이 높아져 차차 외면당하게 되고 고립되어 가고 말았다. 거기에다가 군경의 합동작전에는 상대할 수가 없었다. 이제 빨치산 유격대가 재기한다는 것은 거의 불가능한 일임을 알고 있는 나로서 앞으로의 일을 생각해 보지 않을 수 없었다.

'과연 죽음만이 나의 길인가.'

'지금 이 시점에서 빨치산 활동은 무슨 의미가 있는가.'

'서장은 나에게 선택의 길을 말하고 있는 것이다. 죽든가, 아니면 사찰대를 조직할 것이니 협조하든가 하라는 것이다.'

이런 저런 생각으로 아무 말도 하지 않고 침묵을 지키고 있으려니까,

"앞으로 나아가서 싸우고 안 싸우고는 재량에 맡길 뿐입니다."

라는 말을 하며 나의 선택에 맡기는 것이었다.

나는 그의 말을 듣고는 깊이 생각하지 않을 수 없었다.

빨치산 사단장이 자수를 하였거나 생포가 되었거나 간에 죽지 않고

자유롭게 지내고 있다는 한 마디 말이, 사회에서나 재산자에게나 커다란 선전이 되고, 그들의 목적 달성에 도움이 되겠구나 하는 생각이 들었다.

서장은 어떻게 해서든지 현 사회적 상황을 인식시켜, 지금으로서는 빨치산 운동이 무모하고 불가능하며, 이제 남은 것은 체포와 죽음뿐이라는 것을 알리고, 나의 협조를 기다리고자 하는구나 하는 생각도 해보았다.

그리고 모든 것을 시국을 잘못 만난 탓으로 돌리며, 과거는 묻어버리고 이제 살길을 찾자며, 인격을 존중해주고 인간적으로 대해주면서, 의리에 어긋남이 없이 구절구절 침착하고 친절하고 차분하게 말하는 그의 인간됨을 생각해 보았다.

금방 죽일 수도 있는데 그는 달랐다. 자신의 성공과 출세만을 위해 날뛰는 친일주구배들과는 근본적으로 다는 경찰이었다. 지금까지 나에게 폭력을 휘두르고 거드름만 피우는 경찰들을 보아오면서 구역질을 느꼈는데 그는 달랐다.

그의 성의를 보아서라도 나의 미래에 대해 심사숙고하기 시작했다.

생포 당해서부터 경찰서의 대기실과 남경사 수용소에 있는 3개월 동안, 나는 줄기차게 빨치산 활동의 정당성을 주장하며 소신을 굽히지 않았다.

그러나 이규형 서장의 정의감과 인간성에 감복하여 마음이 움직이기 시작하는 것이었다.

그리고 내가 꿈꾸어 왔던 인민공화국이라는 것을 소련에서도 겪어보았고, 또 빨치산 운동을 통해 지도자들의 인품과 그들이 인민을 대하는 모습도 지켜보았다. 그러나 그들에게서 인간적으로 나를 감복시킨 지도자가 있었던가.

내가 빨치산 활동을 시작했던 것은 사회주의를 꿈꾸었기 때문이 아니라, 일본제국주의자들에게 주구배 노릇을 하던 친일경찰이 아직도 청산이 되지 않고 정권에 빌붙어 횡포를 부리고 있고, 이승만 정권이 미제국주의를 등에 업고 독립운동을 했던 애국주의자들을 외면한 채 친일경찰과 손을 잡고 썩어빠진 정치를 하고 있기 때문에, 이들을 이 땅에서 몰아내고자 했다는 것을 떠올렸다.

그런데 지금 빨치산을 통해서 목적을 달성한다는 것은 불가능하며, 그렇다면 이제는 방법을 달리 해야 하지 않을까 하는 생각을 해보았다.

어떻게 하다가 공산주의자들과 같은 주장을 하다가 보니, 그들 세력과 손을 잡고 본래의 의도와는 다른 방향으로 나가고 있는 현실도 떠올렸다. 그래서 생각을 달리 해야 할 때가 온 것이라고 판단을 하게 되었다.

나는 깊은 생각을 한 끝에 서장에게 말을 했다.
"재생의 길을 열어주시면 감사하겠습니다."
라는 간단한 대답만을 했다.
이 말은 비로소 살겠다는 의지를 표명한 나의 첫마디였다.
"황 동지, 정말 잘 결정했소. 우리 정말 잘해 봅시다."
이규형 서장은 진정으로 나의 판단을 환영하는 듯했다. 그리고 나의 말을 듣자마자 곧 대책을 협의하기 위해 나갔다.

이제는 검사의 결재가 있을 때까지 경찰서 대기실에 있게 되었다. 경찰서에서 검찰청까지 날마다 서류를 들고 결재를 받으러 다니는 사람은 사찰주임 김동준 경위였다.

그는 검찰청에 다녀오면 서장에게 보고를 하고는 곧이어 나에게도 다가와서 그 동안의 일의 경과를 말해주는 것이었다. 검사가 잠시 부산에 출장을 갔다가 1주일 후에 와서 시일이 좀 늦어졌다면서 기소유예 처분 결재를 받게 되었다고 했다. 그때 검사가 하는 말이 18명 중에 4, 5명은 어떻게 기소유예 처분을 내려달라는 것인지 의아해했으나, 서장이 제의한 일이므로 결재해주었다는 것이다.

하여간에 이규형 서장의 말이라면 검사나 판사뿐만 아니라 서전사(서남지구전투사령부) 사령관까지도 이의 없이 통과되는 것이었다.

그런데 전원 기소유예 처분을 받기 위해 부단히 노력하는 도중에 웃지 못할 일이 벌어졌다. 9·28 수복 당시 불과 몇 달간을 빨치산 활동을 하다가 자수한 사람으로, 당시 남원경찰서 사찰계 사복근무자였던 김완식 형사가 있었다.

우리는 그가 누구이며 무엇을 하였는지 전연 알 수 없는 사이였다. 그런데 이 사람을 근간에 생포를 하여 대기한 것처럼 위장시켜, 밤낮 없이 3일간을 우리가 들어 있는 감방에 넣어 두고, 우리들의 동정을 떠보려고 한 것이었다.

우리 일행들은 그를 처음 보는 자이기 때문에 아예 상대를 하지 않았다. 나를 따라 행동을 함께 하고자 한 사람으로 들어왔으니 당연한 일이었다.

결국 그의 위장 잠입사실이 허사가 되었다. 왜냐 하면 우리가 그의 정체를 알아버렸기 때문이다.

　얼마나 가소로운 일이며, 정말 어리석은 짓거리인가. 속만 보였던 것
이다. 그러나 사찰계 인사로서는 그럴 수도 있다고 생각되어 모르는 체
하고 넘어갔다.

사찰유격대

　이규형 서장은 검사의 유예처분을 받고 난 뒤에 각 면에 있는 지서에서 의경 두 명씩을 차출하여 모두 30명의 병력을 보강한 다음, 우리 18명까지 더해 총 48명으로 구성된 남원경찰서 산하 사찰유격대를 조직하게 되었다.

　조직이 완료되고 행동 개시만을 기다리던 다음 날 경찰서 간부회의 장소에 나도 참석을 시키는 것이었다.

　회의 서두는 나에 대한 말로 시작되었다. 서장은 나를 경사로 발령을 하겠다는 것이었다. 그러자 사찰계에 근무 중인 김순기 경사는 남몰래 군소리를 하는 것이었다.

　"몇 년을 죽도록 일을 했어도 만년 경사인디!"

　이 말이나 저 말이나 나에게는 부당한 말이었다. 그래서 나는 말했다.

"저에게는 부당한 말씀이십니다."

하고 나와버렸다. 사실 내가 사찰계 경사를 맡는다는 것은 산에서 투쟁하는 동지들에 대한 예의가 아니었다.

이때에 서남지구 전투경찰 연대 중에서 전남국 경사를 차출하여 사찰 유격대 대장으로 배정했다. 그는 전남 광주 출신이었다. 무식하고 겁이 많았으며, 술을 지나치게 많이 마시고 성격이 포악했다. 부락에 들어가게 되면 주민들한테는 아주 용감한 척 했으나, 겁이 많아 산에 올라가서는 뒤꽁무니를 빼기가 일쑤였다. 이러한 사람이 전투경찰대에 있었으니 전투가 제대로 되었겠는가.

이제부터 나의 인생은 빨치산 유격대 사단장에서 빨치산을 사로잡는 남원경찰서 사찰유격대 부관이 되었다.

참으로 인생이란 이렇게도 유전流轉이 되는 것인가 싶었다.

경찰서장의 명령에 따라 쉴 틈도 없이 작전을 나가게 되었다.

첫 작전은 남원군 아영면 일대리에 주둔을 하면서, 속리 마을과 가말 마을에 나가 잠복을 하라는 것이었다. 이곳이 산간 오지마을이기 때문에 빨치산의 출현 가능성이 높은 곳이므로, 은밀하게 잠복을 하고 있다가 나를 사로잡은 것처럼 작전을 하려는 것이었다.

때는 1953년 6월 중순이었다. 며칠이 되자 이규형 서장은 나를 다시 서장실까지 오라는 것이었다. 나는 잠복을 하다가 바로 들어가니, 반갑게 인사를 하며 악수를 청했다.

"고생이 크지요? 이쪽으로 앉으십시오."

차도 한 잔 권하면서 서장은 천천히 말하였다.

"혹시 빨치산들이 남원관내에 출현하였을 때는 나로서는 어느 부대 할 것 없이 무조건 작전명령을 내리게 되는데, 사실 부당한 작전명령도 있을 수 있을 것입니다. 그러니 무조건 작전명령이라고 행동하지 말고, 그 동안 많은 경험에 비추어 나의 명령이 부당하다고 생각될 때는 출동을 하지 않아도 허물하지 않겠습니다. 이것은 황 동지에게 자율적인 작전권을 부여하는 것입니다. 저는 모든 것을 황 동지만 믿을 것입니다."

이규형 서장은 모든 일에 신중하면서도, 사람을 볼 줄 아는 통찰력을 가지고 있었다. 나의 오랜 투쟁경험을 살려 작전을 할 수 있도록 재량권을 주는 것이었다.

"알겠습니다."

나를 믿어주는 그의 대범함과 인품에 다시 한번 감복하지 않을 수 없었다.

물러나와 사찰계에 들렀다. 운장산과 덕유산 일대는 내가 변을 당한 지 한 달이 못 되어 북부도당부 책임자인 양인섭 동무도 길병래가 이끄는 보아라부대의 기습을 받아 자폭하고 말았다는 것이었다. 지금으로서는 어쩔 수 없는 결과였다. 이제 북부도당부는 거의 소탕된 것이나 다름없었다.

그리고 사찰계에서는 지리산 남부군 유격대와 전북도당부 산하 전체 재산자의 세력을 합해도 2백여 명밖에 남지 않았다는 것이었다. 너무도 허망한 소리였다. 듣고 보니 이제는 재산세력의 수명도 다한 듯 싶었다.

6·25 전쟁이 발발한 후 3년여 동안 계속된 전쟁도 7월 27일 휴전협정이 체결됨으로써 막이 내렸다.

그로 인해 빨치산의 유격투쟁은 이제 독 안에 든 쥐새끼처럼 고립되게 되었고, 꺼져 가는 불빛이 되고 있었다.

이제는 전쟁도 끝났으니, 모든 군사력을 지리산 일대에 남은 빨치산을 소탕하기 위해 총력을 기울이고 있었다.

이미 남원에 설치된 경비사령부 병력, 서남지구전투사령부 산하 병력, 각 면 지서의 의경들, 민간인, 공군까지 총동원이 되어 합동작전을 하는데, 지금까지의 작전과는 달리 장기소탕작전이었다.

빨치산들 부대 사이 연락망을 차단하고, 보급로를 원천 봉쇄함으로써 고립시킨 뒤, 빨치산 주력부대를 지리산으로 모은 다음, 지리산을 중심으로 원거리에서부터 군인들이 먼저 완전 포위하여 진지를 구축하고 견지하다가 다시 전진하면, 그 자리는 전투경찰이 이어받아 견지하고, 전투경찰이 전진하면 의경이 견지하고, 의경마저 앞으로 전진하면 민간인 견지하는 작전이었다.

이러한 작전은 24시간 철야로 전개되었고, 철저한 경비를 통해 쥐새끼 한 마리도 빠져나가지 못하게 전개되었다. 그야말로 완전무결한 4중 포위 토끼몰이식 압박전으로 전개되니, 도처에 산재한 빨치산의 활동은 아예 불가능하게 되었고, 부대 간의 연락망이 두절되어 제각기 고립상태에서 빠지게 되었다.

이리 가도 군인, 저리 가도 군인이었다. 군인들의 발길에 차여 꼼짝할 수 없는 지경에 놓여 있는 중에도 생명을 보존하기 위해서는 먹어야 했다. 그러나 식량을 구하기는 어려웠다. 그래서 빨치산은 보급로가 차단되어 식량은 떨어지고 굶어 죽게 되었다. 죽기 아니면 살기로 뛰다가 다행히 빠져나가는 사람도 있었다. 그러나 나가서도 발각되어 불행하게도 생포되는 경우가 많았다.

　그리고 제트기가 쏘아대는 기관포탄이며 박격포탄 그리고 중화기의 탄환에 맞아 아까운 생명을 잃는 자가 속출하였다. 그래서 재산세력은 날로 줄어만 갔다. 결국은 최후의 파경으로 치닫고 있었다.

　이러한 때일수록 소조활동이 필요하고, 지휘자는 과감하게 포위망을 뚫고 나가 야지野地나 야산野山으로 진출해야 한다. 그러나 이러한 상황에 처해 있어도 당간부 보호문제로 제자리 싸움만을 하고 있을 것이 뻔하니, 이제 남은 것은 죽지 않으면 자수를 하거나 생포되는 길밖에 없었다.

　이러한 상황이 지속되는 가운데 제일 먼저 전북도당부가 얻어맞았다는 소식이 들려왔다. 전북도당부 부위원장 조병하가 생포되었다는 것이었다. 그러자 남원경찰에서는 나를 불러 그를 면회시키는 것이었다.

　남원경찰서에 수감되어 있는 그를 보자 차마 볼 수 없는 형상을 하고 있었다. 밥도 먹지 못하고 계속되는 경찰과 군인의 소탕작전에 몰려 쫓기면서 몸 여기저기 상처를 입고 있었다.

　나는 이현상 사령관의 안부를 물었다. 그러나 그는 전혀 모르고 있었다. 피차간에 하고 싶은 말은 많았으나, 거기서 말해 무엇을 할 것인가. 아쉬움을 남기고 헤어졌다.

　이날따라 누가 면회를 왔다는 전갈이 왔다.

　가서 보니 나의 장인어른(최성탁)이 찾아오셨다. 그때 장인어른은 남원시 사매면 계수리에 살고 계셨다. 나의 집과는 그리 멀지 않은 곳에 사시므로 우리 집안 사정은 잘 알고 계셨다.

나는 장인어른으로부터 우리 집 소식을 처음으로 듣게 되었다.

외손자가 되는 나의 자식이 잘 크고 있다는 말씀을 하시면서 적당히 넘기시는 데, 아마도 사는 형편이 형언할 수 없이 어려운 눈치였다. 그래서 나는 집안 사정을 자세하게 여쭈었다.

아내가 남원경찰서 수용소를 찾아왔을 때 멀리서 만나 대화도 몇 마디 주고받지 못해 집안 내용은 장인으로부터 처음으로 듣는 것이었다.

형님은 9·28 수복이 된 그 해 음력 11월말에 경찰들의 총탄에 불행히 죽음을 당하였고, 동생은 군에 입대해 복무를 하고 있었다. 그때 우리 집이나 마을에는 11사단이 들어와서 초토화작전을 벌여 잿더미가 되었고, 조부님은 90세의 노인이신데 올 데 갈 데가 없어서 잿더미 속에 움막을 짓고 계신다는 것이었다. 한 마디로 집안이 풍비박산이 되어 살기가 어렵다는 것이었다.

나는 지금까지 생사를 초월해서 초지일관 승리를 위해 싸우다보니 가정을 잊고 있었던 것이다. 듣다 보니 참으로 마음이 아프고 착잡하기 그지없었다. 나는 아내와 아들의 얼굴이 어렴풋이 떠올라 보고 싶었다.

장인어른과 할 말은 많았으나 면회시간도 제한되어 있으므로 인사를 하고 물러 나왔다.

부위원장 조병하를 만나고, 장인어른을 만나고 나오자 나는 혼란스러웠다.

수년 간 싸워 왔던 모든 것이 허망하게 끝나고, 남은 것은 가족의 불행뿐이었다. 정신이 혼란스럽고 무엇을 잃어버린 듯한 멍한 느낌마저 들었다.

나는 잠복지로 돌아오면서 조병하 동지에게 물었지만 소식을 모른다
는 전라북도 당위원장 방준표 동지와 남부군 총사령관 이현상 동지가,
추위와 대대적인 공세 속에 어떻게 지내는지 걱정이 되었다. 그래도 그
들이 자꾸만 떠오르는 것은 나의 마음속에 그들에 대한 관심과 애정이
있어서 그럴 것이다.

북한에서 온 사람들은 남한 빨치산한테 보호만 받으려고 했다. 전투
도 잘 못하고 한꺼번에 모여 있다가 폭격만 당하기 일쑤였다. 유격대는
분산투쟁을 해야 하는데 이들을 보호하느라 많은 피해를 보게 되었다.

북한에서 온 사람 중에 이현상과 방준표는 달랐다. 그들은 아주 거물
급이었다. 남부군에서는 이현상이가 사령관이었고, 방준표가 전북도당
위원장이었다. 남부군에서도 말발이 제일 센 사람은 방준표였다. 6·25
가 발발하고는 도당위원장은 이북에서 내려온 사람들이 한 것이었다.

그러나 이현상과 방준표는 사실 명예직이었다. 그들은 전투에 참여해
공을 세우거나 한 사람들이 아니었다. 수많은 전투를 실제로 전개하고
그 전투에서 가장 혁혁한 공을 세우고 가장 많은 영향력을 끼쳤던 것은
나 황의지였다.

얼마 후 사찰계 인사로부터 끔찍한 소식이 전해졌다.

전북 도당위원장 방준표 동지가 지리산 공세를 피해 장안산에서 임시
거점을 정하고 있다가, 경찰대의 기습을 받고 같이 있던 수행원과 함께
스스로 목숨을 끊었다는 것이다. 물론, 그의 최후는 그럴 수밖에 없는 일
이었다. 나도 두 번이나 자살을 시도하지 않았는가.

이때에 나와 같이 탱크 병단에서 참모장으로 있었던 외팔이 전사 문
남호(본명은 오복덕)도 남원시 아영면 어느 들판에서 경찰대의 잠복전에

부상을 입고 사로잡혀 왔다. 이제는 나처럼 자유롭게 있게 되었으나 이제는 애꾸눈까지 되었고, 가슴에도 총상 흉터가 대단했다. 그저 입만 살아 있을 뿐이고 기동력은 완전히 상실되어 있었다.

또 다시 며칠이 지나자 사찰계의 소식이 들려왔다. 남부군 유격대 총사령관 이현상 동지에 관한 불길한 소식이었다. 지리산 남쪽 기슭 전남 땅 빗점골에서 서남지구 전투경찰의 기습전에 당해 죽었다는 것이다. 신문지상에도 크게 실렸는가 하면, 서남서는 이 전과로 떠들썩하였다. 텔레비전 방송에도 연일 보도가 되었다.

조국의 민주민족 통일독립을 쟁취하기 위해 남녘땅을 주름잡아 왔던 이현상, 방준표 두 영도자가 최후를 맞이함으로써, 지리산을 중심으로 활동하면서 이승만 괴뢰집단과 그의 상전 미제국주의자를 상대로 수년간을 지속해왔던 싸움은 결실을 맺지 못하고 역사 속으로 사라지게 된 것이다.

주전선마저 휴전협정이 체결되고 후방에서는 각 도당부 영도자들이 모두 지리산의 원귀가 되었으니, 이제는 돌이킬 수 없는 파국을 맞은 것이다.

재산 새력은 넝쿨이 없는 열매 신세였다. 다시 말해서 산에 거점을 두고 싸운다고 해도 보급로가 완전 차단되어 성공할 가능성이 없었다. 목숨도 부지하기 힘들뿐만 아니라, 군은 의지마저 무너져 내려 완전 몰락할 수밖에 없었다.

그래서 나는 분명하게 우리 사찰유격대 동지들에게 주지시켜야겠다는 생각을 했다.

"현재 우리들은 우범지구 부락만을 다니고 있으나, 언젠가는 우리 앞에도 전투가 있을지 모릅니다. 혹시 격전을 하게 되면 사전에 각자 유의할 점을 말씀드릴까 합니다. 한 사람을 죽임으로써 얻는 성과는 겉으로 나타나는 성과는 있지만, 말없이 죽어간 자의 원성은 가슴에 못이 박혀 영원토록 살아 있다는 것을 깨닫고, 가급적이면 희생자를 내는 것보다는 살려서 불의를 정의로 바꾸어 우리의 동료로 흡수하는 것이 더욱 큰 성과라는 것을 잊지 말아 주십시오."

나의 말에 사찰대원들은 모두 찬성을 하였다.

그 후 1954년 10월까지 산악 출입로에서 잠복전이나 부락 잠복전을 할 때에도 일체 충돌한 바가 없었고, 그저 지리산 주변 우범촌으로 운봉면, 산덕리, 준향리, 장교리 1구 2구 3구, 권포리 1구 2구, 매운리, 가산리, 용산리, 수천리, 소성리, 점촌마을 등을 두루 돌며 사찰활동을 펴왔다.

주천면 관내에서는 고기리 · 회덕리 · 노치리 · 호경리 등을, 보절면은 사촌리, 산동면은 상신리 · 목동리 · 독산 등을, 아영면은 일대리 · 성리 · 속리 · 가말마을 등을, 동면에서는 구인월리 · 건지리 등을 전전하며 부락 사찰을 끝내고, 1년 4개월이 되어서야 비로소 산내면 관내 대정리로 들어와서 처음으로 며칠 간 휴식을 하였다.

며칠을 쉬고 나서는 원천리로 갔다.

일부는 나와 같이 부락진입에서 잠복을 하게 되었다.

나는 경찰서에서 들어온 날부터 지금까지 사찰업무를 수행하면서 부락민의 신세를 지지 않을 수 없었다. 그래서 그 대가로 부락길을 청소하는 데 게을리하지 않았다. 그랬더니 주민들은 군부대나 전경대와는 달리 사찰대를 친절하게 대해주고 믿어주었다. 어디서나 우리 부대가 떠나게 될 때에는 매우 아쉬워하고 서운해 하였다.

이와 같은 나의 선심에 감복한 사찰계장 김관순 경감은 나의 위신과 처세를 고려하고 출입복이라도 한 벌 사 입도록 하기 위해, 국유림을 관장하는 남부영림서를 찾아가 장작 두 대의 반출증을 얻어다 준 일도 있었다. 그러나 작업을 하기도 전에 경찰간부 인사이동이 있어 김관순 경감은 다른 곳으로 전출을 가버려 작업복은 얻어 입지 못하였다.

그 후임으로 온 장 모 경감은 우리에게 1인당 매일 부식비로 지급되는 40원을 기묘한 방법으로 착복을 하여, 결국은 우리들만 주민들로부터 의혹을 받았다.

그리고 형사들 역시도 우리와 같이 부락에 나아가 근무하도록 되어 있었으나, 실제로 부락에 나가 근무하는 자는 드물었다. 그리고 나가서 근무를 한다고 하더라도 대접이 시원찮으면 욕설을 퍼붓고, 심지어는 폭행까지도 하는 것이 다반사였으니, 누가 좋다고 하겠는가.

한번은 운봉면 산덕리 마을에서 있었던 일이다. 안 모 형사가 부락의 반장을 맡고 있는 나이가 지긋한 노인에게 너무도 무례한 행동을 저지른 것이었다. 이 사실을 전해들은 나는 당장 현장으로 달려가 안 모 형사에게 단단히 주의를 주었다.

자기들의 눈에 거슬렸다 하면 몽둥이로 때리기도 하고, 마음에 들지 않으면 주먹질을 하니, 주민들은 두렵고 어려워 무조건 "예, 예." 하고 잘 대해주니까 갈수록 유아독존격이 되어버린 것이다.

심지어는 나에게도 그러한 행동을 하는 경찰이 있었다. 그러나 나는 용납하지 않았다. 이들이 하는 작태가 너무도 일제시대에 고등경찰의 악습을 그대로 본받아 하는 것이라 생각되어 가만두지 않았던 것이다.

그러한 악습의 경찰은 바로 우리 부대의 전남국 경사도 그랬다. 일개 부대를 통솔하는 대장이라면, 무엇보다도 부하 대원들의 노고를 치하하고 일상생활에도 불평이 없도록 관심을 가져야 할 것인가. 그리고 주민들을 대할 때에도 친절하게 해야 할 것이며, 서로 유대감을 가져야 작전을 원활이 수행할 수 있을 것이다. 그러나 그는 그렇질 못하였다.

1945년 음력 8월 14일 추석 전날 밤의 일이다.

대장 전남국 경사는 대원 20명을 데리고 운봉면 장교리 1구 마을에서 잠복 근무를 하게 되었다. 나는 대원 20명을 데리고 장교리 3구 마을에서 잠복 근무 중이었다.

그런데 저녁을 먹은 바로 뒤에 그는 내가 근무 중인 마을에 온 것이다. 그런데 아무래도 수상하여 자세히 살펴보니, 약간 술이 취해 있었다.

그때 마침 조중중 소대장이 보초를 서고 근무 중이었는데, 공연히 트집을 잡고 뺨을 갈겨대는 것이었다. 조 소대장은 이북출신으로서 전북 부안군 민청요원의 임무를 받고 월남하였다가 이 부대에 들어온 사람이었는데, 성품이 아주 강직하였다.

나는 그 모습을 보면서 너무도 불쾌했다. 방관할 수 없어 당장에 전남국 대장을 불렀다.

"보아 하니 술을 좀 먹은 것 같은데, 근무 중에 술을 먹은 것도 잘못인데, 근무를 하는 보초를 때리는 추태를 부리는 경우가 어데 있소? 설령 보초근무에 잘못이 있다 할지라도 때리기까지 해서야 되겠소? 그 사람도 이북 땅에 부모 형제 처자를 두고 있는 사람으로, 오늘밤 저 달을 처다 볼 때 마음이 좋을 리가 없을 터인데, 그게 무슨 짓이요? 그리고 만약에 여기에서 무슨 사고가 나게 되면 나의 책임인데, 당신 근무지나 가서 잘할 일이지 왜 남의 근무지에 와서 그러는 것이오?"

하고 단단히 주의를 주었다.

그랬더니 전남국 대장은 나의 말에 자신도 잘못이 있다는 것을 깨달았는지 아무 말이 없이 자기 근무지로 돌아갔다.

그 뒤 나흘이 지나 전남국 대장이 근무하고 있는 장교리 1구 마을에 들렀다. 서산에는 석양빛이 붉게 물들고 있었다. 마을에서는 모락모락 저녁 짓는 연기가 피어오르고 있었다.

나와 같이 한 상에서 저녁을 먹는데, 그는 먼저 먹고는 방을 나가는 것이었다. 그래서 나는 자기 담당 근무지 순찰차 나간 줄로 알고, 나의 담당 근무지인 3구 마을로 돌아왔다. 그런데 전남국 대장은 바로 3구 마을에 먼저 와서 부락민을 붙들고는 공연히 야간 경계를 잘못한다고 트집을 잡아 큰 소리까지 치면서 폭행까지 하고 있는 것이었다.

부락민들이 너무도 억울하여 사실을 말해주어도 듣지 않으면서, 그저 밑도 끝도 없는 주장만 되풀이하며 폭행을 하고 있는 것이었다.

그는 부대장이 하는 일이니 잘하건 잘못하건 간에 거들어 줄 줄로 알았던 모양이었다. 그러나 그것이 주민들에게 잘못된 인상을 남길 것이라는 사실을 상기하고는 나까지 양심에 벗어난 행동을 할 수는 없었다. 그래서 나는 앞으로 나서서 주민들이 보는데 전 대장을 나무랐다.

"요즘 전 대장은 실수를 계속하고 있소. 좋은 말을 두고 무조건 사람을 때리기만 하시오."

하고 나무라자 전 대장은 나에게 달려들며 말했다.

"너는 뭐야!'

하면서 다짜고짜 나의 뺨을 치는 것이었다.

잘못을 하고도 반성을 안 하고 오히려 나에게까지도 행패를 부리다니 참을 수 없었다.

'이 자가 이제는 뵈는 것이 없구나!'

하는 생각도 들었다.

그렇지 않아도 평소에 우리 부대 선임하사인 이태환을 아무런 이유도 없이 개 패듯이 자주 팬다는 소문을 듣고 언젠가는 단단히 충고를 하려고 벼르던 참이었다.

나로서는 용납할 수 없었다. 그리고 나의 위신문제를 생각해서라도 참을 수 없었다.

"너, 이 자식! 내 맛을 봐라! 경찰이면 다냐! 사람 치기 좋아하는 놈은 내 주먹맛을 봐야 한다. 그 모자 벗어!'

하고 불호령을 내리듯 말했더니, 오히려 더 야무지게 눌러쓰는 것이었다.

"오냐, 그 모자 내가 벗겨주마."

하고는 직접 모자를 벗기고는 뺨을 몇 대 갈겨 주었다.

그러자 우리 대원들이나 부락민들이 달려들어 적극 말리는 것이었다. 그래서 그의 체면을 보아 그만두었다.

경찰의 근본은 국가의 치안을 유지하는 것이다. 국민의 안녕과 질서를 바로 잡는 경찰관이 친일주구들의 악습을 그대로 답습하고 있다면, 이것은 당장 시정해야 할 것이다.

나는 1949년 2월 소련에서 귀환포로가 되어 북한을 통해 파주로 넘어

와서는 파주경찰서에서 나흘간이나 지나친 고문을 당했던 사실이 또 다시 생각이 나는 것이었다.

전 대장을 처음에 보았을 때, 상관에게 오죽 눈에 벗어났으면 우리가 있는 사찰대로 부임하여 왔을까 하고 불쌍한 인간으로 보았다. 그래서 잘 대해 주려고 하였다.

특히 민주민족 통일독립 조국을 위해 투쟁하던 혁명투사였기 때문에 묵묵히 행동하며 항상 말을 조심해왔던 것이다.

그러나 전 대장은 그런 줄도 모르고 혼자 잘난 체하며 날뛰니 한심스럽기가 그지없었다.

나에게 따귀를 몇 대 얻어맞고 정신을 차렸는지, 전 대장은 아무런 말도 없이 자기 담당근무지로 돌아갔다.

그로부터 이틀 동안 나는 그 사실에 대해 일체 언급을 하지 않았다. 그러한 나의 심정은 전혀 모르고,

"어이, 어험!"

하고 나를 부르면서 다시 시비를 걸려는 자세였다. 그래서 나도 그만둘 수 없어

"너의 좋지 못한 근성은 상사에게 말해서 고쳐줄 것이니 그리 알고 있어."

나는 곧바로 남원경찰서로 갔다. 먼저 부대 상관인 사찰계 형사주임인 이태섭 경위에게 갔다. 형사주임은 전남국 경사의 처남이었다. 그리고 차례로 계장이며 서장까지 방문할 예정이었다.

먼저 이태섭 경위에게 전후 사실을 말했더니, 그는 자기를 봐서라도 참아달라면서 간곡히 만류를 하는 것이었다. 그러면서 전남국 경사의

사람됨을 말해 주는 것이었다.

"그 사람은 술버릇도 좋지 못하고 전혀 배움이 없어요. 지난 번 내가 상을 당했을 때에 일입니다. 장인이 작고하셨기 때문에 문상객들이 많이 왔는데, 공연히 한 문상객하고 트집을 잡으며 욕설까지 퍼붓고 싸움을 한 적이 있습니다. 그런 사람이라면 가히 짐작을 하시겠지요. 그런 사람이니 참아주시기 바랍니다."

하며 애원을 하는 것이었다. 하도 사정을 하는지라

"그렇소? 차후에 어떤 불상사가 있을지도 몰라 미리 말씀드리는 것이니 유념하시기 바라오."

"워낙 무식하고 부족한 사람이라 아무에게나 그런다는 소리를 저도 들었습니다. 적절한 조치를 취하도록 하겠습니다."

하고 미안하다고 사과를 하는 것이었다.

처남 매부지간이니 그럴 수도 있으니, 이번만은 참자며 물러 나왔다.

그리고 너무 닥달을 할 수 없는 나의 처지를 생각했다. 지금 나는 빨치산 활동을 한 이력으로 항상 행동의 감시를 받고 있는 것이다. 그러니 처남 매부지간에 음모를 꾸며 무고한 주목을 받을 수도 있다는 생각이 앞을 스치는 것이었다.

다음 날 오전 10시가 되어 사찰계 형사 두 명이 나왔다. 사건의 진상을 확인하기 위해서였다. 내가 말한 것과 다름이 없자 그대로 본서에 보고를 하는 것이었다.

전 대장은 즉각 본서로 호출되어 가 단단히 주의를 받고 돌아왔다.

그런 뒤로 그는 그와 같은 행동은 하지 않았으나, 그래도 자잘한 행패는 도처에서 끊이질 않았다.

그렇기 때문에 각 면 오지 마을마다 우리가 가게 되면 마을 주민들은 걱정부터 하는 것이었다. 그런 곳일수록 으레 경찰대가 몇 차례 다녀간 곳이 대부분이었다. 그들의 행패와 문란한 행동으로 경찰대가 드나드는 것을 꺼리는 것이었다.

1954년 10월 하순 산내면 대정리로 이동하던 중에 있었던 일이다.

그 마을에는 전경대도 있었고 군인들도 있었다. 그런데 우리 부대가 도착한 그날 밤에 산내 양조장에서 군인들과 전경대 간에 시비가 있었다. 전경들이 구타를 당한 듯했다. 그러자 다음날 전경대장인 듯한 한 경 감이 이 사실을 듣고 달려왔다.

행패가 벌어진 현장에는 경찰대의 숫자가 많았으나 합심이 되지 못해 많은 봉변을 당하게 되었다는 말을 듣고 분개한 나머지, 자기 부하 중에 조 순경을 불러내 부동자세로 세워놓고는 야단을 치는 것이었다.

그런데, 야단을 치는 모습이 너무나 상식 이하의 모습이었다. 조 순경 의 양쪽 귀에다가 실탄을 장전한 권총을 이리저리 겨누며 방아쇠를 당 길 듯이 위협을 하였던 것이다.

"이 자식아, 내가 누구인 줄 아냐? 나는 일본군 육군 군조로 중국전선 에서 싸웠고 심신을 단련을 한 사람이다, 이 자식아. 그런데 너희들은 몇 놈 되지도 않는 군인들에게 두들겨 맞도록 두었단 말이냐, 이 자식들 아!"

식식대며 뱉어내는 말을 들으며 나는 화가 났다. 행동이 너무도 지나 쳤다는 생각에서였다. 그리고 일본군 군조라며 거짓말을 하는 것을 들 으니 더욱 화가 났다.

김석원, 이응준 같은 고급장교 대좌는 있었고, 백선엽, 박정희, 정일권 등 많은 위관급은 있었으나, 조선인 하사관 군조는 본 적도 없거니와 들은 적도 없었기 때문이다. 그런데 경감은 그 자리에서 군조라는 신분이 대단한 것처럼 가장하고 말하는 것이었다.

나는 그냥 지나칠 수 없었다. 그래서 경감에게 가까이 다가가서 말을 하였다.

"그간 수고가 많았소. 헌데 듣자 하니, 일본군 군조로 복무했다기에 듣기 반갑소. 나는 중국 중지전선에서 일본군 조장이었소."

하며 한수 더 떠서 말했더니, 경감은 나에게 부동자세로 거수경례까지 하는 것이었다. 그래서 나도 거수경례를 받고는 말했다.

"전투대원들에게 그렇게 위협을 하지 말고, 좋은 말로 주의를 주는 것이 좋을 것 같아서 일부러 인사를 청한 것이니 이해하시오."

"알겠습니다."

경감은 위협을 했던 조 순경을 돌려보내는 것이었다.

이 얼마나 한심스러운 일인가. 소위 전경대 간부라는 자가 그때까지도 일본군 군인신분을 크게 자랑삼아 말하고 있으니, 민족정신의 실종이 어떠한가를 가히 짐작할 수 있는 일이었다.

여기에서 헤어진 뒤 우리 부대는 대정리에서 2일간 휴식을 취한 다음 원천리로 갔다. 그리고 전 대장은 20여 명의 대원과 같이 그 마을에 남았고, 나는 다시 20여 명 대원과 같이 건너 마을 삼화리로 갔다.

이때에 들판을 바라보니, 가을 추수가 다 끝이 났는데 이 마을에서 입산자였던 박양기의 논에는 나락포기가 그대로 서 있는 것이었다.

나는 그것을 보자마자 즉시 우리 대원들을 데리고 온종일 일을 하여 추수를 다해 주었다.

이때 전 대장이나 일부 지방인사들까지도, 내가 대원들을 시켜 입산자 집에 봉사작업을 해준 사실을 들먹이면서

"그 자는 아직도 재산정신이 있기 때문에 재산자 가족을 위해 협조를 해주는 것입니다."

라며 비난을 하는 것이었다.

그들은 하나밖에 모르고 있었다. 어디까지나 대민사업의 일환으로 봉사활동을 한 것이며, 입산자 유가족에게 동정을 주고 호감을 줌으로써 좋은 반응이 있을 수도 있다는 생각을 하지 못하고 있었다. 나는 그런 비난이 있을 수도 있음을 무릅쓰고 한 것이다. 바로 그것이 하나의 전략이라는 것을 모르는 것이었다.

그런 비난에도 나는 아무 말도 하지 않고 잠자코 있었다. 그것을 들으며 나를 주목하는 사람이 있다는 것을 상기하였다.

지리산 평화제

그로부터 3주가 지나 산내면 매동마을에 빨치산들이 보급투쟁을 나온 사실이 있었다. 그 당시 산내지서는 바로 매동마을 앞에 있는 동산 절벽 안쪽에 호를 파고 죽책으로 둘러막은 다음 적당한 몇 곳에 보루대를 만들어 놓고, 그 안에 지서를 차리고 치안을 유지하고 있었다.

산내지서와 매동마을은 불과 600여 미터밖에 되지 않는 가까운 거리였다. 지서와 마을과의 사이에는 산내면을 거쳐 경남 마천면을 오가는 지방도로가 있었다. 그러므로 산내면 중에서도 매동마을은 지서가 가까이 있으므로 비교적 안전한 지대였다. 무엇이나 풍부한 곳이었다.

빨치산은 바로 안정지대라는 생각을 가지고 있는 그런 마을이기 때문에 경계가 느슨할 것이고, 그리고 물자가 풍부하기 때문에 이 마을을 선택하여 보급투쟁에 나선 것이었다.

이때 산내 지서장은 박 모 경위로 영남 출신이었고, 차석次席은 김 모 경사로 이북 출신이었다.

산내면 의경들은 빨치산 토벌작전으로 인해 백여 명이나 되었다. 그들은 산내 지서에서 방어근무를 하는 한편, 일부병력은 지리산 골짜기를 드나드는 통로에서 잠복근무를 하고 있었다.

그날 부락마다 주민들은 하루 종일 추수로 인해 피곤하여 곤한 잠에 빠져들어 있었다. 심야에 난데없는 총성이 몇 발 울려 퍼졌다. 바로 뒤에 간간이 총성이 들리더니, 총성을 이내 사라지는 것이었다.

그러자 바로 뒤에 산내 지서장은 원천마을에서 지리산으로 통하는 지역에서 잠복근무를 하고 있는 우리 부대 대장 전남국 경사를 경비전화로 불렀다. 그러나 아무리 불러도 대답이 없었다. 그래서 나를 부르는 것이었다.

당시 경비용 유선전화가 부락마다 가설되어 있어 어느 부락이나 다같이 그 전화 내용을 들으려고 하면 들을 수 있었다. 그래서 나도 수화기로 들으니 지서장은 아주 떨리는 말투로 말하였다.

"큰일났습니다. 지금 재산공비 48명이 무장을 한 채 산내 지서 뒷마을인 매동마을에 들어와서 식량을 털어갔습니다. 부락민 8명에게 짊어지게 하고는 소도 세 마리나 몰고 갔습니다. 그리고 더 큰 일은 우리 지서 의경이 부락 앞길에서 잠복근무를 하던 중 한 명이 피살을 당했다는 것입니다. 그런데 이 일로 원천리 전남국 경사를 아무리 경비전화로 불러도 어디가 있는지 대답이 없으니 큰일입니다. 그러니 황 부관께서 지금 바로 삼화리에 있는 대원을 데리고 뱀사골 퇴로를 차단해 주시면 좋겠습니다."

나는 그에게 말하였다.

"지금 우리 부대 일부 병력을 전남국 경사가 인솔하고 뱀사골 길목에서 어딘가 잠복근무 중에 있으므로, 그 일대는 누구도 행동할 수 없습니다. 만약에 인기척만 났다 하면 무조건 발사할 것이니 누구라도 접근하기가 쉽지 않습니다. 그러니 내일 아침 일찍이 행동할 것이니 일어난 사건에 대해서나 좀 더 자세히 알려주십시오."

그러자 말하기를

"시간적으로 보아 멀리는 못 갔을 것이고, 부운리와 내령 사이 골짜기에 있지 않을까 합니다."

라고 하는 것이었다.

"그렇다면 우리 부대는 내일 아침 일찍이 출발하여 부운리 앞산 고지를 장악하겠습니다. 그러면 그들을 잡을 수 있을 것입니다."

그러자 그는 앞서 말한 것과 다른 말을 하는 것이었다.

"사실은 산내 지서 의경이 죽은 것은 빨치산에 의한 피살이 아니고, 전남국 경사 부대가 산내 지서 의경근무지를 침범하고 이와 같은 사고를 저지른 것입니다. 그러니 이것은 황 부관님만 알고 계십시오."

전남국 경사가 무엇 때문에 타부대의 잠복지까지 들어갔는지 매우 궁금하였으나, 무엇보다도 의경이 희생되었다니 이것은 보통일이 아니라는 생각이 들었다.

다음 날 아침 먼동이 트면서 뱀사골에 들어가는 도로를 타고 8㎞ 정도 들어가니 사고지점에 도착할 수 있었다.

이미 전남국 경사 부대가 먼저 와 있었는데 그의 안색이 영 말이 아니었다. 아마도 지서장하고 통화했던 사실을 그도 다 듣고 말을 안 하고 있

는 것 같았다. 그래서 어떻게든 사건을 해결하려고 약속한 장소에 먼저
와 있는 것으로 생각되었다.

나는 도착 즉시 전남국 경사에게 전날 밤의 근무지가 어디였는가 물
어보았다. 그러자 그는 우물쭈물하는 것이었다. 바로 답변을 하지 못하
는 것으로 미루어 아마도 어젯밤 사고를 냈던 장본인 틀림없다고 생각
되었다.

그때에 바로 지서의 차석과 의경 대장 이하 60여 명이 도착하였다. 의
경들은 오자마자 추격전은 고사하고 대뜸 전 경사에게 달려들어 죽이려
드는 것이었다.

나는 보다 못해 말리면서 말했다.

"전날 밤 발생한 피살사건은 참으로 유감스런 일입니다. 그러므로 정
확한 사실을 가려 엄중한 조치가 따라야 할 것이니 보류해 둡시다. 우리
는 지금 약속 지점에 온 목적부터 수행하도록 합시다. 우선 작전계획부
터 세웁시다."

나의 말 한마디로 전 경사에게 달라붙어 있던 의경들이 떨어져 잠잠
해졌다.

나는 의경대장과 지서의 차석을 불러 앉히고, 작전 계획을 위한 협의
를 시작하였다. 의경대장은 말하였다.

"공비들은 운봉·동면·아영·산내까지 출몰하게 되면, 언제나 내령
골짜기를 지나 부운과 내령 사이에 뻗은 능선을 타고, 도투마리 명당 밑
골짜기를 지나 뱀사골로 들어갑니다."

이 말을 듣고 나는 판단하여 말했다.

"그렇다면 어젯밤의 출몰에서는 주민들과 소까지 몰고 가고 있으니

가봐야 지금쯤 도투마리 명당 밑 골짜기를 벗어나지 못하였을 것 같소."

그러자 의경대장도 그럴 것이라고 동의를 하였다. 그러나 사실 그 말대로 작전을 한다 해도 아무래도 우리 측 희생이 날 것으로 생각이 되어 작전을 하기가 난처하였다. 그러나 나의 입장에서는 피할 수 없었다. 작전도 하지 않고 그들을 돌려보낸다면 재산자들을 보호하기 위해 그냥 들려 보냈다는 질책을 받을 것이다. 그래서 작전을 하는 것이 낫다고 생각했다. 만약 작전을 하다가 희생이 나면 희생이 났다고 질책을 받을 것이지만, 임무를 수행하다 난 희생이기 때문에 어쩔 수 없다고 생각했다.

내가 희생이 난다고 생각한 것은 48명이라는 무장대원의 숫자와 그들의 전투력 때문이었다. 그들은 다년간 전투경력이 있고, 지리에도 매우 익숙하다. 또한 먼저 유리한 지형지물을 이용하여 철저한 경비를 하고 있을 것이다. 그리고 그들은 지금 죽음을 두려워하지 않는다. 그래서 생존을 위한 필사적인 투쟁을 전개할 것이다. 맞붙게 되면 많은 희생을 감수하지 않으면 안 된다.

그러한 점을 상기시키면서 참모들을 불러 모아 작전계획을 세웠다. 그 중에 중요한 부분을 우리 부대가 담당을 하기로 했다.

나는 생각했다.

"지금 빨치산들은 당부요인들이 다 죽었고, 선요원이나 후방대원 정도가 몇 십 명씩 살아서 돌아다니는 것일 게다. 압박작전으로 먹는 것, 입는 것, 자는 것 등 얼마나 힘들겠는가. 가련하지 않은가. 사살보다는 자수를 시키거나 생포해서 살길을 찾아주어야 한다. 지금 상태로 투쟁을 계속하는 것은 죽음뿐이다. 그러니 저들을 어떻게 해서든지 살려야 한다."

우리 부대는 40명이었고, 의경은 60명이었다. 작전 시간은 9시 30분이었다. 나는 바로 우리 대원들을 모아놓고 우리 측의 병력배치와 각자의 전투임무를 지시하고, 목적지까지 진격하는 것은 지금이 대낮이므로 지형지물을 이용해서 자신의 존재를 상대에게 노출이 되지 않도록 최선을 다해 전진하도록 하였다. 적당한 거리를 두고 전진하여 한꺼번에 몰살당하는 희생을 막아보자는 생각에서였다.

만약에 적의 사격이 있을 때는 그 자리에서 멈추어 엄호물을 찾아 자신의 몸을 보호한 뒤 병력을 더 보강하여 엄호사격을 할 것이니, 섣부른 행동을 하지 않도록 하였다. 신속하고도 민첩한 행동과 무엇보다도 적의 잠복사격을 피해 접근하는 것이 가장 중요하다는 것을 주지시켰다.

그리고 작전 중에 유의할 점은 사살보다 생포를 해서 살 수 있는 길을 열어주도록 하는 것이었다. 이것은 매우 중요한 것이므로 꼭 명심하도록 하였다.

작전 지휘부는 전방 좌측 고지라는 것도 일러주었다.

그때 산내 의경들은 작전상의 지시도 없이 목적지만 바라보고 가더니 이내 다시 돌아오는 것이었다.

나는 왜 돌아오고 있는지 물었다. 그러자 지휘자가 말하기를 전방 목적지 능선에서 흰옷을 입은 사람이 보이더니 다시는 안 보이기에 온다는 것이었다. 분명 우리가 접근하기를 기다리고 있을 것이니 그대로 접근했다가는 희생이 클 것 같다는 것이었다.

나는 이때 의경대장과 차석에게 당초에 작전계획을 세울 때에 그 골짜기에 공비가 들어 있는 것으로 가정하고 작전계획을 세웠던 것이니, 그대로 물러 나오는 것은 있을 수 없다고 했다. 그들이 예상하는 접근로가 아닌 전혀 다른 곳으로 접근하여 그들의 허를 찌르라고 하였다.

그래도 그들은 가지 않는 것이었다. 그래서 우리 부대가 먼저 출발했다. 불과 30분도 안 되어 목적지에 접근하였다. 잠시 후 느닷없는 총소리가 들려왔다. 그래서 급히 남아 있던 작전 지휘부와 엄호조까지 모두 뒤따라가서는 그들의 위치를 파악하기 위해 몸을 숨겼다. 그때까지도 지서의 의경들은 오지 않는 것이었다.

이때 빨치산들은 보초도 후방감시자도 없이 이동하고 있던 중이었다. 그런데 우리 부대가 후미를 발견하고 사격하면서 추격을 하자, 납치해 가던 주민들 8명을 모두 무사히 보내주고, 끌고 가던 소 3마리도 다 보내주었다. 그 외에 식사도구와 식량 전체를 버리고 가던 중에 1명이 총상을 입고 쓰러져 있다는 전갈이 왔다. 나는 급히 총상자가 있다는 곳으로 달려갔다. 복부를 맞아서 중태였다. 최선을 다해 살리려고, 멀리 고지에 있는 우리 대원 4명을 빨리 불러 오도록 했다.

그때 도망치던 빨치산 3명이 나에게 마구 사격을 가하였다. 그러나 나는 맞지 않았다. 나는 총상을 입은 자에게 이름과 직책을 물었다. 그러자 그는 윤가영이라고 하였다. 지금 산에 있는 사람들은 모두 대원들이며 선요원, 비무장 후방대원들이고, 모든 간부들은 전원이 대공세 중에 죽었다고 했다. 자신이 부대장으로 활동 중에 총상을 입었다고 했다. 죽어가는 대원의 모습을 보니 나의 옛 부하 대원이 분명하였다.

이와 같은 말을 주고받는 사이 나에게 사격을 가한 재산자들은 우리 대원들의 역공에 놀라 도망을 치는 것이었다.

그리고 고지에 있던 우리 대원 4명이 왔다. 멜 것을 만들어 환자를 태우고 내려가게 했으나, 아쉽게도 환자는 300미터쯤 가다가 그만 숨을 거두고 말았다. 그래도 시체를 메고 지휘부까지 갔다. 참모진들이 모여 확인하고 어떻게 해야 할 것인지 의견을 나누었다.

그때 본서에서 경비계장도 산내 지서까지 왔다가, 어젯밤의 사고 경위를 듣고는 우리들을 따라 작전 현장까지 올라와 있었다.

그 시체는 고지 주위에 묻어 주자고 하여 그렇게 하고는 모두 돌아왔다. 돌아와서는 경비계장은 부대 전 경사를 본서로 연행해 가는 것이었다. 어제의 사고 때문에 조사를 하기 위한 것이었다.

부대원들은 빨치산들에게 납치되어 갔던 주민 8명과 빼앗겼던 소, 식량 등 모두를 가지고 돌아왔다.

지서의 차석이나 의경대장은 어젯밤의 희생당한 의경의 장례를 치르기에 앞서, 전 경사의 과실총기 사건을 엄중하게 가려 조치하려던 참인데, 전 경사를 본서로 압송하여 간 것을 알고는 몹시 흥분하였다.

오후 6시경 되자, 나를 다음날 10시까지 본서로 오라는 전화연락이 왔다.

다음 날 아침 매동마을 주민들은 소를 한 마리 잡아서는 다리 하나를 몽땅 우리 부대에 가지고 와서 고맙다는 인사를 하였다.

대원들에게 쇠고기를 안주로 해서 술 한 잔을 먹도록 하고는 본서로 갔다.

본서에서는 경찰들과 의경들을 경찰서 광장에 모아 놓고 있었다. 내가 도착하자 이규형 서장은 나에게 시상을 한다는 것이었다. 상품은 금일봉이었다. 그리고 이날 밤에는 서장의 주선으로 연회석을 마련하여 큰 대접을 하는 것이었다.

대접을 잘 받고 다음 날 돌아왔다. 돌아오면서 지서의 상관들은 어떻게 평가할지 모르지만, 우리 대원들이 사고 없이 작전이 마무리되었음을 큰 다행으로 생각하였다.

그날 죽음을 당한 빨치산의 그 혁명정신은 높이 살 만하였으나, 전투면에서는 매우 어리석었다. 아무리 보급투쟁을 한다 하더라도 주민들을 8명이나 붙들어 간다는 것과 소를 잡아 간다는 것은 어리석은 짓이었다.

이제 국내정세를 보더라도 재산자의 투쟁은 물이 말라버린 연못의 고기처럼 보였다. 오히려 하루 빨리 귀순하기를 권하고 싶었다. 그 몰골과 그 생활이 애처롭게만 생각되었다.

이때 시상식에서 남원경찰서 이규형 서장의 말이 생각났다.

"동족 간에 이념적 대립으로 분쟁까지 야기되었지만, 나는 각자가 주장하는 그 정신은 모두 존중합니다. 그러나 지금 빨치산 투쟁을 하는 재산자들의 미래는 암담합니다. 오랫동안 고생 끝에 목적을 달성하지 못하고 죽어가는 것이 불쌍합니다. 날마다 불안과 추위에 떨지 말고 하루속히 귀순해 온다면 생명도 보장될 것이고 자유로운 삶을 살 것인데 얼마나 안타깝습니까?"

그는 마음이 편협되지 않고 열려 있는 사람이었다. 빨치산도 우리 민족의 하나라고 생각하는 것을 들으면서, 나는 다시 한 번 그의 사람됨에 감복하지 않을 수 없었다.

사실 고구려, 백제, 신라 삼국이 싸울 때도 서로가 옳다는 대의명분을 내세웠을 것이다. 고구려는 신라를 사대주의라고 비난했을 것이고, 신라는 당나라와 손을 잡는 국제외교를 통해 삼국통일을 도모한다는 목표를 내세웠을 것이다. 백제는 백제대로 신라와 고구려의 틈바구니에서 실리적인 전략을 내세웠을 것이다. 그러나 천 년이 지난 지금 보면 대의 명분은 중요하지 않고 그들은 모두 우리 민족으로서 치고 박고 싸웠다는 사실만이 남아 있다. 그리고 잃어버린 것은 광활한 만주의 고구려 영토뿐이라는 것이다.

마찬가지로 어찌 생각해 보면 남북한의 전쟁도 나름대로 대의명분은 있지만 세월이 흐르고 나면 같은 민족끼리 치고 박고 싸웠다는 사실만이 남을지도 모르겠다는 생각이 들었다. 그래서 빨치산의 투쟁도 이규형 서장의 말처럼 이제 서둘러 끝을 내야 한다는 말이 옳다는 생각이 들었다.

그로부터 얼마 되지 않아서 이규형 서장은 부산 수산경찰서장으로 영전이 되어 갔다. 가면서 나를 운봉 지서까지 나와 달라는 전화가 있었다. 아마도 미련이 남아 있는 듯한 생각이 들었다. 나 역시 그가 떠나는 것이 매우 섭섭하였다.

서장은 나를 보자 작별 인사를 하면서

"황 동지 머지 않아서 지리산 평화제를 올릴 터이니, 그때는 안락한 가정을 이루고 살기를 빕니다. 아무쪼록 몸조심하시오. 행운이 있기를 빕니다."

하며 금일봉이라고 봉투 하나와, 자신의 사진 1매를 주고는 지프차에 올라 가족들과 함께 떠나는 것이었다.

그는 나를 죽음으로부터 살 수 있는 길을 열어준 생명의 은인이었다. 그리고 공산주의든 민주주의든 편견 없이 다 같은 동족으로 끌어안으려는 포용력 있는 마음을 가진 사람이었다. 나는 서운하고 허전하였다. 후임으로는 정인주 서장이 부임했다.

겨울이 닥쳐오자 재산 세력은 도처에서 자수자와 생포자가 속출하였고, 피살되었다는 소식도 들려왔다. 그러나 경찰 집계에 따르면 모두 10여 명이 남은 것으로 추산하고 있었다.

때는 1955년 5월로 접어들고 있었다. 남원경찰서 정인주 서장은 나를 본서까지 나와 달라고 했다. 즉시 경찰서로 갔다. 정 서장은 요즘 상부에서 소개지구(疏開地區 : 공습이나 화재 따위에 대비하여 한 곳에 집중되어 있는 주민이나 시설물을 분산한 지역)에 대해 수복령이 내려졌다며, 어떻게 하는 것이 좋겠느냐고 묻는 것이었다.

"이제는 수복을 한다 해도 큰 염려는 없소. 그러니 안심하십시오. 다른 데는 알 수 없으나 산내면 수복은 뱀사골 입구 반선을 제1전방으로 정하여 1개 부대를 배치하고, 다음 부운리에 1개 부대를 배치하고, 내령리에 1개 부대를 배치한다면, 수복에는 문제가 없을 것이오. 다만 제일 전방 뱀사골 입구 반선은 가장 위험하면서도 가장 중요한 곳이니 제가 가겠소. 그러니 허락해 주십시오."

정 서장은 나의 의견을 듣고는 안도의 모습을 보이면서 부드러운 목소리로

"그렇게 해주신다면 큰 걱정 하나는 덜었습니다. 그렇게 해 주시오. 더 필요한 것은 없소?"

"지금까지 나와 같이 근무한 48명을 그대로 배치해 주시고, 주식과 부식만은 충분하게 보급해 주십시오."

나의 요구에 서장은 즉석에서 쾌히 수락을 하는 것이었다.

내가 수복이 가능하다고 말한 것은 그 당시 재산자로 박양기·강철·정순덕을 위시해서 행불까지 10여 명 미만으로 밝혀져 있었고, 재산자

중에는 지도자가 한 사람도 없다는 것을 알고 있어, 그들의 전투력이 우리가 방어할 만하기 때문이었다.

그 동안 당국의 소개령에 따라 고향을 떠난 주민들은 남의 집 사랑방이나 심지어는 헛간에서 생활하는 등 갖은 고생이 많았을 것이다. 그래서 소개민들은 수복령이 하루 빨리 오기를 고대하고 있었던 것이다.

그러던 중 1955년 5월 23일 산내면 오지마을에서 소개된 주민들에 대해서 수복령이 내려진 것이다.

우리 부대는 이날부터 산내 지서에 예속되어 산내 지서장을 대대장으로 하고, 동시에 부관에 손 모 경사를 중심으로 근무하게 되었다. 그리고 우리 부대는 제1중대가 되어 반선마을에 배치되었고, 중대장에 이 모 경사가 임명되었다. 제2중대는 부운리에 배치되었고, 제3중대는 내령리에 배치되는 등 나의 제안대로 배치가 되었다.

나는 제1중대 부관이면서 대대의 수복 참모역을 맡게 되었다.

내가 제1중대의 선봉장이 되어 반선을 향해 들어가는데, 수복지구 주민들은 줄지어 우리 부대의 뒤를 따랐다. 반선마을에 도착하자마자 즉시 중대 지휘부와 3개 소대 막사, 초소, 변소(화장실), 취사장을 만들었다.

주민들은 제1중대가 관장하는 자연부락으로는 반선 · 싸리골 · 와운 · 정진암 · 학천 · 용문암 · 덕동 · 이동 · 달궁 · 버드재 · 싸목재 · 점복골 등 12개동이었다.

주민들이 살 집과 병사들이 머무를 막사는 적당한 장소에 원목을 베어다가 큼지막하게 수십 개 동을 지었다. 들어가기까지는 약 3주일이나 걸렸다. 3개 중대까지 합쳐 수복주민은 모두 2백여 세대가 넘었다. 경비할 수 있는 범위 안으로 거주를 허용하였기 때문에 1동을 지어 3세대가 사는 경우도 많았다.

여기에 임시 거주하게 된 수복주민들은 낮이면 각자 옛 터전으로 찾아가서 묵은 땅을 일구어 농사를 하게 하였다.

이 지역 주민이 소개된 것은 입산 당시 들은 바가 있었다. 그러나 그때는 간략하게 들었는데, 나와서 들어보니 자세한 내용을 알 수가 있었다.

이 지역 주민들이 소개된 것은 지난 1948년 12월 25일 여순반란군 김지회 부대 100여 명이 경남 산청군 삼장면 대원사와 유평리에 나타나면서 일어난 사건 때문이었다.

이들이 출현했다는 보고를 받자마자 경남에 주둔한 전경대가 투입되었으나, 26일 오전 11시에 정당골에서 교전 끝에 전원이 전사했고, 27일 새벽에 군인 3여단 5연대가 두 패로 나뉘어 교전을 했다. 그러나 아무런 전과도 없었다.

반란을 일으킨 김지회 부대는 앞서도 기록한 바 있지만 쑥밭재를 넘어 마천 땅을 지나서 전북 남원시 산내 지역을 접어들었다. 오전 중에 반선에 당도하여 손준기 영감의 다섯째 소실 서몽실이 경영하는 양조장에 들리게 되었다.

그 집에서 바로 밥을 달라고 시켜 잘 먹고 나자 연일 계속되는 교전이며 행군 등으로 피로에 빠져 잠시 쉬게 되었다. 양조장 옥내에 지휘부를 정하고 예하 부대는 야영을 하게 하는 한편, 삼중으로 감시원을 세워 두고 반선 앞에 차량 통행을 못하게 산언덕을 뭉개어 바리케이드를 쌓았다. 만반의 준비를 한 다음 백주에 휴식을 하고 있었다.

반면에 남원에 주둔하고 있던 군부대 3연대 병력은 김지회 부대의 지리산 뱀사골 입산을 저지할 목적으로 산내 실상사에 이미 일부병력을 주둔시킨 다음, 산내면 오지 마을마다 비상시에는 긴급 연락을 해달라고 철저하게 당부를 해놓고 있었다.

바로 그때 반선에 살고 있는 조동철이가 실상사에 주둔 중인 군부대까지 달려가 김지회 부대가 반선에 출현했다는 사실을 알려주었다.

그러자 군인들은 즉시 지에무시로 반선마을로 가던 중에 반란군이 만들어 놓은 바리게이트를 발견하였다. 그 위에서 총을 가진 채 술에 취해 잠들어 있는 보초를 발견하고는 즉시 생포하였다. 바리케이트를 제거한 다음에 지에무시를 타고 어느 정도까지 접근해서는 차에서 내려서 소리 없이 접근하여 생포자의 말대로 삼중으로 서 있는 보초병을 모조리 생포하게 되었다. 일부 병력은 계곡으로 은밀하게 접근하게 하여 반란군 지휘부를 기습했다.

주모자 김지회와 정치지도자 홍순석 등 10여 명의 사병들이 집 근처로 흩어져 도망가다가 사살되거나 생포되었으며, 일부는 분산 도주하였다. 그로부터 군부대의 소탕작전 지휘부는 역시 양조장으로 정하고 토벌작전을 하게 되었다.

반란군이 들어오기 전부터 지휘부 정보참모는 양조장 여주인 서몽실하고 정을 통하여 오던 중이었다. 서몽실은 조동철에게 연락하여 실상사로 알려주었던 것이다.

그 정보참모는 이번 기습전의 전과를 모두 서몽실 여인의 공적으로 보고를 하였다. 그 내용을 보면, 첫째는 군부대에게 신속히 연락을 해주었고, 둘째는 일부러 시간을 끌기 위해 생솔가지로 밥을 지었고, 셋째는 술을 많이 주어 혼수상태가 되게 하였다는 것이다. 그래서 서몽실 여인은 작전의 공로자로 표창장을 받게 된 것이었다.

그 말이 지방민들에게 널리 퍼지게 되자 반란군도 그 사실을 듣게 되었다. 반란군은 이 말을 전해 듣고 가만히 있을 수가 없었다.

드디어 반란군들은 1949년 음력 7월 26일 다시 반선 마을에 잠입해 들어왔다. 양조장 여주인 서몽실과 연락자 조동철 그리고 당시 자신들이 희생당하는데 협조한 남두희, 손양섭 등 4명을 붙잡았다. 그리고는 뱀사골 잣밭머리 부근까지 10여 리를 끌고 가서는 돌로 때려죽인 뒤에 돌밭에 묻어 놓고 가버렸다.

그런데 그 중에서 조동철만이 다행히 죽지 않고 살아서 돌아온 것이다. 이 끔찍한 사실을 듣게 된 당국에서는 산내면 오지 마을 전체에 대해 음력 7월 말일에 긴급히 소개령을 내리게 되었다. 산내 마을 주민들도 그때에 소개된 것이다.

6 · 25 때에도 빨치산들이 지리산 곳곳에서 활동하므로 수복령이 허용되지 않았다.

9 · 28 수복이 되자 군부대 11사단이 빨치산 토벌작전에 참여하기 위하여 마을에 자주 들어왔다. 들어와서는 비어 있는 집마다 무단으로 들어가서는 건물이며 가제도구까지 불살라버려, 부락 전체를 초토화시켜 잿더미로 만들었다. 그 후 부락은 인적이 사라지고 사금파리, 솥 깨진 것 등이 온통 널려 있게 되었고, 그 위에 무성하게 자란 쑥대와 가시넝쿨이 꽉 들어 차 있게 되었던 것이다.

이제 수복령이 내려지자 조상 대대로 살아온 터전이자 보금자리로 돌아온 이들은 너무나 기뻐하는 것이었다. 그러나 한편으로는 세상을 원망하기도 하고, 한말의 매국노와 친일주구들의 야비한 만행을 성토하기도 하고, 아득하기만 한 앞날을 걱정하기도 하는 등 기쁨도 잠시 걱정이 앞서는 것이었다.

모든 전답들은 그 동안 농사를 짓지 않아 새로 개간하듯이 해야 했다. 당분간은 농사도 짓지 못하여 먹을 것이 없었다. 그래서 지리산에 자생하는 초목에 의존해야 했다.

그래서 우리 중대는 매일 같이 일찍 산 속 깊이 들어가 정찰을 먼저 하고 주민들의 작업을 돌보아 주었다. 정찰 중에 산짐승을 보게 되면 총성을 내게 되므로 잡지 말라는 상사의 지시가 있었으나, 나는 무조건 잡으라고 했다. 주민들이 생계가 막연하여 굶주리고 있는데 수렵을 해서라도 연명을 시켜야 했기 때문이다.

그리고 주민들에게는 각자의 특기에 따라 각종 목기木器를 만들어서 생계를 유지하도록 권유했다. 만약에 재산자를 만나게 되면 친절하게 대해주도록 하고 나에게 사실만을 꼭 말해 달라고 했다.

이와 같이 주민들의 생활대책을 강구하여 너나 없이 살아가게 되었으나 각 세대마다 커 가는 아이들의 취학이 큰 문제였다.

내령리는 관할 산내 초등학교에 취학을 했으나, 부운과 반선 관할은 방치할 수밖에 없었다. 그래서 우리 중대 선임하사 이태환에게 아동교육을 맡아 해줄 것을 부탁하였다. 그는 쾌히 승낙을 하였다.

그래서 바로 추진을 하였다. 우선 천막을 치고 그 안에서 공부를 하는데 그 숫자만도 100여 명이나 되었다.

이태환 선임하사는 이북 출신으로 6 · 26 때 월남하였다. 목포여중 교감발령을 받기도 하였던 사람이라, 아이들 교육은 아주 잘하였다.

어느덧 계절이 바뀌어 겨울이 왔다. 이제는 우리 중대도 월동준비가 시급하였다. 마침 우리 중대에 산내면 출신으로 나무를 잘 깎는 기술자가 두 명이나 있었다. 나는 바로 남원에 나가 목기木器 공장을 경영하는 김일곤을 찾아가, 앞으로 우리 부대에서 목기 초가리를 해주겠으니 선금을 줄 수 없느냐고 했더니 쾌히 승낙을 하는 것이었다.

선금을 가져다가 목기를 깎는 도구로 기계를 두 대 샀다. 우리 중대 안에다가 장치를 하고 우리 대원들은 물론이요 주민들까지도 나무를 해오라고 시켰더니 잘 해오는 것이었다.

계획대로 진행이 잘 되어 수입이 매우 좋았다. 그뿐만이 아니라, 영양가 있는 부식을 우리 대원들에게 주기 위해 우리 중대 안에다가 두부공장을 차려 놓고는, 맷돌을 사고 콩을 사다가 두부를 만들어 먹게 되자 주민들까지 해 달라고 하므로 보급을 해주었다. 자급자족의 생활을 하면서 영양도 보충하게 되자 호응이 매우 좋았다.

이러한 사실이 대원들의 구전으로 널리 전파되어 우리 중대로 입대하기를 희망하는 자가 더러 있게 되었다. 이들을 맡아 주었더니 우리 중대 총 인원수가 57명이나 되었다. 인원이 늘어나게 됨에 따라 중대경비도 이상 없이 하게 되었고, 목기 작업도 순조롭게 할 수 있었다.

그러나 엄동설한이 닥쳐오니 대원들의 월동용 방한복이 있어야 했다. 그 동안 부업으로 하여 돈이 모여 있는 것이 있어, 신품으로 상하복을 구입하여 전원에게 입혔다. 월동을 위한 주식과 부식도 원만하게 해결되었다.

그리고 부업으로 버는 돈 중에서 일정한 금액을 공동명의로 저축하는 것 외에는 각자에게 용돈까지 차별을 두지 않고 나누어 주었더니, 경찰관이라면 생트집이나 잡아가면서 자기 복장 채우려는 이 세상에 처음 겪는 일이라고 감탄을 하는 것이었다. 모두 얼굴 가득 웃음을 띠우며 성심껏 최선을 다해 일하는 것이었다.

그뿐만이 아니었다. 정찰대 역시 매일 정찰하기 위해 나가기만 하면 노루·멧돼지·오소리·토끼·꿩·너구리 등 한두 마리는 꼭 잡아왔으니, 먹고 입고 잠자는 것은 각자의 가정생활보다 오히려 훨씬 났다는 말들을 이구동성으로 하는 것이었다. 이러한 분위기가 되자 모두들 매사에 솔선수범을 하는 것이었고 사기도 좋았다.

이렇게 지내던 어느 날 새로운 정보가 입수되었다.

그간 재산자 중에 자수자와 생포자가 있었는데 자수자 중 이수일이라는 사람의 말에 의하면, 우리 중대 앞산까지 와서 우리 부대의 동정을 살핀 적이 있었는데, 황의지 씨가 여기에 주둔하고 있다는 것을 듣고는 겁에 질려 도망을 친 사실이 있었다는 것이었다.

지금 재산자들은 무식하고 고지식하며 지리에 밝고 당에 신임을 받은 선요원이나 대원들만이 남아 있었는데, 당국에서는 귀순자들이나 생포자들을 통해 박양기·강철·정순덕 등 3명이 남아 있는 것으로 판명이 되어 있었다.

그러자 남원경찰서에서는 자수자와 생포자로 새로운 공심대를 조직하였다. 그들을 통해 다시 산에 투입시켜 자수공작을 빈틈없이 추진하였다. 그 결과 남아 있는 빨치산들이 모두 자수와 생포로 일망타진되었다.

참으로 오랜 투쟁의 역사에 막이 내린 것이다.

빨갱이라는 오명으로 누구도 역사적으로 바르게 평가해주지 않는 투쟁이었다.

나는 마지막으로 빨치산이 사라졌다는 말을 들으면서, 회문산, 운장산, 덕유산, 팔공산, 지리산 등 곳곳에서 흘린 그들의 피가 언젠가는 제대로 평가받을 수 있기를 간절히 기원했다.

드디어 1956년 6월 지리산 평화제를 올리게 되었다.

나는 원혼이 된 빨치산이나 군경들 모두에게 명복을 빌었다.

모두가 한바탕 꿈처럼만 느껴졌다. 그러나 그들만큼 치열하게 한 시대를 살아간 사람들이 있을까 하는 생각을 했다. 자기가 믿는 것을 위해 목숨 바쳐 살았다는 사실이 그들을 위한 유일한 위로일 것이다. 다만 뜻을 이루지 못한 안타까움은 남아 있지만, 인생은 모두가 목표한 것을 성공적으로 달성하며 살아가는 것은 아니지 않는가. 때로는 실패한 삶도 있는 것이다. 그러나 실패한 삶이 모두 잘못된 것은 아니다. 오리려 성공했던 삶 같았던 것이 시간이 흐르고 나면 실패한 삶으로 판명이 나는 경우도 얼마든지 있다.

빨치산의 활동은 아직 우리 역사에서 정당하게 평가받지 못하고 있다.

나는 그들의 넋을 추모하며 복받치는 감정을 가누지 못해 눈물을 흘렸다.

나의 동지 빨치산이여! 이제는 편히 쉬시게!

나는 평화제를 마치고 내려오면서 산에서 나와 자수한 이후 주마등처럼 스쳐 가는 지난 3년간을 생각했다. 1953년 5월 중순경에 남경사 수용소에서 군사재판을 받고 남원경찰서로 압송되어 갔던 일, 이규형 서장의 제의로 판검사의 기소유예처분을 받고는 남원경찰서 사찰유격대로 의경생활을 하던 일, 의경생활 3년 동안 전원 사고 없이 무장해제를 한 일 등등.

 이제 지리산 평화제까지 올리고 모든 것을 마무리 짓고 내려오게 되니 감개가 무량하였다.

 지리산 평화제가 올려지고 나자, 이제 주민들은 옛날 살던 삶의 터전으로 돌아가서 살게 되었다.

 우리 부대는 무장 해제와 더불어 해산되었다.

 빨치산도 사찰유격대도 모두 역사 속으로 사라지게 되었다. 그와 함께 나의 빨치산 투쟁도 역사 속으로 사라지게 되었다.

제4부

지리산 뱀사골

반선마을 정착

　전 민족의 여망인 민주민족 통일독립 국가를 만들기 위해 이 한 목숨 바치겠다며 전 민족 앞에 맹세하고, 정의의 깃발을 높이 들고 국내의 친일주구도배들과 미제국주의자들과 수 년 동안을 싸우던 중, 동지들은 모조리 저승에 보내고 이제는 나 혼자 남았으니 참으로 허망하고 어이없는 일이었다.

　그뿐이랴. 일본제국주의와 항전하다가 8·15 해방과 더불어 고국을 찾아왔던 중국 상해임시정부 주석이신 김구 선생은 1949년 6월 26일 안두희의 총탄에 맞아 돌아가셨다. 이 얼마나 가슴 아픈 일인가. 민족의 정기가 사라지고 만 통탄할 일이다.

　그리고 정당한 우리 민족의 전통을 이어받은 나라였다면, 매국노와 친일주구 역도들을 숙청하는 것이 당연하건만, 오히려 애국지사를 살해한 자를 살려두고 있으니, 어찌 한심하고 한탄스럽지 않겠는가. 또 한 번 정치를 원망할 뿐이다.

국회에서 청문회를 열어 시비흑백을 엄중하게 가리면서도, 나라를 팔아먹고 민족을 팔아먹은 그자들을 문책하지 않고, 오히려 부귀와 영화를 누리게 방치하는 것은 무슨 경우인가.

나라를 사랑하는 지사들은 알 것이다. 지난 날의 역사는 미래를 밝혀 줄 이 민족의 등불이라는 것을. 고려 말엽 72현이나, 조신시대 단종 때의 사육신은 민족의 혼을 일깨워 주는 분들이다.

나는 포로로 끌려가 있던 중에 부모님의 상을 당했고, 재산 활동을 하던 중 조부와 장인상을 당했다. 산간 오지를 돌아다니면서 집안 어른들의 상도 치르지 못한 불효자가 되었다. 마음이 무거웠다. 그것은 오로지 민주민족 통일독립 국가를 실현하기 위한 투쟁이었다.

이런 저런 이유로 나는 모든 것을 단념하고 고향 순창으로 돌아가고자 하였다.

그러나 이 지방 수복지구 주민들은 6 · 25를 전후해서 얼마나 심한 충격과 고통을 당했는지 나에게 사정을 하는 것이었다.

"당신이 여기 있어서 우리들은 안심하고 살아왔는데, 당신이 떠나가면 우리들은 두렵기 한이 없었습니다. 무서워서 단 하루인들 마음을 놓고 살 수 없으니, 우리와 같이 삽시다. 참으로 마음이 놓이지 않소. 무슨 일이 있을 것만 같습니다."

그뿐만이 아니었다. 북한 출신 세 명도 나에게 간청을 하는 것이었다. 한 명은 6 · 25 때 목포여자중학교 교감으로 발령을 받고 남파되었다가 9 · 28 수복후에 부득이한 사정으로 입산하여 전남도당부 당학교 강사로 있었던, 평북 정주군 고덕면 원호동 출신의 전주 이씨 이태환이었다.

또 한 명은 전북 직업동맹 조직부장으로 발령을 받고 남파되었으며, 9·28 수복 후에 부득이한 사정으로 입산하여 그 직에 그대로 배치되었던 평양 출신의 강명현이었다.

또 한 명은 전북 민청간부로 남파되었으며 9·28 수복 후에 입산하여 그 직에 그대로 배치되었던 황해도 해주 출신으로 함안 조씨인 조중중이었다.

이들은 모두 각자 다른 곳에 있었으나, 다 같이 1953년 4월경에 생포되어 남부지구 경비사령부 포로수용소에 있다가, 남원경찰서 이규형 서장의 따뜻한 배려로 남원경찰서에서 신설한 사찰유격대에 함께 있으면서 의형제를 맺었으며, 생사고락을 함께 해오다가 이제 자유의 몸이 된 것이다.

사실 그들은 이곳 남한에 연고지가 없는 사람이었다. 그러니 그들만 남겨 두고 나 혼자 고향이 가까이 있다 하여 갈 수는 없었다. 그것은 의리와 인정과 도의를 저버리는 것이었다. 이와 같은 연유로 해서 나는 여기 반선마을에 그대로 정착을 하기로 결심을 하게 되었다.

그러자 만 3년간을 같이 사찰유격대에서 지내왔던 대원들 중에 보절면 출신 양병만 외에 대부분이 내가 살 집을 걱정하였다.

그리고는 그들은 지리산 국유림에서 집을 지을 수 있는 재목을 베어다가 집을 지어주는 것이었다. 집은 네 칸 집으로 살 만하였다.

그저 빈터가 있어서 지주의 허락도 없이 나의 새로운 터전을 마련하여 새로운 발걸음을 내딛게 되었던 것이다.

그러자 부동산 소유주인 김용권 씨가 찾아왔다. 산내면 오지에서는 부유하게 살다가 소개되어 나갔다가 여러 가지 사정으로 입주를 못했다면서 인사를 하는 것이었다. 그는 이곳이 부운리 242번지 전 640평인데 이미 집을 세웠으니 그 토지를 사든가, 아니면 철거를 하든가 결정을 하라는 것이었다.

나는 지주의 승낙 없이 건물을 세운 것을 사과하고, 평당 시세를 물었더니 50원을 말하는 것이었다. 당시의 시세보다는 턱없이 비싼 것이었다.

나의 입장은 난처하였다. 할 수 없이 그 중에 100평 정도만 집을 짓도록 허락을 해달라고 사정을 하였으나 그렇게도 할 수 없다는 것이었다.

그래서 세워 놓은 집을 철거하겠다고 하고 난 뒤에 다시 집터를 물색하였다. 그러나 어디를 정하게 되든지 또 그와 같은 경우가 될까 걱정이 되어 얄궂은 물수렁 진터밭은 설마 집을 짓는다 해도 말까지는 없으리라는 생각이 되어, 그 물수렁을 파헤치고 집터를 다듬었다. 그러나 네 칸 집은 세울 수가 없었다. 세 칸도 못 되는 집을 간신히 지었다.

그리고는 처자를 데려와 깊은 산중마을인 반선마을에 살림을 꾸렸다. 삭녕 최씨 최성탁 씨의 3녀로 18살에 결혼한 아내, 결혼하고 군에 가기까지 만 4년 동안 함께 산 것은 불과 1년도 채 되지 않는 불쌍한 아내이다. 공부를 한다, 사업을 한다, 밀항을 한다, 징병 기피를 한다 하며 여기저기 다니다가 그렇게 함께 있을 시간이 없었던 것이다.

그 후 아내는 나이 22세가 될 때 일본의 강제 징병으로 끌려가 1949년 5월 초에 귀환하기까지 3년 6개월여 동안 소식조차 모르는 남편을 기다리며 지냈다.

그 해 6월에 순창 회문산으로 입산하여 유격투쟁을 하다가 생포되어 남원경찰서 유치장에서 나를 한 번 만났다.

다시 자유 없는 몸으로 지리산 주변에서 사찰대원으로 활동하다가 1956년 비로소 자유인의 몸이 되어 반선마을에 정착하는 나를 따라 오게 되었던 것이다.

18살에 시집을 온 아내는 35살이 되어서야 남편을 만나 살림다운 살림을 차리게 된 것이다. 아내와 함께 시간을 보내면서, 나는 처음으로 그동안에 살아온 이야기를 자세하게 듣게 되었다.

내가 28세 때 회문산에서 투쟁을 하다가 몸을 심히 다쳐 몸조리를 하려고 잠깐 처갓집에 들러 아내와 함께 지내면서 생긴 아이로 인해 갖은 고초를 겪었던 모양이다.

재산자 가족에 대한 사찰이 심한 상태에서 갑자기 애를 가졌으니 형사들이 모를 리가 없었다. 그들은 찾아와서 별의별 소리를 다 퍼부어 대며 어떻게 애를 갖게 되었는지 대라고 다그쳤다고 한다. 하도 자주 찾아와 온갖 협박과 공갈을 퍼부어 대는지라 몸을 피할 곳도 없고 하여, 할 수 없이 피해간다는 것이 대강면 강석골 큰형님(형부되는 허종)댁을 찾아갔다고 한다.

배 속에는 아이가 있어서 자유스럽지 못한 상태에서 하룻밤을 자게 되었다고 한다.

그런데 날이 샐 무렵이었다. 난데없이 군인들이 동네를 포위하고 마구 총을 쏘아대기 시작하였다. 동네는 온통 아수라장이 되었다. 그러다가 잠시 총성이 멈추면서 군인 중에서 어떤 사람이 집집마다 다니면서 모두 나오라고 외쳐대는 것이었다.

그 소리에 더욱 놀라 도망을 쳤다. 캄캄한 밤중에다가 낯선 동네이니 무조건 군인들이 없는 한 방향으로 달리는 수밖에 도리가 없었다. 달려 간다는 것이 마을 앞을 흐르는 냇물이었는데, 건너려다가 그만 몸이 무 거워서 그런지 넘어져 허우적거리게 되었다.

그때였다. 총소리와 고함소리가 요란스럽게 울리며 한 사람이 아내가 있는 곳으로 달려오고 있는 것이었다. 아내는 어둠 속에서 군인이 달려 오는 줄 알고 물속에서 몸을 웅크리고 숨는다는 것이 냇가에 있는 풀섶 이었다고 한다.

그런데 그 사람이 아내에게 다가오는 것이었다. 아내는 이제는 죽었 구나 하고 눈을 감고 있는데, 아내를 쳐다보더니 아내 옆에 있는 풀들을 더 덮어 보이지 않게 하고는 가버렸다고 한다.

아내는 그대로 죽은 척하고 한두 시간을 옴싹달싹 하지 않고 있다가 군인들 고함 소리와 총소리가 잠잠하게 되자, 이제는 모두 떠나갔다고 생각되어 자리를 털고 일어나서는 곧바로 큰형님 댁을 다시 찾아갔다고 한다.

가서 보고는 너무나 처참한 광경에 놀라지 않을 수 없었다고 한다.

형님 내외와 고등학교 재학중인 큰아들 태종이까지 모두 끌어다가 총 살을 시킨 것이었다.

온 동네 사람이 총살을 당했는데 모두 62명이나 되었다고 한다. 그날 밤 죽은 사람은 인근 마을 주민까지 모두 90여 명이나 되었다고 한다.

참으로 잔인한 처사가 아닐 수 없었다. 아무리 재산자 가족이 많다 한 들 그렇게 온 마을 주민들을 잔인하게 죽인다는 것은 인간의 탈을 쓰고는 있을 수 없는 일이었다.

그러한 난리통에 용케도 살아남은 아내는 할 수 없이 다시 친정으로 돌아왔다고 한다. 머리에는 수건을 깊게 눌러 쓰고 눈을 피해 가며 와서는 꿀 먹은 벙어리처럼 생활을 하기 시작하였다고 한다.

겨우 아이를 낳아서 키우는데, 그 당시 죽일 듯이 위협을 하고 행패를 부린 형사들의 만행을 어찌 다 말로 형용할 수 있겠느냐며, 아내는 눈물을 글썽였다.

그렇게 살면서 몇 해를 지나던 차에 내가 살아서 남원 군인포로 수용소에 있다는 전갈을 받고 잠시나마 시간을 내어 애를 업고는 부리나케 수용소까지 달려왔던 것이다.

가까이 하는 면회는 사절 당하고, 멀리서 보는 것만 허용되는 면회로 몇 마디 주고받으며 내가 살아있다는 것만 확인하였다. 그리고 돌아온 즉시 시조부님을 찾아가 뵙고 남편이 생존해 있음을 말씀드리고, 남편을 어떻게 구제할까 논의를 드렸다고 한다.

"집안에 돈이 없는 것은 저도 잘 알고 있습니다. 그러나 사람이 있고 재물이 있을 것이오니 우리에게 몫이 주어져 있는 전답을 처분해 주십시오. 이제부터 애비 구출운동에 힘을 써 보겠습니다."

조부님은 한참을 말씀하지 않으시다가 "후유!' 하고 한숨을 내쉬시면서 하시는 말씀이

"아가야, 네가 진정 네 남편을 힘써 구출하고자 하는 심정을 모르겠느냐. 나 역시도 그러한 생각이 없겠느냐. 그러나 네 남편의 경우는 돈 가지고는 해결이 되는 경우가 아니다. 허니 그 생각은 단념하고, 너는 그 애나 잘 키우고, 그 땅 가지고 사는 것이 좋을 것이니라."

하시고는 허락을 하지 않으셨다고 한다.

아내는 이 소리에 너무나 서운하고 안타까운 나머지 그만 실성을 하였다고 한다.

아내의 말을 들으면서 나는 가슴이 아팠다. 나 때문에 겪은 아내와 가족들의 고통을 이제야 알고 나니 죄책감이 나를 짓누르는 것이었다.

드러나는 양민학살

국군 11사단이 지리산 오지 마을들을 두루 다니면서 무자비하게 양민을 학살한 사건은 수없이 많았다.

우선 경남 함양 농협창고 사건이다. 주민들은 아무것도 모르고 농협창고로 끌려가 갇히게 되었다. 군인들은 그 속에서 사람을 비틀고, 찌르고, 패고, 물에 처넣고, 거꾸로 매달고, 전기고문 등을 하는 등 갖은 만행을 자행하였다.

외치는 절규는 지붕이 떠나갈 듯이 울렸다. 사람을 그렇게 잔인하게 죽이는 것을 보면 사람도 별 수 없이 짐승일 수밖에 없다는 생각이 들지 않을 수 없었다.

사람을 굴비처럼 엮어 끌어내고는 너나없이 풀이 죽어 있는데, 농협창고를 나온 이 행렬은 잠두봉 골짜기로 끌려가서는 모두 총살을 당하였다.

그 총성은 덕천강 일대를 뒤흔들면서 퍼져나갔고, 피는 지리산 골짜기를 적셨다. 그날 죽은 사람들의 숫자가 무려 700여 명에 이르렀다.

그리고 이곳에 자랑스럽던 우리의 전통문화재인 칠불암은 열흘이나 넘게 타면서 하얀 재만 남기고 사라졌다. 그 재가 바람에 온 골짜기로 퍼져 나갔다.

11월 초에는 구례군 산동면 중동마을에서 부락민 70여 명이 조재미 대위의 부대에 의해서 즉결처분되었다.

이어서 대원사 · 법계사 · 연곡사가 차례로 소각되었다. 하동 · 청암 · 단성 · 산청 · 시천 · 삼장면 내의 오지는 전부 초토화되었고 주민들은 풍비박산이 되었다.

그 중에서도 특별히 3연대 2대대 정보참모인 김 모 대위를 사람들은 "염라대왕"이라고까지 불렀다. 그 이유는 김 대위는 죄를 묻지도 않고 죽였기 때문이다. 또한 지리산 일대에 2,000여 호의 집이 소각되었다. 마천골에 영원사와 벽송사가 이때에 소각되고, 법화사도 소각되었다.

또 하나 빼놓을 수 없는 일은 1951년 2월 10일경에 일어났던 유명한 거창 사건이다.

경남 거창군 신원면에 빨치산 토벌차 나갔던 국군 11사단의 한동석 대대가 젖먹이를 포함한 어린이 227명과, 60세 이상 노인들 180명, 부녀자를 포함하여 모두 663명을 통비분자通匪分子로 몰아 모조리 기관총으로 학살한 사건이다.

이 사건은 후일 계엄사령부 민사부장 김종원이라는 작자가 국군사병을 빨치산으로 위장시켜 국회조사단의 접근을 방해한 사건으로도 더욱 유명하였다.

이 사건을 계기로 국회조사단이 조사한 바에 의하면, 토벌대에 의한 무고한 양민학살이 경남 2,892명, 경북 2,200명, 전북 102명, 전남 524명, 제주 1,878명 등 8,522명에 달해 세상 사람을 놀라게 하였다.

그러니 당시 산간부락 마을 주민의 고통과 공포가 어떠했으며, 아무리 전시라 하지만 사람의 목숨이 얼마나 보잘것없었던가를 짐작케 하는 것이었다.

이것은 임진왜란 당시 진주성을 함락하고 일분군이 성민을 물에 처넣어 죽이거나 창고에 집어넣고 불태워 죽이는 등 한 자리에서 잔인하게 무려 6, 7만 명을 죽인 것과 다름이 없었다. 또한 1,597년 남원산성에서 만여 명을 그와 같이 죽였다는 사실과도 무엇이 다르겠는가.

바로 이러한 일들은 해방 후 친일주구도당들이 집정하자 식민지 통치 하에서 지은 죄를 민족 앞에 사죄는 고사하고, 오히려 과거를 은폐하려는 수작과 그 수명을 더 연장하기 위해 선량한 청년들에게 군복을 입히고 능력 이상의 계급을 달아주면서 동족간의 싸움을 부추겨 온 것 결과였다.

또한 이북 인민공화국에서 매국노와 친일주구도당으로 판정을 받고 축출된 월남자를 여기에 포함시켜 점입가경이 된 그들은, 자신들의 마음에 맞지 않으면 좌익左翼이요, 빨갱이요, 동조자라며 몰아치고 갖은 만행을 저질렀다.

심지어는 우리 민족의 전통문화재에 마구 불을 지르고 파괴하고 훼손하는 일도 서슴지 않았던 것이다.

이승만 대통령은 국민의 아우성 소리는 아예 외면하고, 이들에게 오히려 최고훈장까지 달아주면서 사기를 돋우어 주었다.

그러니 이러한 위정자들을 어찌 괴뢰집단이라고 규탄하지 않을 수 있겠으며, 타도하지 않을 수 있겠으며, 이들 때문에 고통 받는 국민의 아우성을 외면할 수 있겠는가.

이 나라는 친일매국역도들로 인하여 나라를 잃었고, 진실한 애국지사는 친일주구도당들에 의해 죽었다.

세계 강대국이며 승전국인 미국은 제국주의적 야욕을 가지고 원수놈들의 축출은 고사하고 다시 등용하여 정권의 타락을 부채질하였다, 그러니 진실한 애국·애족주의자들이라면 어찌 미국을 좋다고 하겠는가.

이것은 참된 해방이라고 할 수 없고, 일본제국주의의 식민지 통치가 다시 미제국주의의 지배통치로 문패만 바꾸어 달았을 뿐인 것이다. 민족의 들끓는 분노를 외면하고만 있는 정권의 말로는 참으로 명약관화明若觀火한 것이 아닐 수 없다.

과거 친일주구배들이 오늘에 와서 커다란 공을 세웠다 해도, 어찌 과거 일본천황에 대한 충성으로 영화를 누리며 온갖 만행을 저지른 죄에 대한 대가를 무마할 수 있단 말인가. 비록 말단 공무원으로 있었다고 해도 식민지 통치하의 동조자였으므로 마땅히 민족 앞에 정중하고도 진실하게 사죄하고 물러나야 할 것이다.

아울러 그때에 얻은 재물까지도 국고에 헌납되어야 하고, 그것은 독립운동과 애국운동을 한 사람들을 위해 쓰여야 할 것이다.

과거에 대한 엄정하고도 준엄한 청산 위에 다시 세워진 나라라야, 깨끗하고 신성하고 진실한 나라가 될 것이다. 그렇지 않고 어떻게 새 역사를 창조한단 말인가.

새 일꾼을 등용해서 과거의 봉건제도와 식민지 통치 잔재를 일소하고 자유로운 분위기에서 민주민족 통일독립 국가를 세워야만 한다. 이것이 우리 민족의 바른 길인 것이다. 나는 공산주의자가 이 땅에 다시 세워져야 한다고 외치는 것은 아니다. 올바른 역사와 국가가 세워져야 한다는 것이다.

그러나 이러한 길을 공산주의의 정책으로만 단정하고, 탄압하고 학살했던 것은 이승만 정권의 또 하나의 죄악이요 만행이 아닐 수 없다.

그래서 수 십 만 명이 목숨을 초개처럼 버려가며 항미抗美와 구국救國을 외치며 싸웠던 것이다.

나는 이러한 투쟁 속에서 죽을 고비를 수도 없이 넘기며 불사조不死鳥처럼 살아남았다. 그러나 그런 싸움에는 승자와 패자가 있는 법이다. 나는 패자로서 체포되기 전에 두 번이나 자살을 기도하였으나 실패하였다.

함께 투쟁했던 동지들은 거의 세상을 떠나고 빨치산 사단장은 나밖에 남지 않았다. 나의 투쟁, 나의 인생이 비록 역사 속에서 올바르게 평가되지 않고 있지만, 내가 젊음을 바쳐 싸웠던 것은 결코 헛되지 않았으며, 그것도 우리 민족의 소중한 정신적 유산임을 밝히고 싶다.

이러한 말을 남기는 것이 아마도 내가 죽지 않고 살아남은 이유인지도 모르겠다.

삼천리 금수강산에 살고 있는 배달민족 앞에 이제 살 날도 얼마 남지 않은 나로서는 두려울 것도 없고 머뭇거릴 것도 없다. 가슴에 남은 한만은 고백을 하지 않고서는 눈을 감을 수 없다. 그래서 유감없이 털어놓는 것이다.

나는 한말의 우리 선조들을 원망을 하기도 했고, 세상을 원망하기도 했다.

공산세계만을 적으로 여기고 친일파에게는 관대했던 미군정은, 친일을 문제 삼지 않고 단순한 행정편의주의와 자신의 측근이라는 이유로 이들을 재기용하였다.

당시의 정치적 후진성과 친일파들의 비굴한 자기옹호와 저항 그리고 일제에 붙어 일신의 영화를 쫓았던 인사들이, 조국을 해방시키려 했던 애국지사들을 잡아다 가진 고문을 자행했던 일제 고등경찰관 출신의 경찰간부들이 버젓이 고개를 들고 행세하며 기득권을 누리는 불합리한 사회 현실이 자꾸만 생각나는 것은 어쩔 수 없는가 보다.

친일파 변호사 이승우가 재판정에서

"조국이 해방될 줄 몰랐다. 해방이 되리라는 것을 알았다면 그렇게 하지 않았을 것이다."

라고 진술한 것처럼, 나라를 저버린 이 같은 행위에 대한 아무런 응징이 없다면, 또 다시 이 같은 반역행위가 재연되지 말라는 법이 없을 것이다.

일생을 되돌아보니 너무도 빨리 지나갔다.

잔인무도한 일제의 식민지 통치 하에서, 1941년 12월 8일 태평양전쟁이 터진 후로 청년기에 일제의 징병에 끌려가 이국 땅 중국 남경에서, 만주에서, 소련 땅 전쟁포로수용소에서, 귀향하여 불의에 항거하며 산 속에서…….

나라와 민족을 위해 목숨을 바쳤건만 아무런 보람도 없이 종말을 짓고 나니 애국·애족 지사의 영령 앞에 송구스러울 뿐이다.

무엇보다 통일된 민주 독립국가는 언제나 볼 수 있는지 가히 탄식할
뿐이다.

생활의 터전

　지난 날 남원경찰서장 이규형 씨의 말과 같이 안락한 가정을 이루고 살기 위해 무장을 해제하고 일반 서민으로 돌아와, 그날부터 지리산 뱀사골 반선마을에 정착하였지만 살아가는 일은 재산활동만큼이나 쉽지가 않았다.

　한 번 마련한 4칸 집을 집 주인이 비워달라는 통에 옮겨 지은 3칸 건물을 대원들이 다시 지어 주었는데 그래도 살 만한 집이었다. 도둑질도 해본 사람이 잘한다고 집도 지어본 사람이 잘 지었다. 대원중에 최길우·장창균 두 친구가 집을 지어본 적이 있어서인지 제법 쉽게 완공할 수 있었다.

　이때에 최길우가 장사를 해보고 싶다며

　"남원 시내에 도매상을 아는 사람이 있소?"

하고 묻는 것이었다.

"남원에 상인들을 어찌 내가 알겠는가?"

"앞으로 상인들과 손을 잡고 돈을 좀 벌어야 하겠소. 내가 아는 사람이 있으니까, 나가서 물건을 사올 터이니 돈을 좀 빌려주소."

의심치 않고 돈을 있는 대로 주었는데, 그때 백미 80㎏ 4가마 대금과 같은 돈이었다.

그런데 최길우는 돈을 가지고 물건을 사오겠다고 나간 지 3일이 되어도 돌아오지도 않고 소식조차 없는 것이었다.

반선마을에 살고 있는 영림서 직원이 알려주기를 최길우는 운봉에서 도박판에 어울려 있는 것을 보았다는 것이었다.

너무나도 어이없는 말이었다. 나는 즉시 운봉으로 달려갔다.

도착해 보니 과연 들은 대로였다. 돈은 있는 대로 다 털리고는 눈이 벌겋게 충혈되어 있었고, 몰골이 꾀죄죄한 것이 말이 아니었다.

나를 보더니 고개를 숙이며 미안해하였다.

"어떻게 해서 도박판이 열리게 되었소?"

하고 물으니,

"처음에는 오락으로 했던 것이 이렇게 도박으로 되었소."

하는 것이었다.

도박에는 사기와 협잡이 뒤따르기 마련이다. 오락처럼 유혹을 하여 끌어들이고는 알몸만 남기고 다 털어먹는 것이 도박꾼들의 수법인 것이다.

도박에 미치면 본심을 망각하고 절도와 강도까지도 불사한다는 것은 이미 잘 알려진 사실이다. 또한 이와 같은 생활에 젖은 사람은 자신뿐만 아니라 가정까지도 망가뜨리고, 나아가 사회와 국가의 발전까지도 저해하는 사회악 중의 악이 되는 것이다.

소련 수상 스탈린이 말한 바와 같이

"살기 위해 일하지 않은 자는 먹지도 말라."

라는 구호처럼, 일하지 않고 사기를 쳐서 돈을 벌려는 사람들에 대해서는 강력한 단속이 뒤따라야 하지 않을까 하는 생각이 들었다.

도박판에 어울린 최길우를 보면서 도박이라는 것은 예의도 도덕도 없는 인간으로 전락하게 만들고, 남까지도 망가뜨린다는 것을 크게 깨달았다.

긴 고통의 세월을 접고, 아내와 자식을 데리고 초가 3칸을 장만하여, 이제 막 사회생활을 시작하려고 하다가 불의의 사기를 당하고 나니 참담하기만 하였다.

그리고 잘 아는 사람에게 그러한 일을 당하고 나니 배신감마저 느끼지 않을 수 없었다. 당장 의식주를 해결하는 것도 어렵게 되었으나, 그렇다고 금방 돈벌이를 할 수 있는 여건도 아니었다.

이때에 나의 가족은 모두 6명이었다. 나와 아내, 그리고 아들 말고도 세 명이 더 있었다. 이북출신 중에 강명현과 조중중은 인근 마을에 수양모를 정하여 가서 있었고, 이태환은 함께 살고 있었다. 그런데 그 많은 식구를 무엇으로 먹여 살려야 할지 난감했다.

할 수 없이 지방 주민들과 더불어 지리산 임산물에 의존할 수밖에 없었다. 주민들 중에는 제기祭器를 깎는 기술자도 있었고, 방망이를 깎는 기술자도 있었다. 그 외에 함지박·나막신·주걱 등 나무로 된 가정살림 도구를 만드는 기술자들도 많았다. 그 외에 손쉽게 하는 일로는 원목을 절단해서 내다 팔아 먹고사는 사람도 있었다.

　나는 그나마 그것을 내다 파는 일을 하게 되어 생계를 꾸며 나갈 수 있었다. 그리고 이태환은 당초 교원출신으로 수복지구 주민이 입주할 때부터의 아동교육에 헌신해 왔으므로, 이후에도 아이들을 가르치면서 생활을 할 수 있도록 배려해 주었다. 그가 있다는 것은 아이들에게는 다행한 일이었다. 주민들에게도 무한한 존경을 받았다.

　이 말을 전해들은 당시 산내면 지서장으로 있던 송윤식 경위는 애들의 교육을 더욱 효율적으로 하기 위해서는 임시 가건물이라도 세워 겨울에도 할 수 있게 해야 한다며 손수 나무를 베어 나르자, 학부형들도 한 사람도 빠짐없이 참여하여 순식간에 3칸 집이 세워졌다.

　이때에 학생들이 100여 명이나 되었지만 그래도 수업이 원만하게 이루어지게 되었다. 나는 교육이 원만히 이루어질 수 있도록 적극 후원했다. 아울러 수복지구 주민의 생활까지도 신경을 썼다.

　그러나 수복지구 주민들은 마치 사회의 초보자와도 같았다. 생활의 터전이 깊은 산중이기 때문에 농토는 파전播田이 고작이어서 고된 노동을 해도 먹고 살기에는 빠듯했다.

　의식주를 원만하게 해결하기 위해 가장 근본이 되는 것은 근면이었다. 그 근면을 바탕으로 각자가 지니고 있는 특기와 취미를 살려 한 가지 일에 집중한다면 약간의 무리가 있어도 극복할 수 있다는 것을 역설하고, 주민들에게 능력과 재능에 맞는 일을 할 수 있도록 도와주었다.

　1958년도 여름철로 접어들었다. 나는 모두가 잘 살 수 있는 일을 찾기 위해 궁리하던 중에 지리산의 무궁무진한 자연 수림樹林을 개발하기로 계획을 세웠다.

그러기 위해서는 공장을 설치하여야 했다. 공장을 설치하기 위해서는 수력에 의한 동력부터 마련하는 것이 필요했다. 문제는 자금이었다.

한 사람의 능력으로는 도저히 불가능한 일이었다. 세 사람이 합자를 하여 원주민 중에 김도준과 남원시가에 사는 진현택 등의 동의로 수차시설水車施設을 먼저 만들자는 데 의견의 일치를 보았다. 수차시설은 당시에 전기가 들어오지 않았으므로 전기를 일으키는 동력을 만들고자 함이었다.

그러나 당장 수중에 돈이 없으니 난감했다. 할 수 없이 먼저 전주에 있는 외가를 찾아가 소 1마리 보조받고, 처가에 가서 백미 3가마를 보조받았다. 또 큰집에서 가서 논 3마지기를 보조받았다. 그것으로 상당한 자금을 준비하여 추진했다. 그래서 동력이 날 수 있는 정도까지는 진척을 보았으나, 원주민 김도준의 실수로 준공을 못하고 실패하고 말았다.

합자라고 하는 것은 이렇게 실패할 수도 있다는 것을 절감했다. 사회에서는 오직 경험이 최고라고 하는 말을 들었는데, 바로 이러한 경우 때문에 그런 것이로구나 하는 것을 알 수 있었다.

6·25 전쟁 후에 산간마을이 아닌 야지野地에서도 일반서민들이 곤궁에 빠져 먹고 살기는 마찬가지였다. 그래서 먹고 살기 위해 지리산 오지 마을에까지 오는 사람이 많이 늘어나게 되었다. 그들은 대부분 나무를 도벌(盜伐 : 나무를 몰래 베어다가 팔아먹음)하여 먹고 사는 경우가 많았다.

사람이 모여들자 돈이 생겨나고, 돈이 생기자 그놈의 도박꾼들도 모여들기 시작하는 것이었다.

반선마을도 사람들이 모였다면 으레 도박이었다. 그들의 마음속에는 힘들게 일하지 않고 돈을 벌려는 욕심으로 가득 차 있어서 단속을 한다 해도 근절되지 않는 것이었다.

도박이 난무한다는 소문이 나면서 경찰관이 상주하게 되었으나, 경찰 관도 끼어들어 도박을 하게 되니 무슨 단속이 되겠는가.

결국은 불량배도 생겨나고 폭력사태까지 난무하기 시작하였다. 그 중 에서도 실속을 챙기는 사람은 둘이었다. 하나는 경찰관이요, 또 하나는 술집이었다. 이러한 사회악이 난무하는 환경에서 커 나가는 학생들이 무엇을 듣고 보고 배우겠는가.

맹자의 어머니나 율곡의 어머니 신사임당께서 좋은 환경을 만들어주 기 위해 애쓰셨다는 말을 떠올리지 않을 수 없었다.

그래서 나는 이러한 말들을 자식을 기르는 부모들에게 맹자가 어렸을 때 했다는 다음과 같은 이야기를 간혹 들려주었다.

맹자가 어려서 동네 아들하고 어울려 놀다가 점심때가 되어 집으로 돌아오던 중에 문득 아랫집에서 돼지를 잡고 있는 것을 보게 되었다. 집 으로 돌아오자 때마침 베틀에 올라 베를 짜고 있는 어머니를 보고 아랫 집에서 돼지를 잡고 있는데 무엇을 하려고 잡는 것이냐고 물었다. 맹자 의 어머니는 무심코 맹자에게 주려고 잡는다 라고 대답을 했다. 이 말을 해놓고 곰곰이 생각하니 맹자에게 고기를 해주지 않으면 거짓말을 한 것이 되니, 그 길로 돼지를 잡고 있는 집을 찾아가서 맹자에게 무심코 했 던 말을 하였다. 이 말을 듣게 된 사람도 꼭 쓰기 위해서 잡는 돼지였으 나, 맹자 어머니의 말에 감동하여 고기를 조금 잘라주었다. 그래서 이것을 가져다가 맹자에게 해주었다.

이때에 맹자는 편모슬하에서 자랐다. 살기가 어려워서 한때는 공동묘지 옆에 움막에서 살고 있었다. 어느 날 큰 동네에 초상이 나자 이 공동묘지로 상여가 왔다. 상여꾼이 소리먹이는 소리를 맹자가 듣고는 동무들과 어울려 놀 때는 상여 메는 소리를 흉내 내고 노는 것이었다. 이것을 보게 들은 맹자 어머니는 깜짝 놀라 당장에 시장 근처로 이사를 하게 되었다.

그러자 이번에는 맹자가 시장에서 장사꾼들이 외워대는 소리를 듣고는 장사꾼들이 하는 소리를 그대로 흉내 내는 것이었다. 이것을 지켜본 맹자 어머니는 크게 깨달은 바가 있었다. 즉 크는 아이들은 주변으로부터 듣고 보는 것을 몸에 익히고 배운다는 것을 깨달은 것이다.

그래서 맹자 어머니는 학문을 익히는 서당 근처에 가서 살게 되면 글 배우기에 눈뜰 것이 아닌가 하는 생각이 떠올라, 바로 서당 곁으로 이사를 했다. 그랬더니 과연 글 읽기와 공부하는 것을 보고는 서생들의 모습을 따라 배우기에 열중하는 것이었다. 그래서 맹자는 커서 세인들의 추앙을 받는 성인이 되었던 것이다.

그래서 옛날부터 교육의 지침으로 맹모삼천지교孟母三遷之敎라는 말이 전해오고 있는 것이다.

나는 이런 얘기를 들려주며 자식들의 환경에 신경을 쓰도록 하였으나 귀담아 듣지 않는 것이었다.

바로 이때 김용권 씨가 1956년도에 내가 집을 세웠다가 철거했던 그 집터를 팔겠다고 내놓았다. 나는 그 집터만은 산내면 내삼동의 요지이기 때문에 꼭 매입하고 싶었다.

그래서 아내와 의논을 했다.

"우리가 반선마을에 정착을 했으니, 이 기회에 이 땅만큼은 매입하기로 합시다."

"당신 마음대로 하시구려."

하고는 동의를 하여, 결혼 후에 고향 순창에 사 두었던 땅을 팔아 그 땅을 매입했다. 그 땅이 바로 지금 반선집단시설지구 연립상가가 들어선 땅이다.

그로부터 몇 달이 지난 1959년 대통령선거의 날이었다.

뜻밖에 땅을 팔았던 김용권 씨가 찾아와 말하였다.

"반선마을을 중심으로 저의 전답이 모두 세 곳 60여 두락이 있는데, 한 떼전을 김재준 씨에게 오늘 팔았고, 바로 그 자리에서 또 한 떼전을 황보에게 팔아서, 이제는 한 떼전만이 남았소. 그런데, 이 전답은 황의지 씨가 꼭 사야만 할 것 같아서 일부러 찾아와 말씀을 드리는 것이니 의향이 어떻소"

"고맙습니다. 나는 그 땅만큼은 꼭 갖고 싶으나 돈이 없으니 어찌하겠소"

"우선 매매계약금만 걸고 잔액은 차후에 청산하기로 하되, 만약에 청산기일이 지난다면 약간의 이자까지 첨부해서 준다면 되지 않겠소"

"그렇다면 토지대금은 얼마로 하시겠소?"

"판 예에 따라 주면 될 것이오."

김용권 씨는 본래 반선마을에 사는 사람이었으나, 소개된 후 입주를 포기하고 자신의 토지를 모두 팔고자 하는 것이었다. 모두 팔고 남은 이 전답만 남게 된 것은 이곳이 반선마을의 요지이기는 하나 수로가 멀고 물을 대기가 힘이 들어 아무나 농사를 짓기가 어렵기 때문이었다. 그러나 나의 능력으로는 농사를 지을 수 있을 뿐만 아니라, 내가 가져야만 유지할 수 있다는 생각을 하고는 나에게 권하는 것이었다.

나는 김용권 씨의 후의에 감사를 드리고 매입을 하게 되었다. 그러나 소개령이 내린 1949년부터 오늘까지 10여 년을 묵혔으니 수로가 엉망이었다. 그리고 산중에 여러 개로 나누어져 있어 농사짓는 것이 번거로웠다. 그러나 이것을 잘 정리하면 산중에 이만한 농토를 갖는 것은 쉽지 않겠다 싶어 구입을 하였다.

그리고 전답에 붙어 있는 산까지 매입을 했다. 이제는 영농기반이 충분히 확보된 셈이었다.

모자라는 돈은 고향에 가서 부모님께서 물려주신 전답을 처분해다가 땅값을 지불하였다.

임야와 전답이 모두 한 곳에 있어 조용한 별장을 짓거나 과수원을 만들어도 쓸 만한 곳이었다. 토질이 좋아서 서둘러 잣나무와 낙엽송, 리기다소나무 등 5천여 주를 사다가 심었다.

인간은 자연과는 더불어 사는 것이 아닌가. 물 맑고, 공기 좋고, 산수가 수려한 자연 속에서 사는 것이 얼마나 축복 받은 삶인가.

새로운 개발의욕이 솟구치면서 서둘러 나누어져 있는 논을 정리를 하여 농사짓기 쉽게 만들었다. 그리고 종자를 선택함에 나쁜 품종보다는 좋은 품종을 사다가 뿌리는 등 갖은 노력으로 많은 소득을 얻기 위해 부단한 연구를 거듭했다.

또한 때에 따라 김을 매고, 병충해를 예방하고, 수확하는 일을 한 치의

착오도 없이 실시하였다. 근면하고 성실한 것이 의식주 해결의 근본이라는 것을 실천하였던 것이다.

그러나 당시의 동네 사람들은 나의 사고방식과는 판이했다. 그것은 나도 어찌할 수가 없었다.

동네는 모두 25가구였다. 모두 지리산 자연수림에 의지하고 사는 사람들이었다. 즉 목물木物과 도벌목盜伐木이 고작이었고, 때로는 우수 무렵부터 산후통·신경통·요도에 선약이 된다하여 고로쇠나무에서 수액을 채취하여 파는 사람도 있었다. 그리고 약초·산나물·열매 등을 채취하여 팔거나, 계곡에서 고기를 잡아 파는 사람, 겨울이면 산짐승을 잡아 파는 사람, 한봉(韓蜂 : 우리 토종꿀)으로 꿀을 따서 파는 사람 등 일 년 사철을 산을 의지하고 사는 사람들이었다.

참으로 인간의 생활양식도 각양각색이었다. 그와 같은 형편에 살면서도 이들은 돈이 수중에 들어오면 악습이 되살아나는 사람이 많았다. 그저 앉았다 하면 도박이 일상사였고, 술판을 벌이면서 싸움질이나 하는 것이 예사였다.

결국 어떤 사람은 상습도박자로 전락하여, 아무 때나 노름판만 찾아다니며 인생을 비참하게 사는 사람도 생겨나게 되었다.

외로운 세상을 떨고 굶주리며 살았던 그네들이건만, 이렇게 살아가는 모습을 보면서 안타깝고 한심한 생각이 들지 않을 수 없었다.

용공분자

이때의 국내정세는 평탄치가 않았다.

위정자 이승만이 장기집권을 노리고 사사오입四捨五入이라는 악법을 적용하여 다시 정권을 잡게 되자, 사회가 극도로 혼란 속에 빠졌다.

날마다 정부에 대한 비방의 소리가 고조되어 갔다.

이러한 불만이 결국 1960년 4월 19일 학생 의거로 폭발하고 말았다.

장기집권을 노리던 이승만 괴뢰집단은 무너지고, 이승만은 하와이로 망명했다. 그것은 당연한 일이었다. 이승만의 정권은 과거 치욕의 역사를 청산하지 않고 덮어놓고 너나없이 똘똘 뭉쳐야 산다면서 반공만을 외쳐댔으나, 매국노와 친일주구도배들이 전원 등용되고, 게다가 친일 고등경찰들의 관습적 만행으로 부정부패가 난무하여 결국은 파국을 맞은 것이었다.

다행히 이승만 괴뢰집단이 물러남으로서 제2공화국이 탄생하게 된 것이다.

대통령에 윤보선 씨가, 국무총리에 장면 박사가 선출되어 집정을 하게 되었다.

새로 정권을 잡은 사람들은 치안경찰들의 무식과 무능한 소행으로 민주적 치안이 이루어지지 못했음을 알고 있었는지 학사경찰을 채용하였다. 참으로 다행한 일이었다.

그러나 이 나라 정치는 혁명이 아니었고, 제1공화국 부패정권의 전철을 그대로 밟고 있을 뿐이었다. 때문에 의식개조가 되지 않았다.

이때에 뜻밖에도 남원경찰서 사찰계 형사반장 백남호 외 1명의 형사가 반선까지 나를 찾아와 말하는 것이었다.

"남원경찰서 공심대 조직강화를 하고자 하는데 공심대장직을 맡든가 아니면 고문직을 맡든가 양자의 승낙을 얻고자 왔습니다."

정말 괘씸했다. 당장에 두 팔을 백 경사의 앞에다 내밀면서

"아직도 나를 이용하려는 생각이 있다면 이제는 그만두시오. 날 잡아다 형무소에 보내도 좋으니 이제 와서 그러한 짓은 못하겠소."

하고 완강하게 거절했다. 그러자 백경사는

"의향이 그러시다면 그만두시오."

하면서 돌아갔다.

속담에 '드는 토끼 잡지 말고 나는 토끼 잡으라.'는 속담과 있듯이, 자기들의 상사 매국노와 친일주구도배들은 옹호하면서 스스로 몰락해 가는 세력에만 신경을 쓰고 있으니, 도대체 누가 민족적 반역을 한 자인지

이해할 수가 없었다.

나도 이제는 자유로운 몸이 되어 지방주민들과 더불어 살기 위해 고심중인데, 이제 와서 그러한 언질을 주는 것은, 자수가 되었거나 생포가 되었거나 간에 관용을 받고 사는 옛 동지들에게도 공포감을 주자는 것이 아닌가, 그들이 하는 짓거리가 너무도 한심스러웠다.

그러나 한편 영림서에서는 이승만 정권 때부터 무운리 관내 뱀사골에 국유림 벌채 허가를 매년 2, 3년에 걸쳐 세 차례에 6천 입방미터를 허락해 주었다.

업자들이 들어와서 벌채를 하게 되자, 작업부들이 뒤를 따라 들어와 각처에서 무려 3백여 명이나 들어왔다. 수종을 골라 작업을 하고, 한편 허가지역까지 발파를 해가면서 길을 닦고, 식당도 지어졌다. 살림을 하는 인부도 28세대나 들어왔다.

벌목을 해 나오는 나무를 GMC 트럭이 꼬리를 물고 밤낮 없이 실어냈다. 돈이 모이면서 술집과 도박군이 판을 치기 시작했다.

벌목장은 반선마을에서도 뱀사골 계곡을 따라 20리를 더들어갔다. 작업주는 모두 3명으로 그 중에 국유지 내에 엔진을 들여 놓고 이동해 가면서 수종의 용도에 따라 벌목을 해서 반출하는 사람도 있었다.

사회에서 알기로는 벌목을 허가한 양만 하는 것으로 알고 있지만, 업자들은 대대적으로 벌목을 하고 있었다. 그러나 관계당국은 알고도 모른 체하고 적당한 수법으로 넘기며 업자들로부터 상납을 받는 등 아주 무질서하게 진행되고 있었다.

나도 이때에 사업주를 따라 뱀사골 중간지점 잣밭머리에서 가게를 차려 놓고, 각 작업장마다 모든 생필품을 조달해주었다. 인부들은 당장 돈이 없으므로 임금을 받을 때 갚도록 하고 물건을 대주었다. 약 1년간을 지속적으로 거래를 하였다.

그러던 차에 1961년 5월 16일 군사 혁명이 일어났다.

무혈로 혁명을 성사하였다니 퍽 다행한 일이었다.

제3공화국이 들어서자 영림서에서 이미 불하된 지리산 뱀사골 국유림 벌채허가는 일체 중지되어 원목반출도 허락되지 않았다.

반출을 못하게 되자 인부들은 노임을 받지 못하게 되었다. 노사간에 모두 수족이 일시에 묶여 오도 가도 못하는 실정이 된 것이다.

나 역시 거래장부를 정리하지 못했다. 물건값은 약 3백만 원이나 되었다. 그것이 들어오지 않아 도매로 가지고 온 물건 값이 그대로 빚이 되었다.

그러다 보니 나도 생계가 어렵게 되었다. 자본회전이 막혔으니 모두가 자금이 고갈된 것이다. 그래서 할 수 없이 사업중지령이 해소되기만을 고대하였다.

그렇게 기다리고 있는 참인데, 혁명정부는 이색적으로 용공분자를 색출한다는 보도를 하는 것이었다.

그러고 며칠이 지나자 뜻밖에도 산내 지서에서 두 명의 경찰이 올라와 나를 찾는 것이었다. 자금이 고갈되어 장사는 하지 못하므로, 농사를 짓기 위해 수로 보수작업을 하고 있었다. 경찰들은 나를 보자 무조건 집으로 빨리 오라는 것이었다.

작업을 중지하고 집에 와서 보니, 장 순경하고 노 순경이 와 있었다. 인사조차 한 체 만 체 하면서 무턱대고 책상을 보여 달라는 것이다.

도대체 무슨 영문인지 알 수 없었다. 책상을 가리키면서 보라고 했다. 그러자 경찰은 책상을 뒤져보더니, 그 중에 나의 일기장을 싸들고는 빨리 저녁을 먹고 지서까지 함께 내려가자는 것이었다. 마치 큰 죄인을 대하듯이 다그치는 것이 여간 불쾌한 것이 아니었다.

평소에 잘 아는 처지였으나, 이날따라 하는 짓이 영 달라 보였다. 어딘가 모르게 경찰의 위세가 한껏 올라가 있는 같았다. 그 동안 친했던 관계는 생각지도 않고 안면을 바꾸어 마구 대하는 것이 불쾌하면서도 불안했다.

다짜고짜 가자고 하니 할 수 없이 따라나섰다.

"무슨 일로 가자는 것이오"

하고 물어봐도

"지서에 가 보면 아실 겁니다."

하면서 더는 말이 없었다.

얼마를 무심코 가다가 하도 기분이 좋지 못한 차에 손을 아래 바지에 넣으니 종이가 집히는데, 이것도 말썽이 될까 싶어 길 한쪽에다가 슬쩍 내버리고 따라갔다.

지서가 백일리에 있었으므로 거리는 10㎞ 정도였다.

부지런히 갔으나 밤 9시가 넘어서야 지서에 도달했다.

지서장 이능구 경위는 인사를 하는데 간단히 눈인사를 하고 마는 것이었다. 그리고는 본서 사찰계에게 말하기를

"황의지를 데려왔습니다. 어떻게 할까요?"

하고 전화상으로 보고를 하였다. 사찰주임은 길병래 경위였는데,

"누가 황의지를 잡아오라드냐? 당장에 내보내라!"

하고 추궁을 하는 것이었다. 이때에 전화기는 사무실 어디서나 말이 잘 들렸다. 무슨 대책도 없이 선량한 주민을 잡아오니 한심한 작자들이었다.

이 말을 들은 지서직원들은 미안하게 되었다면서 저녁식사를 가져왔다. 그 밥을 다 먹고 나니까 밖은 한밤중인데 집으로 돌아가라는 것이었다. 그러나 당장에 나올 수는 없었다. 밤이 깊었기 때문이었다. 하는 수 없이 지서 숙직실에서 잠을 자고, 다음 날 아침 일찍 길을 떠났다.

오던 중에 어젯밤에 버린 종이가 무슨 종이인지 그 자리를 살펴보았더니, 지폐 2백 원짜리를 내버렸던 것이다. 그때의 심정이 오죽했으면 그와 같이 돈을 버렸을까 하는 생각을 하니 경찰들이 원망스러웠다. 아직도 내가 사찰 대상으로 주목받고 있음에 가슴이 뜨끔하였다.

그리고 앞으로 어떠한 변고가 있을지도 모르겠다는 생각이 나를 불안하게 하였다. 당해본 사람만이 아는 불안함이었다.

이제는 모든 것을 잊고 농사일에만 열중하느라 여념이 없는데, 오가는 사람 중에 나를 아는 친지들은 일부러 찾아와서 걱정을 하는 것이었다. 경찰서에 끌려갔으니 아마도 빨치산 활동 경력을 문제 삼으려나 보다 생각하여 걱정이 되었던 것이다.

"모든 것을 세상사로 돌리고 살아요."

라는 말만 계속하는 것이었다.

그러나 나는 그 정도나마 알아주는 것이 고마웠다.

"그래요. 우리 다 같이 지난 날의 역사를 회고하면서 잘 살아 보자구요."

라는 인사말을 하고는 논에 나가 매일같이 일에 열중하였다.

그러던 어느 날이었다.

밤중에 군인들이 많이 몰려와서 산내 전체를 완전히 포위하고 있다가, 날이 밝아 오자 각 가정을 일일이 돌며 검문, 검색을 하는 것이었다. 몇 행동대는 그 마을 요시찰 대상자명부를 소지하고 다니는 듯했다. 특히 드러난 대상자는 경찰까지 데리고 갔다.

우리 반선마을에도 대령이 총지휘관을 맡아 수색을 나왔다.

우리 집에 와서는 나에게

"신분증을 보여주시오."

라고 하였다. 신분증을 제시했더니 무조건

"지서까지 갑시다."

하는 것이었다.

기분이 상했지만 갈 수밖에 없었다. 이때 나를 연행한 사람은 먼저 번에 나왔었던 장 순경이었다.

그날은 인월읍 장날이었다. 시장에 온 사람들로 무척이나 붐볐다. 경찰에게 연행이 되어 가는 것이 무슨 죄를 짓고 가는 것 같아 정말로 창피했다. 그래서 나는 장 순경에게 내가 먼저 내려가 지서에 있을 터이니, 뒤에 따라오라고 했더니 눈치를 채고 들어주었다.

내가 먼저 내려가면서 보니 산내 초등학교 운동장에는 이미 많은 사람들이 연행되어 와 있었다. 지서장도 역시 거기에 나와 있었다. 나는 바로 지서장에게 면사무소 숙직실에 가서 있겠으니 무슨 말이든지 하려면 하라고 했다. 그리고는 숙직실에서 쉬고 있었다.

11시경이 되자 우리 마을 이장 양갑열이가 숙직실까지 와서 나의 괴로운 심정을 위로하면서 조반이나 먹으러 가자는 것이었다. 그 마음 씀이 고마워서 식사하러 나가는 중인데, 반선마을에서 가자고 했던 군인 대령을 바로 그 식당 앞에서 만나게 되었다.

대령은 나를 보더니 당장 알아보았다.

"당신, 왜 여기에 와 있어?"

라는 말을 하고는 지나치는 것이었다. 잠시 후 바로 옆에 있는 지서에 가서 내 말을 했는지, 지서 직원 두 사람이 무슨 큰일이나 난 것처럼 뛰어오더니 퉁명스런 음성으로

"빨리 가십시다."

하는 것이었다.

이유도 없이 따라 갔더니, 이미 산내 초등학교 운동장에 연행된 사람들을 전부 데려다가 지서 앞마당에 앉혀 놓고 있었다. 그리고는 헌병대와 특무대가 한 사람씩 차례로 데려다가 심사를 하고 있는 중이었다.

심사를 받을 사람들이 줄지어 앉았다가 한 사람씩 차례차례 들어가 심사를 받는데, 받고 나온 사람들을 이상이 있는 자와 없는 자를 구분해서 따로 열을 지어 앉히는 것이었다.

나는 심사를 받아야 할 사람 줄 뒤에 앉았다가 눈치를 보아가며 이미 심사를 받고 나온 사람 줄 가운데 이상이 없는 사람 줄 뒤로 가서 앉아버렸다.

이때 지서 직원들은 내가 스스로 옮겨간 것을 보고도 못 본 체하고 해주는 것 같았다.

심사가 끝이 나자 오후 2시경에 군인들은 이상이 있다고 따로 열을 지어 앉혔던 17명을 차에 태우고 떠났다.

그 살벌한 경계와 심사의 눈을 다행히 벗어났으나, 두 차례나 당하고 보니 그들 대하기도 무서웠다.

진종일 죄인처럼 이상한 꼴을 당하고 집에 돌아오니, 산판 업자들이나 인부들까지 돈을 언제까지 주겠다는 말도 없이 모두 떠나버렸다. 할 수 없이 큰 빚만 몽땅 떠안고 살아가야 할 신세가 되었다.

그러나 나는 남에게 빚을 지고는 못 사는 사람이다. 그래서 도매상에서 가져왔던 물건 값은 하나도 남김없이 모두 갚아주기로 마음먹었다.

그 뒤 물론 한 번에 다 갚지는 못했지만 시간을 두고 다 갚아주었다. 그러나 내가 산판에 종사했던 사람들한테서 받아야 할 빚은 영영 하나도 받지 못했던 것이다.

6월이 되어 밭을 갈아 콩을 심으려고 이웃마을에서 소를 빌려다가 쟁기질을 한참하고 있었다.

그런데 어디서 난데없는 폭음이 들려왔다.

"쾅!"

나는 깜짝 놀라 두리번거렸다.

"무슨 폭음소리일까"

하면서도 쟁기질에 열중을 하였다.

한참 있다가 우리 동네 여자들이 뛰어오면서 나를 보고는 소리치는 것이었다.

"빨리 와 보세요! 큰일났습니다!"

무조건 빨리 오라고 불러대는 것이었다.

급히 가서 보니 물가에 나의 아들 남연이가 창자가 터져 피가 흐르고 있는 것이었다. 나는 자식이 다쳐 피가 흐르는 것을 보고는, 너무나 놀란 나머지 가슴이 멎는 것 같았다.

아이들 일곱 명이 냇가에서 놀던 중 일곱 살 된 동네 아이가 소련제 연막탄을 주운 것이었다. 그러자 우리 아이 남연이가 가져오라고 큰 소리를 쳤다고 한다. 그러자 그 연막탄을 남연이에게 건네준 것이다. 이것을 받아든 남연이는 돌에 올려놓고 돌멩이로 콕콕 두들기자 갑자기 연막탄이 터지면서 파편이 날아 와 배에 맞은 것이었다. 창자가 터져 있었다. 그러나 목숨만 살아 있었다.

나는 빨리 병원으로 옮겨야 한다는 생각밖에 없었다.

다급히 아들을 보듬어 안고는 병원으로 가려고 버스길까지 뛰어 내려가는데, 때 마침 마을에서 소나무 껍질을 실어 가려고 GMC 트럭이 한 대가 와 있었다. 나는 아들을 아내에게 안겨 놓고 GMC 트럭 기사에게 급한 사정을 말하자, 그는 애를 태우라고 하였다. 얼마나 고마운지 몰랐다. 애를 차에 태워놓고는 상처가 심해지지 않도록 주의를 하도록 하고는, 나는 먼저 뛰어 달렸다.

우선 먼저 치료비를 마련해야 했다. 아들의 상처로 보아 이곳에서는 임시로 응급조치를 하고는, 아무래도 남원도립병원으로 가야 할 것 같았던 것이다.

산내면 삼거리에 도착하자마자 즉시 돈부터 마련하려고 돈을 빌릴 사람을 생각해 보았다. 갈 곳은 양조장뿐이었다. 양조장은 늘 돈이 있는 집이었다. 체면불구하고 들어가서 주인 최봉석 노인에게 사정을 말했더니, 노인은 두말하지 않고 2만 원을 빌려주는 것이었다.

돈을 받아들고 나와서는 우체국으로 달려가서 전화를 걸어 남원택시를 산내까지 와 달라고 하였다. 그리고 약방에 들러 응급조치를 할 수 있는 대비를 하고 있으니, 그제서야 환자를 태운 GMC 트럭이 도착했다. 늦을 수밖에 없는 것이 비포장 도로에다가 교량조차 없었고 더군다나 부상환자를 태웠기 때문에 천천히 올 수밖에 없었다.

약사는 부상자를 보더니, 빨리 남원도립병원으로 가라는 것이었다. 약사의 지시대로 두말 않고 GMC 트럭에 그대로 실어 택시를 만날 때까지 갔다. 가다가 대절한 남원택시가 인월교 쯤에 가니 오는 것이었다.

급히 택시에 옮겨 태우고 남원도립병원으로 달려갔다. 의사는 상처를 보자 말했다.

"위가 터지고 창자가 끊어졌군요. 어렵겠습니다."

그러나 부모된 마음은 자식을 포기할 수가 없었다. 아내는 아이 이름을 부르며 눈물을 비 오듯 쏟고 있었다.

"주사약으로 연명을 시켜가면서, 수술을 하여 상처부분을 낫게 하면 되지 않겠습니까?'

하고 말했더니, 의사는 그렇게 해보자며 수술을 해주었다.

수술을 마치고는 주사를 맞게 되었다. 포도당 주사 같았다. 간호원도 자주 들락거리며 상태를 살펴주었다.

아내와 나는 얼마나 놀랐는지 몰랐다. 하늘이 무너지는 것 같았고, 땅이 꺼지는 것 같았다.

산 속에서 총탄을 맞아가며 죽을 고비를 수없이 넘기며 당당하던 내가 자식이 죽을지도 모른다는 생각을 하자 당황스럽기 그지없었다.

주사 바늘을 꽂고 수술을 하고 나오는 아들을 보고 나서야 이제는 고비는 넘겼구나 하면서 안도의 숨이 쉬어지는 것이었다.

그런데 아들은 부상을 당했어도 정신만은 말짱하였다. 그날 밤 침대에서 저 혼자 밤중에 내려서더니 물을 달라고 졸라대는 것이다. 그러나 물은 줄 수 없고 달래기만 했다.

그런데 새벽이 되자 그만 숨을 거두고 말았다.

얼마나 가슴 아픈 일인가!

그 연막탄이 군경이나 빨치산이 떨어뜨린 연막탄일 것이다. 그것으로 아들이 죽었으니 얼마나 가슴이 아픈 일인가. 내가 죽어야 할 연막탄에 아들이 죽었다고 생각하니 가슴이 미어지는 것 같았다.

이때에 한 동네 사는 최길우는 갓난 딸을 뒤에 업고 도립병원까지 문병을 왔다. 남원에 사는 정만조 씨는 병원까지 밥을 지어 나르고, 또 병원비 일체를 지불해 주었다. 부운리에 사는 김판술 씨는 병원까지 가는 도중에 인월에서 만났는데, 불행을 당했다는 말을 듣고 달려와서는 반선에서 인월까지 애를 태우고 나왔던 GMC 트럭에 기름을 넣어주었다. 모두가 평생 잊지 못할 은혜를 베풀어주었다.

최선을 다했으나 죽었으니 어쩌겠는가.

남원 공동산에 묻어 주었다.

비통해 하는 아내를 부둥켜안고 돌아왔다.

부모가 죽으면 땅에 묻고 자식이 죽으면 가슴에 묻는다고 하였다.

지금도 그 아들의 얼굴이 지워지지 않는다.

그 해는 운수가 너무나 나빴다.

군사혁명은 모든 면에서 구시대를 청산하고 새로운 세상을 열고자 시작했으나, 개인적으로는 여러 가지 불행한 일들만이 일어났던 것이다.

우선 두 차례나 용공주의자로 끌려가게 되었고, 갔다 오니 채무자들이 다 가버려 사유재산상 큰 채무를 안게 되었고, 자식의 잃게 된 것이 그것이었다.

아들의 죽음은 나의 가슴에 크나큰 상처와 충격을 주었다.

벌목이 금지되기는 했으나, 산간오지 수복지구에서는 먹고 살기 위해 부득이 약간의 도벌은 행해지고 있었다. 그러나 그다지 심하지는 않았다.

그러나 제1공화국시대와 제2공화국시대에는 벌목을 마구 허가해 주어 대대적인 벌목이 이루어졌다. 그리고 무시 못할 대 도벌단에 의해 산은 벌거숭이가 되어 가고 있었다.

도벌을 허락해 주고는 강력한 단속을 못하여 그렇게 된 것인데 군사혁명 정부는 군인들을 앞세워 용공분자라는 죄상을 씌워 몰아내었으니 참으로 한심한 작태인 것이다.

6·25 동란 중에 자수자, 생포자 할 것 없이 일단 이 나라에 귀화되어 사는 사람인데 무엇 때문에 신경을 건드린단 말인가.

일제에 나라를 팔아먹은 자와 일제의 충실한 친일주구배들에 대한 말은 한 마디도 하지 않고, 열심히 살고 있는 사람들을 용공분자들이라고 죄를 뒤집어 씌워 내몰고 있으니, 똥 묻은 개가 겨 묻은 개를 나무란 격이 아닐 수 없었다.

박정희라는 사람이 만주군관학교와 일본육군사관학교를 졸업한 친일파이니, 친일주구배들을 청산할 수 있는 위인이 못 되는 것이다.

이러나저러나 이제는 꾹 참을 수밖에 없었다.

재생과 교화

이제는 재생을 하려고 해도 아무런 대책이 없었다. 돈을 몽땅 떼었기 때문이다.

그리고 지리산 수림을 의지해왔던 주민들까지도 담배와 약초, 채소 등을 심으려고 노력을 다하고 있으나, 우선 당장 먹을 것이 없는 것이었다. 너나없이 부녀자들은 쑥을 뜯어다가 된장을 넣고 죽을 끓여 그나마 하루 두 끼로 연명을 할 수밖에 없었다.

때마침 우리 집은 고향 순창에서 동생이 무슨 일이나 없는가 걱정이 되어 부리나케 찾아왔다. 이날따라 비가 많이 내려 산내 대정리와 원천 사이 냇물이 목에까지 닿는 큰물이 흘러가고 있는데도 겁도 없이 건너 나의 집에 온 것이었다.

그립고 반가운 동생이 찾아왔으나 밥 지을 식량이 없어서 윗집에 가 쌀 반 되를 빌어다가 밥을 지어 주었다. 이 사실을 동생이 모를 리가 없었다.

정말 내 낯이 무엇이 되겠는가 마는, 동생은 나를 만나보자 긴 숨을 내쉬며 말하였다.

"형님, 여기 있는 살림을 아깝게 생각하지 말고 모두 내던져 두고 고향으로 갑시다."

하며 졸라대는 것이었다.

과연 형제간의 정이란 것이 이런 것이로구나 하는 것을 느낄 수 있었다. 동생은 형이 이런 모습으로 사는 것을 보면서 동정심이 끓어오르는 모양이었다.

그러나 나는 거절했다. 나의 지금 상황이 5 · 16 군사혁명으로 날벼락을 맞아 그런 것이지, 나의 무능과 나태에서 비롯된 것이 아님을 동생도 충분히 이해하고 있었다. 그러니까 더는 가자고 말하지 않았다.

"그렇다면 보리쌀이라도 가져다 잡수시오."

하며 당장 양식이라도 해결을 하라는 것이었다.

사실 나는 동생의 성의가 고맙고 하여 거절하지 못하고 그러겠노라고 대답을 했다. 그러나 그날 해가 서산에 걸쳐 있는데 가겠다고 말은 했지만 따라 나서기가 어려워 동생을 먼저 보냈다.

이러한 와중에도 한 가닥 희망을 걸 수 있었던 것은 전답을 일찍이 장만하여 두었던 것이다. 그간 묵게 내버려둔 것을 갈고 씨를 뿌려 농사를 짓기로 하였다.

하루 두 끼 쌀죽을 먹고 주야 없이 전답을 나다니며 3천여 평에 심을 수 있는 모판을 만들어 볍씨를 뿌려 놓고, 수로도 형식적이나마 구축해서 다소라도 물이 들어오게 만들어 놓았다. 그러나 농약이 하나도 없었다.

할 수 없이 동생이 와서 가져다가 먹으라고 했던 보리쌀을 가져 올 겸 고향 동생 집엘 갔다. 보리쌀을 한 포대를 주어 가지고 왔다. 농약도 조금 얻어 가지고 왔다.

모내기 일꾼들을 위해서 쌀도 다소 준비해야 할 것 같아서 윗마을에 사는 김복렬이라는 친구를 찾아가 사정 이야기를 했더니, 두말없이 백미 고봉 12되를 빌려주었다.

쌀과 보리, 농약까지 준비하고, 부식으로 채소와 산나물을 준비했다. 그리고 일꾼과 소까지도 준비를 하였다.

다음 날 모내기를 하려고 기다리는 중인데 갑자기 밤중에 큰비가 쏟아져 반선마을 앞 냇물이 불어 건널 수가 없게 되었다. 할 수 없이 모내기를 삼일 뒤로 늦추기로 하였다.

그러자 이제는 일꾼이며 소를 다시 얻기가 큰일이었고, 반찬거리도 다시 장만해야 하기 때문에 여러 가지로 힘들게 되었다.

그런데 학천에 사는 친구 김도준이가 찾아와 모내기를 하다가 농약 때문에 왔다며 쌀 3되만 빌려주면 그 쌀은 내가 모내기를 할 때에 틀림없이 주겠다고 사정을 하는 것이었다. 그래 빌려주었다. 그러나 그는 쌀을 줄 생각도 없이 그냥 지나가는 것이었다. 그 뒤에도 주려고 하는 생각은 하지도 않고 아무 말도 없이 끝나버리고 마는 것이었다.

일이 비 때문에 며칠 간 지연되는 바람에 식량을 다소 축냈으니, 다시 준비를 해야만 했다. 그래서 이제는 삼화리에 사는 박양기 모친을 찾아가 사정을 이야기했더니, 두말 않고 쌀 고봉 12되를 빌려주는 것이었다.

농약이며 찬거리를 다시 준비하고 다음 날 모내기를 하려고 일꾼 30여 명 수소문해 놓고 일할 소도 두 마리 준비했다.

모내기를 하는 날 사람들이 빠짐없이 동원되니 40명이 넘었다. 소도 두 마리 말했는데, 아무런 말도 없이 두 마리가 더 와서 4마리가 일을 하게 되었다.

소는 부운리에 김판술, 학천에 김길동, 용문암에 성순호, 와운에 황일섭 씨 등이 가져온 것이다. 정말 이와 같이 고마운 일이 있을 줄은 생각지도 못했다. 그뿐이 아니었다. 모두가 내 일같이 일 순서를 척척 알아서 해주었다. 그래서 일이 무난하게 다 마치게 되었다. 참으로 말할 수 없이 고마웠다.

모내기는 무사히 마칠 수 있었다. 그러나 한 가지 아쉬운 것은 돈이 없이 미처 새거리(농사꾼이나 일꾼들이 끼니 외에 참참이 먹는 음식)로 술을 마련하지 못하여 외상으로 달라고 사람을 보냈더니 현금이 아니면 못 준다고 하여 되돌아 온 것이다. 그 얼마나 야박한 인심인가. 영업을 하는 사람 중에는 인정도 사정도 없이 돈만 아는 사람이 있으니 참으로 안타까운 일이었다.

그러자 이태환이가 몹시 분개하고 다시 사람을 시켜 돈을 주어 받아 왔다. 그래서 일꾼들에게 술도 대접을 할 수 있었다.

이렇게 어려운 모내기도 마칠 수 있었다.

어느덧 가을이 되어 수확을 하는데, 밭갈이하는 것보다 훨씬 나은 수확을 올렸다. 고생한 보람이 있었다.

정신없이 가을일을 다하다 보니 겨울이 되었다.

동네에서는 윗마을 몇 사람이 몰려와 여전히 도박을 하고 있었다. 아마도 주색잡기를 즐기는 사람들은 쉽게 그 버릇을 고치기 힘든 모양이었다.

과거에는 산판을 하여 제법 돈을 벌었으나 이제는 농사지어 버는 돈뿐이었다. 그런데도 도박을 하는 것은 큰일이었다. 나는 보다 못해 동네 몇 사람을 와 달라고 청했다.

"의식주가 어렵게 되어 앞날이 큰 걱정인데, 부락민들이 인근 마을 사람들과 어울려 도박에 빠지고 있습니다. 도박에 빠지면 반드시 방탕해지고, 그러다가 범죄를 낳을 수도 있으니, 결국 자신도 망치고 마을도 망치는 결과를 낳을 수 있습니다. 그러니 좋은 방법을 모색해서 근절할 수 있도록 할 수 없겠습니까? 각자 좋은 방법을 말해 주십시오."

주효수가 말하였다.

"풍물을 장만해서 온 동네 남자들이 동원되어 굿을 치고 놀게 되면 이웃끼리도 더욱 다정해지고 인심이 단합될 터이니, 도박꾼들이 도박하겠다고 이 동네를 찾아와서 그렇게는 못할 것이 아니겠습니까?"

최병락과 하춘택과 정창균도 제청하였다.

"좋은 의견입니다. 그렇게 된다면 자연적으로 단속이 될 것 같습니다."

"그렇다면 어떻게 장만하면 될지 좋은 의견을 말해보시오."

"지금 당장 돈을 거둔다 해도 걷히지 않을 것입니다. 그것을 성사시키기 위해서는 황 씨가 어떻게 해서라도 말을 잘해서 풍물이 장만되게 하고, 굿놀이(농악놀이)를 해서 나오는 돈으로 정리하면 되지 않겠습니까"

이 제의에 모두가 찬성하였다.

"그렇게 해도 원금이 나오지 않을 경우는 어찌 하겠소"

하고 내가 물었다. 주효수가 말하기를

"설마 그 돈쯤이야 안 되겠습니까? 만약에 금년에 원금정리가 안 되면 명년까지 노력한다면 안 되겠습니까? 전 동민이 일심이 되어 성의를 다 해봅시다."

하고 제의를 하는 것이었다.

그러자 이 말에 모두가 좋다고 찬성을 하였다.

그래서 동민의 의견대로 풍물을 장만하기로 결정하였다. 굿놀이를 할 15명이 조직되고, 악기와 옷과 신발, 장갑까지 모두 장만하였다.

이와 같이 마을 주민의 의결을 거쳐 풍물이 장만되었다. 신나게 풍물놀이가 벌어지자 마을 사람들이 흥겹게 놀면서 단합이 되는 것이었다.

그 바람에 도박도 근절되었다. 그러나 동네가 적고 빈한하여 굿놀이를 해서 나온 돈으로는 풍물놀이 준비하는 데 들어간 돈이 나오질 않았다.

그래서 산내면 전체를 순회하면서, 우리 반선마을 동민의 단합된 모습도 보여주고 풍물 다루는 솜씨도 보여주면서 동시에 모자라는 돈도 모아보는 것이 어떻겠느냐는 의견이 나왔다. 그러자 모두 찬성을 하는 것이었다.

제일 먼저 산내 치안을 담당한 지서를 들렀다. 나로서는 당연히 치안관서를 먼저 들린 것이 도리일 뿐만 아니라, 우리 굿놀이 단체의 활동에 대한 협조를 얻으려고 했으나, 지서장 이용규 경사는 나하고는 사고방식이 달랐다. 그 행위 자체가 민폐라는 것이었다.

할 수 없이 거절당하고 나왔다. 결국 산내면 기관이나 각 부락 순회를 아예 하지 못하고 내삼동 수복지구만을 순회하였다.

그러나 당초 우리 계획과는 워낙 차이가 많았다. 장구 치고 북 치고 놀다 보니, 풍물이며 피복도 많이 훼손되었는데, 그것은 고사하고 투입된 자금도 청산하지 못하였다. 이것은 개인의 빚이 아니라 마을의 빚이었다. 그래서 다음 해도 계속했으나 지난 해와는 다른 분위기였다. 이제는 마을 주민이 많이 바뀌어 말하는 사람도 없거니와 아는 이조차 없는 실정이다. 그래서 그 빚은 마을의 빚이나, 내가 책임을 지고 한 것이라 내가 다 갚아주지 않을 수 없었다.

1949년 음력 7월에 소개되어 나갔던 반선마을 양조장의 여주인 서봉실의 아들 손운생은 다시 입주할 사정이 못 되어 남원시내에 정착하고 있었다.

그는 반선마을에 있는 부동산을 있는 대로 매각 처분하기 시작하였다.

그래서 그 사람의 산은 내가 매입했다.

그 외에도 운봉에 살았던 만석군 박희옥 전답도 내삼동 여기저기 많이 있었는데, 이 전답을 박희옥의 아들 박문규가 처분하기에 나도 몇 필지를 매입했다.

그래서 이제는 동네 주변에 임야가 8정 5반이 되었고, 전답도 5천여 평이 되었으며, 상점은 1956년 정착한 그날부터 계속해왔으니, 이제는 부족한 것 없이 살게 되었다,

그러나 산중 논이라 너무 많이 나뉘어 있어 이대로 두고는 경작하기가 힘들었다. 농지정리를 하여 한 논에 한 수로가 되면 좋은 농토가 될 것이라는 생각이 들었다.

농지정리는 시작과 동시에 끝이 날 수 있는 것이 아니었다. 요즘처럼

포크레인 등 중장비를 동원한다면 그럴 수도 있지만, 그러나 그때는 그럴 수가 없었다. 그래서 30여 개나 되는 논다랭이를 인력으로 십 년이나 걸려 12다랭이 논으로 만들어 냈다. 참으로 긴 시간에다 끈질긴 노력으로 이루어 낸 것이다.

또한 임야도 개간 허가를 받아 7천여 평을 밭으로 일구었다. 아울러 임야 내에 토종 감나무를 무수히 많이 심었다.

그런 생활을 하다 보니, 언제나 땅과 같이 살게 되고, 놀러 다닌다든지 여행을 다닌다든지 하는 낭만과 여유 있는 삶을 살지 못하였다.

그렇게 살려고 애를 쓰고 있는데 뜻밖에도 1967년도에 울진과 삼척에 남파간첩이 대거 침투해 해온 사건이 일어났다. 그러자 당국에서는 서둘러 뱀사골에 살고 있는 주민과 4세대 미만의 동네는 모조리 철거해서 타 면내로 이주시켰다.

우리 부운리 관내에서 40여 세대나 이주되었고, 다른 마을도 모두 철거당했다. 그 다음에는 국유림이건 사유림이건 간에 임야 내에 있는 화전으로 일군 땅이 모두 정지작업에 포함되게 되었다. 산내 내삼동 산간 오지마을은 밭을 일구고 사는 사람들이 대부분인지라 이유 없이 소개한다는 당국의 방침에 또 한 번 놀라지 않을 수 없었다.

소개민에 해당된 일부 주민은 선조 대대로 농사지으면서 생계를 유지해 오던 주민이 대부분이었다. 뜻밖의 소개령으로 나가야 할 사람이 많게 되었다. 그러자 그 중에 이주를 싫어하는 사람의 원성이 자자했다.

나는 이 사실을 듣고 차마 방관할 수가 없어 면 당국에 제의했다. 반선마을 나의 땅 위에 당국의 지원으로 건물 8동을 세우고 16세대가 입주할 수 있게 해서 출입영농을 할 수 있도록 해달라고 제의했다. 그러자 면 당국은 그 제의를 받아 주었다. 나는 그들에게 대지를 사용하는 돈을 면제해 주었다.

반선에는 1949년 7월 소개 전에 살았던 원주민은 한 사람도 입주자가 없었고, 내가 수복의 임무를 띠고 들어와 그날부터 살게 된 사람들이 원주민같이 토박이처럼 살아가고 있었다. 세대수는 늘어서 30여 세대가 되었다. 전라남북도, 경상남도, 강원도 등 여러 지방에서 산판 따라 모여든 사람도 많았다.

이들은 무식하고 또한 언어와 풍속이 다를 뿐만 아니라 예의와 범절과 행동도 달랐다. 그래서 무엇보다 행동을 통일하고 우리 고유문화의 예법을 살려 교화하는 것이 시급했다.

그래서 내가 연장자에 대한 인사부터 혼사의 예식절차 그리고 제례법을 가르쳐 주었고, 나아가서 명절이나 생신이나 환갑 때 선물하고 인사하는 것도 가르쳐 주었다. 또한 초상 때는 모두 참여하여 다 같이 일을 치르고 염반(鹽飯 : 소금을 반찬으로 차린 밥이라는 뜻으로, 반찬이 변변하지 못한 밥을 이르는 말)이라도 나누어 먹도록 하였다.

뿐만이 아니라 연장자를 공경하고 연하를 사랑하는 정신을 갖기 위해 택호宅號를 부르도록 했다. 그리고 매년 산신제山神祭를 일부러 모셔왔다. 그 이유는 미신을 믿어서가 아니라, 기제사 모시는 예법과 연상과 연하의 예절이며, 상호 우애하고, 협동정신을 기르며, 인간의 기본예절을 가르치고자 했던 것이다.

아울러 야학을 실시하여 나이 많은 사람들을 계몽하고 상식과 교양을 심어주는 일에 힘썼다.

누가 보나 다 같은 백의민족이련만 지리산 산중에 들어 있는 주민들은 돈도 없고, 지식도 없고, 또 병에 걸려도 요행만 바랄 뿐이었다.

그래서 당국에 부탁을 하여 수복지구 마을마다 치과의사를 초빙하여 치아 치료와 각종 예방 접종을 때에 따라 하게 해주었다. 특히 도시에 있는 기관이나 사회단체와도 자매결연을 맺어 물심양면으로 혜택을 받게 하는 등 도움을 받도록 주선을 해주었다.

또한 지리산 오지주민들의 생활양식을 바꾸려고 애썼다.

각 부락마다 기존 전답에서 생산되는 곡물을 산내평지까지 근 30리를 운반하여 찧어서는 다시 짊어지고 와서 먹어야 했다. 그것도 운반수단은 지게가 고작이었고, 더러는 여러 사람이 어울려 우마차로 운반을 해다가 찧는 경우가 있었으나, 그것도 차례를 기다리려면 2,3일이 걸렸다. 그 고초를 당하면서도 그렇게 해서 먹고 사는 것으로 인식하고 살아가는 주민들이었다. 그러니 어찌 개방이 되고 발달이 된 세상과 더불어 살아갈 수 있겠는가.

나는 보다 못해 내삼동의 중심지인 반선마을 삼거리에다가 뱀사골의 물을 이용해서 물방앗간 만들기 위한 공사에 착수했다. 그것은 1969년도에 완공되었다. 시설비는 약 3백만 원이 투입되었다. 지방주민들의 큰 숙원 중의 하나인 물방아가 완공되자 내삼동 주민들의 기쁨은 너무나 컸다.

아울러 지리산의 무궁무진한 자연수림을 당국의 벌채 허가를 받아 각종 도구를 만들기 시작하였다. 박달나무·노각나무·느릅나무·오리목나무 등 여러 가지 잡목을 베어다가 농민들이 일상 쓰는 삽자루·괭이

자루 · 낫자루 · 도끼자루 등을 만들었다.

그리고 각종 체육대회에 쓰이는 곤봉 · 야구방망이 등의 운동도구들도 만들었다. 심지어는 각 가정 · 사찰 · 서원 · 사당 · 제각에서 쓰는 제기 · 촛대 · 도리상 · 방망이 · 홍두깨 · 필통 · 경찰곤봉 · 지휘봉 등 갖가지 상품들이 우리 공장에서 주민들의 정성과 노력과 협조로 가공되고 생산되었다.

사람은 환경의 지배를 받는 것이라고 하지만, 지금까지 없었던 이 지역에 정미소와 목물공장이 가동되자, 이곳 주민들은 곡식 찧는 것에 걱정이 없어졌고, 일터를 잃고 생계가 막연했던 실업자들은 얼마나 기뻐하는지 몰랐다. 무엇이고 시작하면 절반은 하는 것이라는 사실을 알게 되었고, 이제는 하면 된다는 자부심을 가지게 되었다.

그리고 사람은 각자의 특기와 기능에 따라 노력만 한다면, 노력한 만큼의 대가를 얻을 수 있다는 믿음이 생겼으며, 이제는 잘 살 수 있다는 의욕이 싹터 올라오는 것이었다.

나는 이런 모습을 보면서 큰 보람을 느끼지 않을 수 없었다.

그러나 1955년 5월 수복하는 날부터 14년 동안 수복지구 주민의 고초는 말이 아니었다. 특히 5 · 16 군사혁명이 일어나고 일체 산판 중지령으로 부득이 직업을 전환을 하지 않을 수 없었던 그 시기가 가장 살기 어려운 때였다.

남원시 당국에서도 산내면 오지마을 수복지구 주민의 어려운 생활상을 방관하지 않고 이곳 주민의 환경과 적성에 맞는 직업으로 생각한 것 중에 하나가 양봉이었다.

1967년 부운 · 와운 · 덕동 · 달궁 등 4개 마을을 한봉단지로 지정하고, 부락마다 8호씩 호당 10통씩 시범적으로 한봉구입비를 장기 저리로 융자해주면서 적극 권장했다. 그러나 우리 반선마을은 모두 전입자였기 때문에 제외되었다.

그리고 또한 정부에서는 부동산등기 특별조치법이 시행되어 지금까지 미등기였거나 6·25 전란에 소실 또는 소개 중에 분실한 토지에 대해 모두 등기를 할 수 있게 해주었는데 이것은 참으로 다행한 일이었다. 이 조치로 우리가 살고 있는 사람들은 자신의 토지를 갖게 되었고, 삶의 안정을 가질 수 있게 되어 밝은 서광을 맞는 것 같았다.

지리산 개발 위원장

　한때는 우리 남한에서 동족상잔의 비극이 최후까지 벌어졌던 지리산이 평정되자, 1967년 12월 27일에는 국립공원 제1호로 지정되었다. 그래서 이제는 이 나라의 산악인·사학자·자연식물연구가·사진작가를 비롯하여 수많은 사람들이 마치 지리산이 부르기나 하듯 찾아들기 시작하였다.

　우리 반선마을은 지리산국립공원 집단시설지구로 부르게 되었다. 그러나 이곳 주민은 물론이요 관광객의 제일 큰 숙원은 교통이었다.

　수복이 되어 거의가 산판사업에 종사하였으므로 도로라는 것이 사업주의 나무 운반차량이 드나들면서 중요시 되게 되었다.

　그러다가 5·16 군사혁명이 일어나고 일체 산판 허가를 해주지 않게 되자 차량마저 없게 되어, 학생들의 통학이나 환자의 응급수송, 각 행정기관의 용무, 연고지 출입, 물물교환 등을 걸어 다니거나 우마차를 불러 이용할 수밖에 없었다. 그 고초와 어려움이 이만저만한 것이 아니었다.

그래서 모두가 정기적으로 차량이 다녔으면 하는 바람이었으나 어떠한 독지가도 기업체도 없는 이 지리산 오지에 대형차량이 통행되길 바라는 것은 꿈에도 꿀 수 없는 것이었다.

그러나 이와 같이 어려운 일은 내가 아니면 누가 할 것인가 하는 생각이 들었다. 그래서 고심 끝에 당분간은 5일마다 있는 읍내 시장에 통행하는 것부터 해소해야겠다고 생각하였다.

즉시 인월 시장에서 운수업을 하고 있는 김용수 씨를 찾아가 매 장마다 오전과 오후 두 차례 정도만이라도 인월과 반선 간 40리 거리를 운행해 줄 것을 교섭하였다. 그리고 동의를 얻어냈다.

한편 지리산을 찾는 관광객이 점차 불어나면서 운행 횟수를 늘려야 할 필요성이 제기되고 있었다. 물론 유명한 지리산인지라 즐겨 찾아온 사람은 날로 늘어날 것은 기정사실이었다. 나는 이미 이렇게 관광객이 점차 늘어날 것을 예측하고 있었다.

그래서 이때부터는 어떠한 일이 있어도 내가 할 일은 산내와 반선간 약 9㎞의 도로를 확장하고, 요소요소에 버스와 우마차간에 서로 비켜 갈 수 있는 공간을 만든 후에 바로 전북여객회사를 찾아가 버스를 운행해 줄 것을 교섭해야겠다는 결심을 하였다.

즉각 도로확장공사 작업을 착수하게 되었다. 그런데 이 도로의 개설은 일제가 1937년 7월 7일 중국침략전쟁을 일으킨 뒤에 군수물자의 원산지인 지리산 뱀사골에서 각종 차량 가동연료로 쓰이는 목탄을 구워내고, 물통이며 목총 등을 반출하기 위해, 1941년도에 노무자를 강제 동원하여 벼락같이 개설된 도로이므로, 토요타 · 닛산 등의 소형 차량만 다닐 수 있게 만들어졌다.

해방 후 다년간 산판작업을 할 때에는 미제의 GMC 트럭을 이용했으나 대형 차량과 버스가 운행하기 위해서는 수십 군데의 돌을 없애기 위해 발파를 해야 할 곳도 있었으며, 석축을 쌓아야 할 곳도 많았다. 또 길이 심하게 굽은 곳, 높낮이가 심한 곳 등도 있어 정리할 곳이 여간 많지 않았다. 그리고 간간이 차량 간의 교차로도 만들어야 하는 난공사였다.

그러나 다행히도 토공에 경험이 많은 분들이 산판을 따라다니다가 이곳에 정착한 사람이 있었다. 문인식과 구민길 씨가 그 사람이었다.

나는 두 경험가를 대동하고 전 구간을 답사했다. 확장공사에 크게 문제가 되는 암석발파문제도 경험이 있거니와 도구도 다 가지고 있어, 화약과 뇌관만 구할 수 있다면 시간이 걸리기는 하지만 못할 것이 없다는 것이었다.

나는 안 될 것이 없다는 확신이 섰다. 드디어 1971년이 되어 도로확장공사를 착수했다. 여가가 나는 대로 일하였다. 발파기술자도 시간만 나면 언제든지 암석에 쇠를 세우고 쇠메로 내리쳐서 구멍을 낸 다음 거기에 화약과 뇌관을 같이 넣고 불을 붙여 발파를 하였다. 그저 노는 사람이 있을 때는 데리고 석축을 쌓기도 하였고, 노면 고르기 작업도 해나갔다.

하루는 걸림돌을 발파중인데 남원군수 이석재 씨가 이곳을 지나 지리산 북부개발을 하기 위해 가던 중 들러 작업 현장을 보고

"수고들 하시오. 무엇을 하고 계시오"

하고 묻는 것이었다.

"대형 차량과 버스가 운행을 할 수 있도록 도로를 확장하는 공사를 하

고 있습니다."

하고 말했더니

"참으로 어려운 일을 하십니다. 행인들을 조심해서 발파를 하세요."

하고는 더는 언급이 없이 지나간 사실도 있었다.

지방주민들 중에서도 달궁에 하원호와 박남북, 덕동에 장석권와 백기호, 반선에 이태환, 부운리에 김부복과 김강안 씨 등 수십 명이 일부러 나와 공사작업을 도와주었다.

그러나 현장을 보고도 마치 남의 일처럼 외면하고 지나치는 자가 태반이었다.

몇 년이 걸려 도로가 확장이 되고 차량 간에 교차할 수 있는 곳도 28개소 지점이나 만들었다.

모든 일은 해서 안 되는 일은 없었다. 하기 전에 자포자기는 하는 자는 진전이 없는 것이다.

도로가 완공되자 산내면장 허금을 찾아가 버스운행 교섭을 추진하도록 하였다. 허 면장은 참으로 장한 일을 하였다면서 주선을 하여 주었다. 허 면장은 전북여객 남원영업소장인 이두상에게 지시를 내렸다. 당시 영업과장이었던 허시욱은 시운전하는 차에 같이 타고 와서 전 구간을 일일이 둘러보고 몇 군데를 지적하면서 개선해줄 것을 요청하였다. 그리고 말하기를

"우리 고장 발전을 위해 다년간 많은 투자와 수고를 해주신 황의지 씨가 계시니 그 성의를 보아서라도 바로 버스가 다니도록 해드리겠습니다."

하고 확답을 하고 갔다.

그리고 며칠이 안 되어 정기 버스가 운행을 하게 되었다. 그 해가 1974년 10월이었다.

노면이 좋지 못하고 우마차와 교차가 많은 통로가 되어 반선에서 산내까지는 9km, 인월까지 불과 16㎞ 거리였으나 1시간이 소요되었고, 남원까지는 2시간 10분이 걸렸다.

그 외에 상상외로 계절에 따라 버스를 운행하기에는 애로가 많았다. 해동기가 되면 도로 위에 산에서 바위가 굴러내려 통행이 불가능할 때가 많았다. 여름이 되면 잦은 비로 불어난 큰물에 도로가 유실되어 차들이 다니지 못하는 때도 있었다. 겨울에는 폭설이 내리고 거센 바람으로 눈이 몰아쳐 길을 막기도 하였다. 특히 겨울철에는 눈만 오면 미끄러워 차가 다닐 수도 없는 것이 수 차례였고, 그것이 매년 되풀이되는 것이었다.

그뿐이 아니었다. 버스로 인한 말썽은 끝이 없었다.

우선 차 자체가 기계이기 때문에 노후되거나 정비불량으로 인하 사고와 운전 부주의에서 오는 사고가 많았다. 그리고 기사나 안내양의 불친절과 교양부족으로 인한 문제도 많았다. 그뿐이 아니었다. 승객의 행패와 무임승차하는 일 등도 많아 조용한 날이 별로 없었다.

그러나 지방민의 생활조건 개선과 지리산을 찾는 관광객의 편의를 위해서는 어렵지만 확장하고 보수하는 공사를 해서 버스가 원만하게 운행될 수 있도록 최선을 다하였다.

나는 모든 일을 소홀히 하지 않으려고 하였다. 특히 환경이나 여건이 불편하여 주민들에게 고통이 따른다면 어떠한 일이 있어도 기어코 해내야 했고, 또 해낼 수 있다는 투지와 패기가 있어 지방주민들로부터 많은 찬사를 받기도 했다.

이와 같은 일들을 하는 동안 식구의 고역은 형언할 수 없이 많았다.

아내는 새벽이 되면 으레 생콩을 맷돌에 갈아서 두부를 만들어 파는 일과 소꼴을 베다가 쇠죽을 끓여주는 일을 했고, 큰자식은 낮에는 장작 반출이 관계기관의 철저한 단속으로 불가능하자 야간을 이용해 인월 시장 40리 길을 소 달구지에 싣고 나갔다. 장작을 꼭 팔아 와야 온 집안 식구들이 세 끼의 밥을 먹고 살아갈 수 있었으니 안 할 수가 없었다.

열심히 살았지만 물레방아를 만들면서 진 빚과 도로확장 보수공사로 진 빚을 몇 년이나 걸려 갚아야 했다.

그렇게 살다보니 둘째아들 해연이와 큰딸 해숙이는 중학교만 진학하고 고등학교는 진학하지 못했다. 남매 모두가 고등학교 진학시켜 달라고 발버둥을 쳤으나, 너무도 많은 빚으로 인하여 시키지 못한 것이 지금도 가슴 속에 한이 되고 있다.

1969년도에는 당국에서 지방주민의 생계유지를 위해 목기용 벌채를 허가해 주었으나, 그 후에는 일체 허가가 금지되어 결국은 목기공장도 문을 닫고 말았다.

그러나 명산 지리산을 찾아드는 관광객이 많이 불어나자 버스도 증차하여 운행을 하게 되었고, 지방주민의 생활양식도 상업을 하는 집과 숙박업을 하는 집들이 늘어나면서 서서히 탈바꿈하기 시작하였다.

우리 반선마을에 지리산지구 개발위원회가 발족되어 초대개발위원장에 내가 피선되었다. 아울러 남원 관계당국에도 지리산 개발에 관심을 두었으며, 드디어는 1974년 2월 29일은 남원산악회와 반선 간에 자매결연을 매어 서로가 내왕이 잦아지게 되었다.

지리산 개발을 목적으로 반선마을 앞개울에 교량부터 놓을 수 있도록 당국에 진정서를 내기도 하였으며, 자매결연의 의의를 더욱 다지면서, 반선마을 주민의 빈곤하고 열악한 생활환경을 개선하고자 좌담회도 가졌다. 지리산 산 속에 살고 있는 주민들은 교육의 혜택도 적게 받아 정신계몽도 해야 한다는 의견도 피력하였다. 그래서 경제적으로 나아질 수 있도록 건의도 하였다. 개인적으로 삽과 팽이와 낫을 사다주기도 하고 염소와 강아지도 10여 마리 사다가 준 사실도 있었다.

그리고 모임이 있을 때마다 지리산은 우리 조국의 명산이요, 민족의 보고이기 때문에 우리 모두 다 같이 이끼고 사랑해야 한다는 말도 빼놓지 않았다.

당시의 남원산악회장은 전주시지방검찰청 남원지청장 박관수 씨였고, 회원들 상당수가 각 기관에 재직 중인 공무원들이 대부분이었다. 다 같이 한 몸이 되어 한 달이 멀다하고 드나들면서, 모두 진심으로 성의를 다해 우리 산을 우리 손으로 개발하겠다는 의지와 열의를 보여주었다.

그래서 지방의 사업에 관한 논의를 하는 것은 물론이요, 관광객이 늘어가는 것에 대비해 지리산의 아름다운 풍경과 유적을 우리 힘으로 알릴 수 있도록 홍보에도 앞장을 섰다.

그런 이유로 많은 사람들이 끊임없이 후원을 해주고 주민들이 적극적으로 협조를 해주어 효과가 나타나기 시작하였다. 나는 반선마을 개발위원장에도 피선되어 더욱 열심히 일을 추진하게 되었다.

지리산은 이제 한국의 명산이 되었다. 그러나 우리들은 한국의 명산에 만족하지 않고 세계의 명산으로 도약할 수 있도록 부단히 노력하고 있다.

지리산은 내 젊음의 피가 뿌려져 있으며, 내 동지들의 고귀한 영혼이 쉬고 있는 곳이기도 하기에 나는 사명감을 갖고 노력하고 있다.

법정투쟁

가정의 일은 아내에게 맡기고 모든 정신을 지리산 개발에 중점을 두고 남원산악회와 같이 동분서주하고 있는데 뜻밖의 사건이 터졌다.

1973년 11월 중순 경, 나의 임야 소유권에 대해 말썽이 생긴 것이다.

이런 소송사건은 나로서는 관계하고 싶지 않은 사건으로서, 나의 인생관과도 너무나 거리가 먼 사건이었다.

사유재산을 인정하는 자본주의 사회에서는 정당하게 재산을 얻고 그에 대한 소유권을 행사할 수 있지만, 협작꾼·투기꾼·사기꾼들이 언제 어디서나 허점을 노리고 갖은 수단과 방법을 가리지 않고 빼앗으려고 달려들기 때문에 항상 불안하기 그지없다.

이때에 다 같은 민족이요 이 나라 백성이지만, 상놈의 신세로 운봉 향교의 고지기 노릇을 하며 갖은 하대를 받으며 살아온 손준기라는 사람이 있었다.

이 자는 너무도 원한에 맺혀 살던 중 일제의 식민지통치를 받게 되자, 바로 운봉향교를 떠나 산내 뱀사골 입구 반선마을에 와서 정착하고 상놈이라는 신분을 벗어나 살게 되었다. 그때까지 인간의 본성을 잃고 살았다는 것은 털어놓을 수 없는 마음의 회한이었다.

그런데 이 자는 본성이 영특해서 양조장을 하여 토착민 중에서도 돈깨나 벌었다. 상놈 주제에 갑자기 돈을 많이 벌게 되자 양반들이 누리던 것을 누려 보려고 해서인지, 여자관계가 복잡하여 첩을 대여섯 명이나 두기 시작하였다.

이때에 다섯째 처하고 반선마을에서 살면서 나은 자식이 3형제 5남매였다. 바로 이 다섯째 처가 바로 여순반란군을 신고하여 죽게 한 서몽실이라는 여인이다.

손준기는 양조장을 경영하며 벌어들인 돈으로 사들인 밭과 산이 있었다. 그러나 손준기는 노령으로 사망하고, 손운생이라는 자식이 대를 이어 부동산을 관리하고 있었다.

그런데 1949년 음력 7월 하순 여순반란군의 보복전으로 가옥은 몽땅 불에 타서 소실되고 여주인 서몽실은 피살되었다. 그러자 당국은 급히 소개령이 내려져 이곳을 나가야 했다.

1955년에 이곳에 수복령이 내려졌다. 그러나 이때 군대에 있었던 관계로 입주를 못하고 있었다. 그리고 소개할 당시 손운생은 자신의 집에서 고용살이를 하고 있었던 학천 마을 양홍기에게 자신의 소유 부동산 전체를 관리하도록 위촉하고, 매년 토세土稅만 받아갔다.

몇.년이 지나 손운생은 군대에서 제대를 하고는 남원 시내에 살기를 결심하고 자신의 부동산 전체를 지금까지 관리해온 양홍기에게 매각처분 해줄 것을 위촉했다.

바로 그 양홍기의 소개로 부동산 소유주 손운생과 내가 3인이 있는 자리에서 부운리 산 92번지 임야 2정 7반 3부보의 매매계약을 체결하고 대금 전액을 완불했으나, 권리권을 이전하지 못하고 있었다. 그 이유는 반란군들에 의하여 불의에 집안 전체가 소실 당하여 근거서류가 없었던 것이다.

그래서 부락 심사위원의 보증 하에 부동산 특별조치법에 의한 절차를 거처 이전등기를 하게 되었다. 이 부동산의 매매성립은 1962년이었고, 특별조치법 이전 등기는 1970년이었다.

그런데 1973년 11월 중순경 손봉조라는 자가 나를 찾아온 것이다. 손봉조는 과거부터 그와 친분이 있는 사람으로 나와 한 동네 살고 있는 권경용에게 임야지의 경계를 묻고 난 다음 대략 어디까지라고만 알았을 뿐 자세하게는 몰랐던 것이다.

그리고 난 뒤에 나를 찾아와서는 임야에 대한 매매 경위를 묻는 것이었다. 나는 손봉조가 손운생의 이복형제라는 것을 그제서야 들어서 알고는 사실대로 말해 주었다.

손봉조는 이 말을 다 듣고 다음 날 오전에 떠났다. 그런데 알고 보니 이복형제 중에서도 손봉조는 손준기의 큰처 소생으로 장자였다.

그런데 손봉조가 며칠이 지나자 다시 나를 찾아와서는 뜻밖에 내가 취득한 부동산이 자기소유의 부동산이라고 말을 꺼내는 것이었다. 그래서 나는 그것까지는 내가 알 수 없고 그러한 일이라면 당신의 서제(庶弟 : 이복동생인 손운생)하고 말을 하라고 하였다.

어찌된 일인지는 알 수 없으나 부동산을 취득한 나로서는 불쾌하고도 이해할 수 없는 일이었다. 그리고 난 뒤 바로 손봉조는 떠나갔다.

그런데 놀랍게도 손봉조는 다음 해인 1974년 1월 형사고소를 제기해 왔다. 참으로 어처구니가 없는 일이었다. 그런데 고소장 내용을 보니 더욱 가관이었다.

이자는 빨갱이 대장이요 악질이요 수십 명을 죽인 놈인데 우리 계모를 죽인 것을 알고도 남음이 있는 자인 바 구수지간仇讐之間으로 나오는 매매행위가 성립될 수 없는데 허위증서를 작성하고 위증을 세워서 특별조치법을 악용하여 자기 명의로 이전을 해놓았음.

위와 같이 내용을 써서 전주검찰청 남원지청으로 형사고소장을 제출하였던 것이다.

나를 '빨갱이 대장', '악질'이라고 쓴 것에 대해 기분이 몹시도 상했다. 토지매매에 관련하여 나의 인신공격성 내용을 넣은 것은 나를 음해하여 토지를 빼앗고자 하는 의도가 들어가 있다는 것을 간파한 나는, 그냥 있다가는 당하겠다 싶어 대응을 하지 않을 수 없었다.

이 소장을 받은 남원경찰지청에서는 바로 관계자인 매도자와 매수자, 소개자 그리고 특별조치법 심사위원 3명까지 모두 출두하라는 명령서를 발부하였다.

그러한 명령서를 처음 받아본 나는 내심 벌벌 떨면서 오라는 날짜에 나갔다. 그리고 각자 토지 매매과정에 대한 위법 여부에 대해 신문을 받게 되었다. 심문을 한 결과 위법 사실이 밝혀지지 않아 무혐의 판결이 내려졌다.

　그러자 손봉조는 수법을 달리해서 전주지방법원 남원지원으로 민사소송장을 제기하였다. 나는 너무도 기가 막혔다.

　그래서 청구취지의 소장 내용을 읽어보았다.

　　부친인 손준기라는 사람이 땅을 사 들여 관리하고 있던 중 부친이 사망하자 이복동생인 손운생이 자기 소유인 양 허락도 없이 황의지에게 팔았으므로 이것은 당연히 불법적인 매매이며, 이것을 소유권이전 특별조치법에 의해 등기를 이전해 주었더라도 인정할 수 없다.

　이상과 같은 민사소송장에 대해 나는 다음과 답변은 써서 제출하였다.

　　가. 원고의 주장과 같이 이 사건이 피고 황의지의 명의로 소유권등기가 되어 있는 것은 사실입니다

　　나. 그러나 원고 주장과 같이 아무런 권원 없이 본인이 문서를 위조하여 원고 소유의 본건 부동산을 본인 앞으로 소유권 이전등기를 완료한 것처럼 주장을 하지만은 그것은 사실이 아닙니다. 본인은 원고 주장의 부동산에 대하여 원고의 부 손준기가 매수하였고, 동 손준기가 사망한 후 동인의 아들인 손운생으로부터 1962년 8월 9일 금 2만 6천원에 매수한 후 등기이전을 못하고 있다가, 1970년 12월 19일 임야 소유권 이전등기에 관한 특별조치법에 의하여 본인의 명의로 소유권 이전등기를 완료한 바 있어 본인 소유의 임야입니다. 단 당시 원고는 소재불명의 상태였고 손운생

은 자기 소유라고 주장하며 관리하고 있었으므로 본인은 동 손운생의 소유로 알고 매수하였기에 아무런 하자가 있을 수 없습니다. 즉 당시 행방불명된 원고가 그의 동생이며 부친의 재산 관리인이라고 할 수 없습니다. 이상 이유로 원고의 청구는 부당하오니 마땅히 기각하심이 마땅하다고 사료되어 이 답변서를 제출합니다.

원고의 소장에 대한 이 같은 나의 답변서에 법원은 나의 의견을 받아들여 나에게 승소판결을 내렸다.

이때의 손봉조는 68세였다. 호적상으로는 72세로 기록되어 있었다. 이 판결로 사기와 명예훼손에 관한 유죄판결을 받게 되었다. 그러나 노령자라는 이유로 집행유예 처분을 받게 되었다.

그러자 손봉조는 대법원에 상고를 제출하는 한편, 원고의 변호사였던 이석조와 나를 상대로 남원지청에 원고의 패소를 이유로 형사고소를 하였다.

그래서 원고의 변호사 이석조와 나는 남원지청에 출두하여 신문을 받았으나 혐의가 있을 리 없으므로 나는 당당하였다. 이날 비로소 나는 이석조 변호사와 처음으로 인사를 했다.

사필귀정이라고 했던가. 대법원에서도 나에게 승소 판결을 내렸다.

그 후 손봉조는 자신의 조카사위인 최규산(보안대 근무자였음)을 데리고 밤중에 남원군 대산면 서갓마을 외딴집에서 양변식의 개간지를 관리하며 살고 있던 본건 토지 소개자였던 양홍기를 찾아갔다.

"일금 5만 원을 사례금으로 주겠으니, 네가 지금까지 증언했던 말들을 전부 황의지가 시켜서 한 것으로 해주시오."

하고 유혹하였다. 그러나 양홍기는 이를 거절하였다. 그러자 손봉조는 위협까지 해가면서 협조를 구하자 그때는 양홍기도 겁을 먹고

"하라는 대로하겠으니 잘 가르쳐 주십시오."

라고 허락을 하였던 것이다.

손봉조와 최규산은 연극을 꾸며 녹음기에 담아 그것을 남원경찰서 수사과에 증거로 제출하였다

그러자 수사과 형사 고석민은 양홍기를 출두시켜 놓고 신문을 하자, 처음에는 녹음기의 내용과는 같이 답변을 하는 것이었다. 그러자 고형사는 녹음기를 틀어놓고 위협을 하자, 양홍기는 잔뜩 겁을 먹고는 손봉조와 최규산이 시켰다며 사실대로 답변을 하는 것이었다.

그래서 양홍기는 위증이 성립되어 즉각 구속이 되었다. 그리고 땅을 산 나와 땅을 판 손운생까지 모두 구속되었다. 나에게는 위증 교사죄를 적용한 것이었다. 아니라고 해도 통하지 않았다

사실 소개자였던 양홍기가 매년 토지세를 손운생에게 준 것을 보았고, 또는 소개자의 말을 듣고 매매가 성립 된 것인데 그것이 잘못된 것이라고 하다니, 대한민국 헌법이 과연 잘잘못을 가릴 기준이 되는 것인지 한탄스럽지 않을 수 없었다.

그러나 법적으로 죄가 인정되어 구속되어 형사재판을 받았다. 그 결과는 2년 집행유예가 떨어졌다.

나는 당장 항소를 제기하고 유창현 변호사를 선임했다. 그것은 검사의 위신관계가 있으니 변호사를 선임하라는 법조계 인사들의 말에 따른 것이었다.

다행히 두 차례 신문을 했으나 나에게는 협의가 없다는 판결이 나는

것이었다.

나는 지금까지의 고통을 참을 수 없었다. 그래서 합의부에서 무혐의 판결을 받은 즉시 손봉조를 무고죄로 고소했다.

그때 손봉조를 경찰서에 수감되고 신문을 받게 되었다. 이번에는 손봉조에게 실형이 선고되었다. 그러나 호적상 노령이라는 이유로 형무소까지는 가지 않고 또 집행유예로 그치는 것이다

긴 법정 싸움에 심신이 피곤하고 그 동안 농사도 제대로 하지 못하였다. 이제는 재판이 끝이 난 줄 알고 다랭이 논의 농지정리 작업에 집중하였다.

그런데 손봉조가 또 민사재심 청구소송을 남원지원에 제기한 것이다. 끈질긴 노인이었다.

그러나 손봉조는 또 패소판결을 받았다. 그러자 다시 전주 지방법원 합의부에 항소를 제기했다. 거기서도 또 패소판결을 받았다.

손봉조는 그 간의 재판 비용을 쓰기 위해서 이복동생인 손운생이 배경순에게 이미 판 밭 900여 평을 이전하지 않고 있었다. 손봉조는 이것을 일방적으로 다른 사람에게 팔아서는 그 돈으로 재판비용으로 써버린 것이다. 그런데 손봉조로부터 그 땅을 산 사람이 다시 다른 사람에게 팔았는데, 그 사람은 그 토지를 자신의 명의로 소유권 이전 등기를 한 다음, 밭을 경작하고 있는 배경순에게 찾아가서 밭을 내놓든가 아니면 세를 주고 짓든가 하라고 말을 하였다.

그제서야 배경순은 손봉조가 자신에게 한 마디 상의도 없이 자신에게 판 땅을 다시 다른 사람에게 판 사실을 알게 되었다.

손봉조는 먼저 소송을 제기하고 송사 중에 배경순을 찾아가 말하

였다.

"손운생으로부터 매입한 밭을 잘해줄 터이니 돈 10만 원만 달라."

고 청한 사실이 남모르게 있었던 모양이다.

이때 배경순은 재판을 하느라고 몇 년 동안 정신이 없는 것을 보고는 10만 원 더 주고 산 다는 셈치고 손봉조가 요구하는 대로 나에게 말도 없이 돈을 주었던 것이다.

그 밭에 대한 사기매도처분 사실은 전연 모르고 있는 상태에서 갑자기 밭을 산 사람이 나타나 밭을 샀다는 말을 하니 놀라지 않을 수 없는 것이었다.

배경순은 그제서야 사건의 진상을 파악하고는 손봉조를 상대로 이전무효소송을 남원지원에 제출하였다.

재판 날 나 역시 배경순의 재판을 방청하고 그 소장내용을 떼어 보았다. 배경순은 무식한 사람이라 소장 내용이 아주 부실했다. 그래서 다시 소장내용을 첨가하여 써주었다. 그리고 증인으로 나를 세우려고 하였다.

내가 배경순의 재판에 적극 나선 것은 손봉조가 나와의 재판을 그때까지도 진행 중에 있었기 때문에 그 재판 역시 결국 나의 재판이나 다름없었기 때문이었다.

배경순은 내가 하라는 대로 나를 증인으로 세웠다.

그 동안 손봉조 일당은 배경순에게 재판 때마다 돈을 얼마나 벌어 놓았느냐며 회유하기도 하고, 수염을 잡고 흔들다가 나를 보게 되면 쉬쉬하며 피한 적도 몇 번 있었다.

재판일자에 나는 증인대에 올라 그간 나하고 재판해왔던 기록문을 증거로 제출하고 사실을 증언하였다.

1980년 여름, 손봉조는 소유토지를 이유 없이 배경순에게 돌려주라는 판결이 내려졌다. 불의의 종말은 정의 앞에 굴복하는 것뿐이라는 것을 입증하는 사건이었다.

손봉조는 자신의 아버지인 손준기가 살아 있을 당시에도 한 동네에서 별거하고 있었기 때문에 부동산의 내역에 대해서는 잘 몰랐다. 그때까지 이복 동생인 손운생이 관리하고 있었기 때문이다. 아버지가 사망하자 손운생이 그 땅을 관리하고 권한을 행사하다가 6·25가 터져 땅문서가 불에 타고, 손운생이 그 땅을 처분하자, 같은 자식으로서 그 땅을 다시 차지하려고 안간힘을 썼던 것이다. 그래서 일당들과 교묘하게 꾸미고 협작을 하여 나와 배경순의 땅을 넘보려고 7년간이나 법정 싸움을 벌였던 것이다.

그 동안 남원지원에 여섯 차례, 전주지방법원에서 세 차례, 대법원에서 두 차례 등 모두 여덟 차례의 재판을 벌였으나, 모두 손봉조의 패소로 끝나고 말았다.

나 또한 지리산 오지에 살면서 교통조차 불편한데 남원으로, 전주로, 서울로 7년간이나 따라다니며 법정 싸움을 벌였으니 물심양면으로 큰 고역이 아닐 수 없었다.

그러나 수 차례의 송사로 많은 경험을 얻었다. 약자와 빈곤한 자, 무식한 자, 외로운 자들이 참으로 가련하게만 느껴졌다. 항상 돈 있고, 권력 있는 자들에게 당하고만 살아가고 있으니 불쌍하지 아니한가.

그리고 돈이 사람을 울리기도 하고, 웃기기도 하고, 죽이기도 하고,

살리기도 하는 요상한 것이라는 것을 새삼 느끼지 않을 수 없었다. 사회 악의 원흉이 바로 돈이고 도든 범죄가 돈에서 연유하고 있다는 것도 깨닫게 되었다.

또한 돈에 너무 집착하는 사람은 사邪가 붙고 악惡이 생겨 불의를 저지르게 되므로 항상 삼가야 함을 깨닫게 되었다.

전적기념관

재판에 따라다니다 보니 세상이 어떻게 지나가는지도 모르게 지나갔다.

그 동안 세월이 바뀌면서 지라산을 찾는 관광객, 등산객, 탐사객 등이 많이 늘어났다.

관광객의 수효가 매년 증가하여 감에 따라 지리산 국립공원 북부관리소 내에 집단시설지구로 지정이 된 반선마을에 전북도청 건설국장 김인기 씨는 본격적으로 개발하기 위해 빈번히 드나들었다.

조감도까지 만들었고 면과 지서, 공원관리소에서는 공원법에 명시된 것을 바탕으로 주민들과 유대를 가지면서 지방의 번영과 정화사업을 추진하여 1979년 반선마을 번영회를 조직하게 되었다.

당시 산내면장과 지서장과 공원담당관 등이 참석한 동리회의에서 반선번영회 초대 회장으로 내가 뽑혔다.

또한 10일이 지나서는 공원 내의 안녕과 질서를 확립하기 위해 정화위원회의를 조직하게 되었는데 이때에도 내가 초대 회장에 추대되었다.

반선은 하루가 다르게 변해갔다. 찾는 사람도 점점 늘어갔다.

사계절의 아름다운 절경을 구경하고 사진을 찍으려는 사람들도 많았고, 이곳에 자생하는 식물과 동물과 곤충을 연구하는 학자들도 줄을 이었다.

뱀사골에서 병풍소와 간장소를 지나 반야봉 정상에 오른 사람들은 대자연의 아름다움에 매료되어 내려오기를 아쉬워하는 것이다.

지리산에 대한 관심이 높아가면서 유적지로서의 관심도 점차 높아가고 있었다.

특히 우리 민족의 한이 맺힌 6·25 전란사를 돌이켜 보고자 찾는 사람이 많았다. 1955년 5월 수복을 하던 그날부터 우리 민족의 정기를 이어받은 우국지사들과 유족들이 이곳 지리산에서 산화한 그 넋을 달래고 명복을 빌기 위해 거리와 계절에 관계없이 찾아오는 사람이 줄을 이었다.

이때 6·25 전쟁 당시 치열했던 오대산과 낙동강에 전적기념관을 건립한 뒤, 이곳 지리산에도 조선노동당 중앙당 대역지도부와 남부군 유격대 총사령부의 아성지였기 때문에 사적을 남겨둘 가치가 있다는 의견이 제기되었다. 그래서 지리산이 걸쳐 있는 삼 개 도중 이곳 지역을 탐사하려고 건설부, 교통부, 국방부 등 삼 개 부처 담당관들이 연고지를 순회하며 조사를 벌였다.

그때 중앙에 근무하던 남 씨의 제보에 따라 반선마을에 들르게 되었다.

나는 6·25를 전후하여 모든 진상을 자세하게 아는 데까지 말해주었다. 그들은 뱀사골을 드나드는 반선마을 중 옛날 송림사 절터였던 곳에 전적기념관과 충혼탑을 건립하고자 결정하였다.

그리고는 즉시 추진하여 1979년 11월에 완공식을 하기로 하였다.

박정희 대통령과 황인성 교통부 장관이 참석한 가운데 전적기념관 준공식을 거행하게 되었다.

그리고 전적기념관이 건립하게 될 개울 건너에 있는 나의 물레방아도 고전풍의 물레방아로 만들어 평화와 낭만이 깃든 명소로 만들 것을 남원군 당국에서 결재까지 해 놓고 있었다. 그래서 남원시의 요청에 따라 설계도와 내역서를 만들어 제출하였다. 약 500만 원을 들여 지붕 덮개로 억새를 200여 짐하고 내부장식 용품까지 일체를 준비하였다.

준공식이 다가오자 반선마을번영회를 중심으로 마을 청소도 하고 거리도 단장하는 등 행사를 차질 없이 준비하던 중 청와대에서 뜻하지 않은 이변이 발생하였다.

1979년 10월 26일 박정희 대통령이 시해弑害되었던 것이다.

그래서 할 수 없이 전적기념관 준공식은 한 달 후로 연기되었고, 그것마저도 전라북도 부지사가 참가한 가운데 경황없이 거행하게 되었다. 그리고 반선마을 집단시설계획은 무기한 연기되었다.

준공식이 있기까지를 기다리던 주민들은 마음만 설레었다가 실망을 하지 않을 수 없었다. 그래도 대통령이 찾아와 전적기념관을 준공하면 반선마을은 지리산 가운데서도 명소로 알려져 더 많은 관광객들이 찾아

올 것으로 기대했기 때문이다. 그 뒤 관광객이 뜸해졌다.

　나는 그 후 잠시 과수원 관리를 해가면서 과수원 주변 일대에 남원군에서 장려해왔던 한봉사업을 하기 위해 터를 닦아 막사를 세우고 벌통을 놓을 수 있는 터를 다듬느라 여념이 없었다.
　양봉에 필요한 인공밀원을 조성하고 자연밀원도 무엇이 좋고 필요한 것인지 알기 위해 농촌지도서 발행한 각종 수림성분 분석 책자까지 빌려다가 연구를 하였다.
　연구한 끝에 인공밀원으로 유명한 황포도를 천여 평 심기도 하였다. 또한 관광객들의 부식용으로 도라지와 더덕, 그리고 산채 밭을 만들기에도 바빴다.

삼청교육대

이렇게 동분서주하고 있는데 나이 58세 되던 해인 1980년 8월 4일 뜻밖에도 남원경찰서로부터 출석해 달라는 산내 지서의 전화 연락을 받았다.

무슨 영문인지 몰라 궁금해 하면서 옷을 챙겨 입고 산을 내려갔다. 몇차례 불려갔던 기억이 있어 이번에는 무슨 일인가 궁금하고 한편으로는 불안했다. 남원경찰서로 가기 전에 먼저 산내 지서에 들러

"무슨 일로 나와 달라는 것인지 그 사유부터 가르쳐 주시오."

하고 물었다. 그러자 무엇인가 직접 말하기 거북한 일인지 대답을 회피하며

"무조건 본서에 가보면 알 것입니다."

하며 답변을 거부하는 것이었다.

그래서 지서의 노 순경과 같이 본서로 가게 되었다.

경찰서에 들어가니 수사과 형사실로 안내되었다. 형사실은 말끔히 치워놓고 임시 대기실로 쓰고 있었다. 그런데 사람들이 무수히 잡혀와 있어 무슨 일이 또 벌어지겠구나 하는 생각이 뇌리를 스쳤다.

대기실로 들어서서 무슨 일로 잡혀왔는지 알아보기 위해 잠시 동정을 살폈다.

또 빨갱이짓을 했다고 그러는 것이 아닌가 싶었다. 이렇게 아무 말도 없이 유치장에 가두려고 하는 것이 아닌지 불안했다. 만약 그런 일이 있다는 것은 있을 수 없는 일이었다. 어쨌거나 독 안에 든 쥐새끼처럼 이제는 꼼짝 못하는 신세가 되었다.

관련자들이 부산하게 드나들고 있는데 연행자는 모두 신중한 표정에 꿀 먹은 벙어리처럼 말이 없었다.

저녁때가 되어 식사가 들어왔다. 옆에 있던 오병도라는 사람이 같이 저녁을 먹자고 하였다. 저녁을 먹고 나니 상당수가 어디론가 떠나갔다. 그리고 남은 인원이 25명밖에 남지 않았다. 나흘 밤을 자고 나니 12명의 행방이 간 곳이 없었다. 그리고 닷새째 되는 날 5명이 나가더니 며칠이 지나자 1명이 또 나가는 것이었다. 이제는 남원에 김익서 기자하고 나하고 둘만이 남았다. 김익서 기자마저 김성운 기자의 적극적인 주선으로 나가는 것이었다.

이제는 나 혼자 남게 되었다. 3일 전까지만 해도 경찰서 정보과장 김용호는 나에게

"곧 나가게 될 터이니 황 선생은 염려하지 마세요."

하더니, 이제는 얼굴조차 보이지 않는 것이었다.

그 뒤에 경찰서 임 경장으로부터 들으니

"황의지 씨는 Ａ급이 되어 삼청교육대를 가야만 합니다."

라는 것이었다. 나는 그 말을 듣고 어이가 없어 다시 물었다.

"일전에 정보과장이 나에게 분명히 곧 나가게 될 터이니 염려 말라고 하였는데 이런 법이 어디 있습니까?"

"그것은 우리 경찰서에서 하는 일이 아니고, 남원보안대하고 남원유지들 위주로 구성된 정화위원회에서 심사하고 결정된 일이므로, 우리 경찰서에서는 그저 따를 수밖에 없습니다."

자기들은 모른다고 하니, 이 일을 어쩐단 말인가.

삼청교육대라는 곳이 무엇인지도 모르는 나는 불안하기 이를 데 없었다. 나만 남은 것을 보면 빨치산 활동을 한 것을 트집 잡아 무슨 교육을 받게 할 모양이라는 생각이 들었다.

아마도 6 · 25 전란 중에 이승만 정권에 적극 동조했던 인사들이 심사위원으로 구성되어 모든 것을 결정하여 행하는 짓이라는 생각이 들었다. 그리고 며칠까지 여기 드나들었던 정보과장의 말도 헛소리였다.

8월 16일이 되자 2명의 청년 절도범이 들어왔다. 이제는 3명이 되었다.

임 경장이 들어와서 어디론가 가자고 하였다. 아마도 삼청교육대라는 곳으로 갈 모양이었다. 나가더니 우리를 지프차에 태우고 전주 35사단에 설치된 삼청교육대까지 호송하는 것이었다.

도대체가 모를 일이었다. 내가 절도범하고 함께 끌려 삼청교육대로 가는 것인데, 그렇다면 용공분자라는 이유만도 아닌 무슨 다른 이유인가 하는 생각도 들었다.

내가 그 동안 걸어왔던 길이 주마등처럼 지나갔다.

'6·25 전후 전란 때의 사실은 죄과의 경중을 막론하고 군사재판을 받은 뒤에 법정의 기소유예처분을 받고 석방이 되었으니, 형법상 일사부재리의 원칙에 입각하여 재론의 여지가 없을 것이다. 그리고 제3공화국 때는 처음에 치명적인 타격을 받았으나 나로서는 반선에 정착한 뒤 성심성의를 다해 우리 지역 교육향상을 위해서나, 지역생활개선을 위해서나, 지리산 국립공원 개발을 위해서나 최선을 다하여 공을 남겼다. 그러니 내가 부지중에 잘못이 있다 해도 어떠한 처벌보다 우선적으로 나의 그 간의 활동상을 정확히 파악하게 되면 대통령의 표창까지도 거론될 만한 일이라고 자부하고 싶다. 이 나라 이 민족 앞에 죄를 질 만한 일이라고는 꿈에도 없는데 어찌된 일이란 말인가.'

이렇게 생각을 하며 '별일이야 있겠는가' 하고 마음을 놓고 가다보니, 어느새 35사단 가까이에 도착하고 있었다. 훈련을 받는지 사단 밖에까지 고함소리가 요란스럽게 들려왔다. 점점 가까워지자 고함소리는 더욱 커지고 이내 지프차가 멈추었다.

중사 계급장을 단 공수부대 요원이 우루루 뛰어나와

"흐응!"

하고 콧방귀를 뀌면서

"이 자식들! 잘 왔어! 맛 좀 봐라!"

하는 것이 아닌가. 순간 나는 정신이 번쩍 드는 것이었다.

"아차! 이거 잘못 왔구나!"

생각이 채 끝나기도 전에, 손으로 치고, 발로 차고, 몽둥이질하고, 내동댕이치고, 지근지근 눌러 밟고, 다시 일으켜 후려치고, 뜀박질을 시키고…….

정신이 없었다. 이게 무슨 날벼락이란 말인가.

힘에 겨워 헐떡이는데, 무거운 모래 가마니를 둘러메고 가라는 고함 소리와 함께 구둣발길이 온몸에 날아오는 것이었다.

그리고 모래 가마니를 메고 달려갔다 오게 하기도 하고 포복도 시키는 것이었다. 그리고 좌로 구르게 하고, 우로 구르게 하고, 앞으로 구르게 하고, 뒤로 구르게 하는 등 정신없이 구르게 하여 온몸이 땀으로 뒤범벅이 되고, 숨은 곧 끊어질 듯 차왔다. 이렇게 갖은 벌과 폭행이 약 세 시간 동안이나 계속 되었다.

나이 58세 된 나로서는 젊은 사람도 하기 힘든 벌을 영문도 모르고, 그것도 아들과 같은 새파란 놈들한테 받아야 한다는 것이 너무나 분통이 터졌다.

나는 얼마나 화가 나고 분노가 치밀었으면 그 옛날 죽지 않고 살아 나온 것을 원망했겠는가.

온몸은 터져서 피투성이었다. 이제는 걸어가게 하는 것도 아니고 끌고 가서 꿇어앉히더니 머리를 깎는데 뽑다시피 하며 깎는 것이었다.

나이를 먹었다고 2중대에 배치를 받아 갔다. 아직까지도 어떠한 질문도 없고 자술을 받은 것도 없었다.

그날부터 아침 6시에 기상하면 밤 10시까지 식사시간도 없이 하루 종일 기합으로 시작해서 기합으로 끝나는 것이었다. 무엇 때문에 이와 같은 혹독한 기합을 받아야 하는지 사유부터 물으려고 하였으나, 그럴 시간조차 주지 않았다. 매일 같이 기합을 주는 고함 소리와 기합 받으며 지르는 비명소리뿐이었다.

그렇게 벌만 받던 어느 날 끌려온 사람들에 대한 심사를 하는 것이었다. 그것도 일부만을 심사하는데 이때에 나도 받게 되었다.

심사관은 모두 5명이었다. 정장을 한 사람 4명에 사복 1명 등 중령들이었다. 나의 차례가 되어 심사장을 들어가니 질문을 하였다.

첫번째 질문은 전화 통화료에 대한 말을 꺼내대가 "혐의가 없구만!" 하고 치웠다.

두번째 질문은 "동네 회관 돈" 하고 꺼내다가 이것도 "혐의가 없구만!" 하고 넘겼다.

세번째 6·25 때 부역사실을 끌어내서는 장황하게 질문을 하는 것이었다.

나는 사실대로 대답을 하였다.

지금이 어느 때인데 6·25 때 지은 죄를 묻는단 말인가?

노루 때린 몽둥이 3년 우려먹는 식이지, 이제 와서 무슨 소리인가?

나라에 의회가 있고, 의회에서 지정한 헌법이 있지 않은가?

잘못이 있다면 그 죄과에 따라 처벌을 주고받아야 하는 것이 아닌가?

그리고 엄연히 이 나라는 법치국가가 아닌가?

그 일을 집행하는 사법부가 존재하고 있는데, 지금까지 이 업무를 보고 있는 공직자들은 그저 우리가 주는 세금으로 봉급만 받고 오늘에 이르기까지 무슨 일을 하고 있단 말인가?

나는 이런 생각을 하면서 끓어오르는 분노와 흥분을 꾹 참고 약 30분 간이나 심문을 받았다.

받는 중에 다행히 심사관 한 사람이 얼마 전에 반선마을에 갔었다면서, 나의 모든 설명과 안내를 받은 적이 있다는 것이었다. 그는 나를 아는 척을 하며 인사를 하면서 말하였다.

"우리가 하는 일은 연좌제 폐지를 하기 위해 하고 있습니다. 그러니 가시게 되면 말이나 잘해 주시오."

비로소 심사를 받는 날이 되어 삼청교육대를 들어오게 된 이유를 알게 되었고, 아는 심사관이 있어서 이제는 인간도살장에서 죽지 않고 머지않아서 벗어날 것이라는 희망을 가지게 되었다.

그런데 삼청교육대에서 들어온 사람 대부분은 사회악을 저지른 범인으로 분류되어 심사도 받지 않고 바로 노역장으로 가게 되어 있었다.

나는 8월 30일에 순화교육 수료장을 받아 쥐고 석방이 되어 돌아왔다. 8월 4일에 들어왔으니 26일만에 석방된 것이다.

내가 집에 돌아오니 내가 한봉을 계획적으로 하려 했던 벌막蜂幕도 없어지고, 내가 보려고 하였던 많은 서적들도 몽땅 없어졌다.

매사에 의욕이 나지 않는 것이었다. 그리고 이제는 큰 죄가 있어서 순화교육을 받고 나온 사람으로 취급을 하는 것 같아 완전히 사회적으로 매장된 느낌이 들었다.

그리고 하반신을 두들겨 맞은 날부터 신경이 마비가 되어 제대로 쓰지 못하게 되었다. 또한 정신적으로 창피하여 누구를 대하든지 반가움도 모르게 되었으며, 면담조차도 하고 싶지 않았다. 가급적 면회를 사절하고 하루하루 근신하며 지냈다.

그렇게 한 달 정도가 지나갔다.

산내 면사무소에서 순화교육 이수자 환영식을 한다고 초청을 한 것이다. 무엇이 잘한 일이라고 환영을 해준단 말인가. 죄를 지었으면 법적으로 처리할 일이지 무슨 법적 근거로 끌어다가 때리고 폭력을 행사하고 노역을 시킨단 말인가. 그렇게 하고서도 창피한 줄 모르고 환영식을 한다는 것인가. 그리고 그곳에 나올 사람이 누가 있단 말인가. 창피해서도 나갈 수 없는 일이 아닌가.

그러나 이것도 상부의 지시에 의해 개최하는 것일 것이고, 참가하지 않으면 또 주목받을 것이 뻔하기 때문에, 울며 겨자 먹기 식으로 나가지 않을 수 없었다.

면민들이 100여 명 모인 듯하였다. 그 자리에 참석하고 있으면서도 나는 몹시도 분하고 창피하고 불안하였다.

사람들은 경찰서만 가게 되면 색안경을 쓰고 보게 되고, 이야기만 해도 의심을 한다. 경찰서나 검찰청, 법원 등 어디를 가나 이와 같은 색안경을 쓰고 보는 것 같았다.

그리고 이제는 듣지도 못하고 보지도 못했던 삼청교육대를 갔다 왔으니, 나를 신분 이하의 인간으로 보는 것 같아, 다른 사람들에게 갔다 왔다는 말도 못하였다. 누가 나의 이런 속을 안단 말인가.

못마땅한 자리, 불편한 자리, 창피한 자리인데도 순화교육을 받고 온 소감을 듣자고 하는 것이었다. 마음속에 있던 울분을 토로할 시간은 내가 바라던 바였다.

처음 인사를 한 다음 나는 사람들을 향하여 외치듯 토해냈다.

"사람은 사람다운 행동을 할 때 그 사람을 사람으로 부르는 것입니다. 사람이 세상을 살아가면서 남을 헐뜯거나 못할 일을 해서도 안 되고, 죄를 저질러서도 안 됩니다. 특히 금번 순화교육상 주안점은 사회악을 시정하는 것이었습니다. 제3공화국은 사회 5대악이라고 해서 밀수·마약·폭력·도박·도벌을 들어서 인간 이하의 행위로 지적을 했습니다. 그러나 이제는 밀고와 폭행까지도 포함시켜 사회 7대악이라고 합니다. 이러한 무리들은 당연히 이 평화롭고 행복한 사회를 좀먹는 것이므로 마땅히 이 사회에서 추방되어야 합니다.

그러나 우리나라에 정해진 법을 초월해서 너무도 지나친 행위를 한다면 전 국민의 단호한 심판을 받게 될 것입니다. 아무리 죄를 지었어도 엄연히 법치국가이기 때문에 법적 절차에 의해서 재판을 받고 그 죄를 받는 것이 당연합니다.

그런데도 불구하고 아무런 법적 근거도 없이 잡아다가 폭력을 행사하고 노역을 시킨다면 오히려 순화되는 것이 아니라, 사회적 적대감과 불만만 낳는 경우가 되지 않을까 우려됩니다.

그리고 저의 경우 지난 날 했던 일은 여러분도 다 알고 계시지만은 특별한 경우에 발생한 일이었습니다. 그리고 법적 판결을 받아 기소유예를 받아 종결된 일입니다. 그런데도 요즘처럼 국가변란이 있을 때는 이미 끝난 일도 다시 들추어내어 죄를 묻고 벌을 주어야 하는 것인지, 너무나도 억울하고 분통이 터질 일입니다.

저는 부당한 이유로 순화교육장을 다녀오게 되었습니다마는, 우리 민족이 정말 민주주의를 지향하고 법치국가를 원한다면 이와 같은 일이 다시는 되풀이되어서는 안 된다고 생각합니다.

저는 삼청교육대에 가서 정말 죄를 짓고 벌을 받을 사람이라면 거기 가지 말고 자살하라고 말하고 싶습니다. 그렇게 무섭고 고통스러운 기합과 폭력을 받기보다는 죽는 편이 낫다는 것은, 그곳이 얼마나 사람을 사람으로 취급하지 않는 도살장과 같은 곳이라는 것을 말해 주는 것입니다.

저는 삼청교육대 심사과정에서 6 · 25 때 빨치산 투쟁경력을 문제 삼아 끌려갔다는 것을 심문을 통해 알았습니다. 이제 와서 그 소리가 무슨 소리 입니까마는, 만약에 저의 과거 행위를 문제 삼으려면 국가보안법에 적용을 받아야 마땅하다고 생각합니다. 무슨 법을 적용하는지조차 모르면서 마구잡이로 사람을 잡아다가 한데 집어넣고 순화교육을 한다면 그것이 무슨 효과가 있겠습니까?

저는 너무도 황당한 경우를 당했기에 이 자리를 빌어 한 말씀드리는 것이니 양해 바랍니다. 사람이 죽어도 할말은 해야 하는 것 아니겠습니까? 무엇이 옳고 그른지를 모르고 행동하는 사람들에게는 무엇이 옳은 것인지를 일러주어야 하지 않겠습니까?

끝으로 이 자리를 빌어서 드리고 싶은 말씀은, 특별한 일이 아닌 경우에는 자신이 처한 환경을 극복하기 위해 노력하고 순수하게 살면서 범법행위를 일체 하지 말 것입니다."

내가 말을 하는 동안에도 그리고 말을 끝내고 나서도 장내는 쥐 죽은 듯이 조용하였다. 특히 기관장들은 가슴이 뜨끔하였을 것이다. 그러나 청중 중에 순화교육에 대한 실상을 듣고는 "옳소." 하는 소리를 연발하며 박수를 쳤다. 기관장들도 따라서 박수를 쳤다.

내가 단상을 내려오자 각 기관장들이나 친지들은

"나이 자신 분이 고생하셨습니다."

하며 위로를 하는 것이었다. 그러나 사또 떠나고 나발 부는 격이었다. 무고한 사람을 보내지 말았어야 했다.

산내면장은 상부기관의 지시라면서 선도보호자를 선정해야 한다면서 면의원 김용호와 자매결연을 맺어주었다. 입석리에서 순화교육에 갔다 온 김일중은 최순학과 자매결연을 맺어주었다.

이렇게 해서 일거수 일투족을 보호받고 감시 받는 사람이 되었다. 그러니 어디를 가든지 낯을 들고 다닐 수 있단 말인가.

이 사건이 있은 후 모든 명예직을 소리 없이 박탈당하였다. 이러한 처지를 당하자 이제는 무슨 일이든지 의욕이 없어졌고 인생의 취미도 없어졌다.

그런데 설상가상으로 두들겨 맞았던 몸뚱이가 통증이 더 느껴지기 시작한 것이다.

특히 무릎부터 아래로 발목과 발바닥까지 몹시 쑤시고 저리고 시리고 후끈거리면서 감각조차 없는 것이었다. 얼마나 감각이 없으면 뜨거운 물이나 불에 데어도 감각을 모르는 상태까지 되었으니 병도 큰 병이었다.

그래서 삼청교육대에 있으면서도 매일 의무실을 나다니며 치료를 받아왔고, 집에 와서도 바로 신경외과병원에도 입원을 하여 수개월 치료를 받은 적도 있었으나 차도가 없었다.

양방이 효험이 없자, 이제는 한방으로 바꾸어 몇 달간 치료를 받았지만 역시 효과는 없었다. 그 외에도 좋다는 약이나 처방은 다 시도하였다. 일례로 금침金針, 뼈주사, 쑥뜸, 지압, 해수욕 등 무려 십여 년 간을 계속 병을 낫기 위해 노력했으나 효험이 없었다. 참으로 백약이 무효인 병이 된 것이다.

그러나 나는 병 앞에 굴복할 수 없었다.

"정신이 아직도 살아 있건만 세상을 원망해 무엇하랴. 모두가 내가 선택한 인생이요, 내 행동의 결과라고 받아들이자."

이런 생각을 하고는 아픔을 참았다. 그리고 삽상한 바람을 쐬고 새소리, 바람소리를 들으며 뱀사골의 맑고 시원한 계곡 물에 발을 담그고 이리 주무르고 저리 주무르고 하니 다 나은 것 같은 기분이 들었다.

내가 꿈꾸는 세상

　맑은 물에 비치는 내 얼굴을 보니 이제 머리도 허옇고 주름살도 많이 져 있는 것이었다. 지나 간 세월이 짧은 것 같은데 내 모습이 이렇게 늙어가다니. 세월의 무상함이 느껴졌다.

　그러나 한편 생각해 보면 살 만큼 산 나이가 아닌가 싶었다.

　이 계곡 물에 피를 쏟고 죽은 나의 동지들에 비하면 얼마나 오래 더 산 것인가.

　그렇다. 그 동지들에 비하면 나는 많이 산 것이다.

　어떤 사람이 말했던가. 살아갈수록 못 볼 것만 보게 되니, 사람은 죽을 때가 되면 죽어야 한다고 말이다.

　일본군 만주군관학교 장교 출신 박정희가 5·16 군사 혁명을 일으키고, 비명에 간 그를 대신해 광주시민을 무더기로 죽이고 정권을 잡은 전두환은 인권유린의 도를 넘는 천인공노할 삼청교육대를 만들어 결국 나까지 이렇게 만들어 놓았다.

살아갈수록 내가 꿈꾸던 그런 세상은 오지 않을 것인가.

그러나 세상을 원망하여 무엇하랴.

어차피 이 세상은 진정으로 백성들이 주인인 세상이지만 인류 역사상 모두가 사람답게 사는 세상이 언제, 어디에 있었단 말인가. 그저 내가 살기 위해 남을 죽이고 핍박하고 빼앗고 속이는 약육강식의 세상일 뿐인 것을. 이성이 있고 삼강오륜을 안다는 인간들의 세상이지만 동물세계나 다름없다는 것은 역사가 증명해주고 있지 않은가…….

계곡 물에 발을 담그고 있노라니 관광객이 꼬리에 꼬리를 물고 올라온다. 마치 뱀사골이 그들을 부르기나 한 듯이. 더러는 연인과 부부가 다정하게 오르기도 한다. 아름다운 자연을 화폭에 담으려고 붓을 들고 그 모습을 담느라고 분주한 사람도 있다. 사진기를 들고 경치를 담고, 함께 온 사람을 담는 사람도 있다. 모두가 지리산의 아름다운 자연 풍광에 행복해 하는 사람들이다.

지리산은 말이 없다.

그 옛날 동족간의 죽고 죽이는 치열한 싸움이 벌어졌던 전장의 기억을 가슴에 묻고도 아무런 말이 없는 지리산.

우리들의 이념과 사상과 목숨을 품어주었던 지리산.

그리고 지금까지 30여 년을 나를 품어주었던 지리산.

이 세상에는 이 지리산만도 못한 사람들이 얼마나 많은가.

지리산에 물어봐도 지리산은 말이 없다.

나는 가슴이 뭉클하여 「지리산 망향시」라는 시 한 수를 지어 읊어 보
았다.

동해안 해돋이를 말해주는 천왕봉아
1915 정상이라 그 멀리 보이더냐
그 모습이 신비하다 어찌 말을 아니하랴
우리들이 보았으니 길이길이 말해주마
높고 얕은 골짜기에 굽이굽이 능선이요
암벽돌에 수놓이고 초목차림 옷이로다
사시사철 흐른 물은 청강수로 이어지고
뛰는 짐승 우글대고 나는 새들 지저귀네

천봉만학 지은 것에 이름 높은 반야봉아
살기 좋은 금수강산 여기 말고 또 있더냐
마한왕이 달궁터에 칠십이년을 살고지고
황산에서 이성계는 왜적 떼를 물리쳤네
임진왜란 예고하던 황진 장군 태어나고
잃은 나라 찾으려는 김구 선생 쉬어갔네
6·25도 최후까지 여기에서 끝이 났고
지리산의 수호신은 민족혼을 깨워주네

어느 해나 우수 때면 고로쇠물 나오는데
신경통증 산후풍증 요도증에 신기타네

지리산의 계곡마다 불로초가 만발하니

물어다가 서려 놓은 토종꿀이 유명터라

난초지초 피어나자 봉접 떼가 모여들고

으름 다래 열린 골에 날짐승이 기어드네

만리길이 훨씬 넘는 진나라의 진시황도

불로초를 얻으려고 지리산을 찾아다네

  몸이 아프고 의욕이 꺾였지만 그래도 지리산을 지키고, 젊은이들을 계도하는 일은 그만둘 수 없었다.

  우주 만물 중에 오직 인간이 가장 위대하다는 공맹의 말씀도 있듯이 사람이 소중하다는 것은 천리天理가 아닌가. 사람이 소중하다는 것은 동물과 달리 배워서 군자와 성인의 경지까지 오를 수 있다는 것이다. 그래서 젊은이는 배워야 한다.

  학교마다 방학 때는 지리산 뱀사골로 수많은 사람들이 몰려온다. 자연을 통해서 심신을 수양하기 위해서다. 산을 통해서 배운다는 것은 얼마나 좋은 일인가. 어진 사람은 산을 좋아하고 지혜로운 사람은 물을 좋아한다고 하였다. 지리산의 산과 물을 통해 어짐과 지혜를 배운다는 것은 참으로 가상한 일이다.

  그러나 젊은이들은 몰려와서 자연을 통해 심신을 수양하려고 하지 않고 노는데 정신이 없는 것을 보면서 안타까운 마음 금할 길이 없었다. 그러나 노는 것은 좋으나 가끔 서로 칼부림까지 하면서 싸우는 것을 본다. 신고를 하여 경찰이 출동하고 경찰과도 충돌하여 사태가 심각할 때도 있다.

그럴 때면 내가 내려가 나이 먹은 위세로 가로막아서 혼을 내준다. 그때마다 경찰들에게 끌고 가지 말고 훈방 조치하라고 이르곤 한다. 경찰에 끌려가면 폭행이니 하여 구속되기도 하고 감옥행을 살기도 해야 한다. 학생들의 신분이므로 그쯤이야 주의정도로 처분하는 것이 좋지 않은가 하고 설득을 하는 것이다. 그래서 사건이 터질 때마다 내가 경찰과 함께 출동하여 사건을 무사히 마무리짓는 경우가 많았다.

그래서 이러한 일로 1983년 7월 26일에는 남원교육장 서정용으로부터 감사패를 받은 사실도 있다.

그뿐만이 아니다. 우리 관내에는 덕동초등학교가 있다.

이 학교는 1931년도에 창설되고, 산중에 있는 학교 치고는 유서 깊은 학교였다. 그러나 6·25 때 11사단이 들어와 학교 건물이나 동네를 초토화시켰기 때문에, 수복한 지 9년 뒤인 1959년도에 다시 세웠다. 학생수는 약 3백 명이나 되었다.

지리산 자락에서 흘러내리는 물이 길고 많아서 비만 왔다 하면 하천을 건너지 못해 휴교가 잦았다.

다행히도 교육청에서는 학부형과 주민들과 학생들의 요구사항을 듣고 다리를 놓게 되었다. 그러나 인부들이나 자재들은 학부형의 부담으로 하게 되었다. 그리고 작업감독은 사친회 회장 책임이니 내가 맡게 되었다.

다리를 놓으면서 다리 가설 문제 외에 새로운 애로사항이 있었다. 다리에서 학교로 가는 진입로가 없는 것이었다. 이곳 땅은 장항리에 사는 정씨 문중 종답宗田이었다.

나는 학교장 이종규 씨와 함께 정씨 문중을 찾아갔다. 학교 진입로에 대한 사정을 말했더니 두말 않고 쾌히 승낙을 해주는 것이었다.

그래서 무난히 다리를 건설하였고, 동시에 진입로까지 차량이 다닐 수 있도록 잘 닦게 되었다.

이 공로로 1974년 2월 7일 전라북도 교육감 설인수로부터 감사장을 받은 사실도 있다.

어찌 한시인들 이 나라의 동량이 될 학생들에 대한 고육을 경원시해서야 되겠는가. 아이들은 면학에 힘쓰고, 학부형들은 공부하는 환경과 조건을 만들어 주는 것은 당연한 일이 아니겠는가.

그런데 배움이란 아이들만 배우는 것이 아니다. 청장년도, 노령자도 항상 배워야 한다는 것이다.

아이들은 우리 유교의 예의와 도덕과 문화를 익히는 데 중점을 두고 배워야 한다. 그런데 나날이 변해 가는 사회풍조를 보면 여러 가지로 우려되는 것이 많다.

내가 꿈꾸던 세상은 오지 않았다.

그러나 나의 꿈은 아직 계속되고 있다.

내가 꿈꾸는 세상은 아직 미완성의 세상이다.

나는 그것을 희망을 가지고 현실 속에서 하나하나 이루어 나갈 것이다.

지리산아 영원하라

나는 교육뿐만 아니라 지리산의 명승지와 유적지를 보존하고 알리고 연구하는 일에도 관심을 쏟았다.

덕동초등학교 박환웅 선생님, 산내중학교 구연우 교장 선생님, 그리고 운봉 축산고등학교 이벽우 교장 선생님, 남원 성원여자상업고등학교 이현중 교장 선생님 등과 만나게 되면 언제나 지리산이 화제였다.

우리들은 지리산 여기 저기 명승지와 유적지의 이름을 붙이는 노력도 하였다. 그래서 지금도 그렇게 이름을 부르는 곳이 많다.

이런 일로 1977년 2월 23일 지리산 국립공원 전라북도 관리사무소장 정영희 씨나 여러 사람들로부터 여러 차례 감사장을 받은 사실도 있다.

지리산은 우리들만의 산이 아니다. 우리 자손들의 산이기도 하다. 그러므로 아끼고 보존하여 물려주어야 한다. 그것은 조상들로부터 물려받은 것에 대한 보답이자 의무인 것이다.

그래서 나는 지리산의 역사와 유물·유적을 조사하고, 전설과 경관·생활상을 연구하여 널리 알리려고 노력하였다.

먼저 지리산 북부 뱀사골을 중심으로 이루어진 역사와 유물·유적에 대한 대략적인 소개문을 작성한 적이 있는데 이를 소개하고자 한다. 다음은 내가 조사한 지리산 「소개문」이다.

우리가 살고 있는 전북의 명산 지리산은 최고봉이 반야봉般若峰으로서 높이가 1,732미터이다.

주능선을 타고 동쪽으로 삼도봉과 세석평전을 지나 백 리 밖 경남 산청 관내에 있는 천왕봉은 1,915미터로 동해안의 해돋이의 신비함을 볼 수 있다.

다시 반야봉에서 능선을 따라 남쪽으로 20리 밖 전남 구례 관내에 있는 노고단은 1,506미터로 한때 영국 선교사들의 여름철 피서지였음을 상기시킨다.

거기서 능선을 따라 서북방으로 장장 백여 리를 힘차게 뻗어 내린 외각 능선이 그 이름 높은 세걸산世桀山으로, 만복대와 정령치·고리봉·세걸산 정상·세동재·원한봉·부운재·팔랑재·덕두봉·덕두폭포로 이어진다.

개울 건너 황산에서 고려 말엽인 1380년 9월 삼도 도통사 이성계는 중국 귀화인 퉁두란과 더불어, 황산벌에서 호남 땅을 범하여 노략질하려던 아지발드 대장 이하 2천여 명의 왜적떼를 대파하고 1,600필의 군마와 치중을 노획했다는 대첩비와 격전지 피바위 등을 볼 수 있다.

반야봉에서 천왕봉으로 가는 첫 번째 고갯길은 화개재이다. 영남에서 호남을 있는 산중 소로이며, 차량이 발명되기 전에는 경남 삼천포에서 나오는 식염과 어물류 등을 지게에 짊어지고 이 고개를 넘어 다녔던 매우 중요한 생명의 길로 전해지고 있다.

이 길을 건너서 올라가는 산봉우리를 속칭 운봉무덤으로 부르고 있다. 1592년 임진왜란을 일으킨 왜적들이 다음 해인 계사년 6월에 진주성으로 제2차 공격을 해오자 당시 호남 출신으로 김천일金千鎰, 최경회崔慶會, 황진黃進 등 삼대장三大將이 주동이 되어 9일간의 치열한 공방전을 벌였으나, 전라병사 선거이宣居怡와 조방장 홍계남洪季南 장군은 당초 진주성에 들어와 말하기를 "진주성 사수는 왜적 30만 대군이 우수한 조총을 가지고 있어 불가능하다." 며 대열에서 빠져 나와 운봉에 방어선을 구축하자고 제의한 바 있으나, 그 후로는 선거이 장군의 전사 기록은 볼 수 없다. 다만 전해 오는 이야기에 따르면 지금 명선봉으로 부르는 이 운봉무덤에서 방어선을 폈던 것으로 보인다.

호남과 영남 사이로 뻗어 내린 북향 능선을 타고 내려오면 망바위(초소) 등이 있고, 그 다음에 벌바위(중계소) 등이 있으며, 바로 인근 산비탈 양지에 와운마을이 임진왜란 때 피난처로 무려 4백년 간 명맥을 이어져 오는 등 주변이 임진왜란시 전쟁터였음을 알 수 있다.

임진왜란을 일으킨 왜놈 풍신수길의 야욕에 맞서 싸운 백성들의 흔적이 심산유곡에까지 남아 있음을 보며 당시의 상황이 얼마나 처절했던가를 알 수 있게 해주어 잠시 숙연한 마음을 갖게 한다. 풍신수길은 임진왜란 당시 무려 7년(1592~1598)간이나 삼천리 강토 곳곳마다 살인·납치·

방화·약탈 등 갖은 만행을 저질러 백성들에게 극심한 고초를 안겨 주었다.

계속 내려가면 삼정산 하단 평지에 신라 시대 창건된 고찰 실상사實相寺가 있다. 11점의 보물이 보존되어 있고, 경내에는 약수암도 있어 중생의 갈증을 적셔주고 있다.

물 건너 북녘으로 바라보이는 앞산이 삼봉산으로 마치 외벽처럼 근 백여 리를 가로질러 놓여 있다. 삼봉산의 준령에 들어 있는 백장암에는 국보 1점과 보물 1점이 보존되어 있고, 서진암은 아담한 자태를 보여준다. 매동에 있는 퇴수정은 계곡에 깔려 있는 널찍한 바위가 좋아서 낭만의 집시들이 많이 찾아든다.

또한 이 고장의 자랑인 산내골의 4대 관문이요 명승지로 백장암의 문바위, 중황의 탱석폭포, 마천머리 둠부소, 원천의 산신바위 등을 볼 수 있다.

산내골 평지에는 뱀사골과 심원골에서 옥같이 맑은 물이 장장 70여리를 굽이쳐 내려온 물이 흐른다. 지리산 외각에 힘차게 뻗어 있는 세걸산 준령의 좌우 골짜기에서 사철주야 흘러나오는 물이 황산벌을 지나 삼봉산을 마다하고 돌고 돌아 흘러내려 산내벌 대정리에서 합수된다. 그 많은 물이 지리산 북쪽 지역을 뱅뱅 돌아서는 경남 땅 마천을 지나 휴천으로 쏟아져 나가는 큰 물을 이룬다.

이 물을 막아 산내 땅에 호수를 이루고 진달래, 철쭉이 만발할 때 유람선을 띄우면 지리산 뱀사골 일대의 비경은 더욱 보기 좋은 천혜의 관광 명소로 크게 명성을 드러낼 것으로 기대한다.

아울러 경남 함양과 산청의 농지에 물을 공급하고 발전소도 설치하여 전기를 공급하고 그로 인해 많은 중소기업이 창업된다면 경제적 부흥도 이룰 수 있을 것이다. 그리고 그 호수에 수산물도 풍부하여 먹거리 문화도 새롭게 조성될 것이다. 미래를 통찰할 수 있는 명망이 있는 인재가 나와 새로운 역사를 창안했으면 하는 바람 간절하다.

세걸산에 올라 남쪽을 바라보면 반야봉에서 노고단을 감돌아 만복대로 이어지고, 북쪽을 바라보면 삼봉산이 가로막혀 있고 그 둘레 안에 근 백여 리 되는 길쭉한 골짜기가 방처럼 형성되어 있어 아늑하게 보인다. 그러고 보면 세걸산 주능선이 서쪽 전체를 외벽같이 막고 서 있어 많은 전사와 문화유적지를 낳은 것이 아닌가 싶다.

그래서 지리산이야말로 만물의 보고이며 일기당천一騎當千의 기라성 같은 인재의 키워주고 깨우쳐주는 명산이 아닌가 싶다. 그러한 연유로 인생을 탐구하는 입산 수도자가 많으며, 중생들의 어지러운 마음을 윤리적이고 도덕적이며 정의로운 바른 길로 인도하는 유교 서재와 불교 사찰을 도처에서 찾아볼 수 있는 것이 아닌가 한다.

만물의 영장이며 위대한 인간이지만 완전할 수는 없다. 각자 자신을 돌이켜 몸과 마음을 닦은 연후에 가정과 사회를 다스린다면 우리 사회는 평화롭고 행복할 것이다.

그러나 사회는 예나 지금이나 자기의 이익을 챙기기에 혈안이 되어 있으며, 항상 부조리와 사회악이 난무하고 있어 혼란과 고통이 더욱 심해지고 있다. 이것이 사회적으로 시정이 되지 않는다면 너나없이 불안은 더욱 커지고 크게는 변란도 일어날 수 있다.

그 변란의 예가 『남원지南原誌』에는 자세하게 기록되어 있다.

지금으로부터 2천 년 전 삼한시대에는 삼천리강산에 불과 몇 십만 명이 살면서도 사회의 혼란이 심하였다. 부족들이 벌떼처럼 일어나자 마한馬韓의 기준왕은 세궁역진勢窮力盡하여 잠시나마 은신처를 모색 중 지리산 포중에 있는 달궁터에 세거지世居地를 정하였다. 세걸산과 삼봉산을 배경으로 굳게 견제하면서 어언 72년간을 정 장군과 황 장군의 호위를 받으며 지낸 그 유적이 지금도 남아 있다.

당시 정 장군은 만복대에서 세걸산의 외각 능선 전체를 방어하면서 달궁에서 제일 가까운 이십 리 거리의 세걸산 능선 재길에 많은 기마병을 두고 지휘했는데, 이곳이 지금까지 정령치라는 이름으로 전해지고 있다.

황 장군의 수호지는 삼봉산 일대이며 사령부를 황치에 두어 황치골이라고 불렀다. 여기에서 변한군과 부족군의 침입을 막기 위해 기동병력을 삼봉산과 덕두봉 사이에 위치한 중군동에 진을 치고, 그 전방 소군동에 약간의 유동병력을 배치하였다. 영호남의 도계인 팔령치에 분대 병력을 배치하여 정보수집이나 정찰임무 등을 수행하였다. 후방부는 중기에 두어 심산유곡에 자생하는 식산물을 채집하고 또 평지마다 전곡을 심어 군량을 자급자족하는 한편, 덕동 부근에서 나오는 귀금속으로 장도칼·활촉·철창·말굽창 등을 만드는 가마솥을 두었다. 제품이 나오면 매동에 저장하고 각 병사의 용품을 황치골에서 만들어 썼다. 소년들까지도 소년대에 들어가 특사의 일을 돕는 등 주도면밀한 대비책을 세워 철저한 방어소임을 다하였다.

한편 황 장군은 『황령사기』(전사기록)를 써 놓아, 후일 『동국여지승람』에 인용되고, 다음은 『용성지』로 옮겨지고, 그 다음 『남원지』로 옮겨져, 72년간을 세거했다는 사실을 알 수 있게 해 주었다. 그 유적지로 궁터는 달궁이며 지금도 누구나 볼 수 있다.

그리고 지리산에서 있었던 임진왜란사는 여러 문헌에 자세히 기록되어 있고, 그로부터 3백년이 지나 1894년 전봉준 장군의 농민혁명군에 참여했던 혁명군이 여원치 전투에서 왜군과 이두황 일당의 반격으로 패배를 하게 되었는데, 이때 발목에 총상을 입고도 다행히 살아온 열사 김정두가 달궁에서 은거하여 세대를 이어왔다. 후손으로 김태곤과 김수곤이 지금 거주하고 있다.

한편 1920년경 우리 조국이 일제에 강점되었을 때 후일 상해임시정부 주석으로 있었던 김구 선생께서 덕동 관내 이동에서 약 3개월간을 쉬어간 것으로 전해지고 있으나, 김구 선생의 수기에서는 볼 수 없다.

1943년 일제의 제2차 세계대전 중 우리 조선민족을 내선일체라는 구실로 묶자는 매국역적들의 제의에 따라 국민총동원령을 선포하고 청장년들을 모조리 징용했으며, 그 외 보국대·학도병·지원병·징병으로 몰아내고, 여자들마저 정신대라는 조직을 만들어 마구 전쟁터로 내모는 때에, 우리 애국지사들은 일제의 총동원령에 불응하고 세걸산 일대로 들어와 절골·버드재·장자골·외아골·부운골·너렝이골 등지에서 산막을 짓고 수백 명이 은거하였다.

그런데 그때 지리산 세걸산 일대에서 우리 피신동지들은 왜놈과 매국노 친일주구에 대한 적개심은 너나없이 왕성했으나 항의와 항쟁은 나의 죽음을 초래할 뿐 집안에 미치는 화근이 염려되어 서로 눈인사를 나누면서도 통성명을 할 수 없었다. 서로 간에 어디 사는 누구라는 것이 탄로되면 바로 그 가족들은 모든 배급이 중단되고 탄압을 받게 되며, 더욱 두려운 것은 일본경찰보다 친일주구들의 밀정이 더 두려워서 그랬던 것이다.

나도 이때 만복대 포중 절골에서 1944년 3월부터 3개월 간 고광수와 같이 은거해 있다가 부모님에게 왜놈들의 압제가 심하다는 풍설을 듣고 참다못해 나간 적이 있다.

이때에도 일제는 중국마저 넘보던 중 1937년 7월 7일 중국 침략전쟁을 감행하여 속전속결을 하려는 속셈이었으나 중국인민의 끈질긴 항전으로 장기화되었다. 드디어 일제는 1941년 12월 8일 태평양전쟁까지 도발했다. 그러나 일제는 1945년 8월 15일 침략전쟁 발발 3년 9개월만에 막강한 미·영·불·소·중 등 열강 앞에 무릎을 꿇었다. 그리하여 조국은 일제의 식민지 지배를 벗어나 광복을 찾았으나 유감스럽게도 국토는 분단되고 새로운 정국분란이 뒤따랐다.

그로 하여 이북 임시정부는 즉각 매국노와 친일주구배들을 여지없이 제거하고 가산마저 몰수를 과감히 단행했으나, 이남은 8·15해방 후 3주가 지난 9월 8일 미군이 상륙하자, 바로 민족으로부터 버림받은 천추의 원수놈들인 매국노와 친일주구배를 제거하지 못하고 오히려 그들을 보호하고, 나아가 우리 민족을 침략하고 약탈하는 도구로 이용해왔던 식민지정책을 그대로 재연하고 있었다.

그리하여 이제까지 구국투쟁을 해왔던 항일투사와 진실한 민족주의자들의 분노는 극에 달하여 도처에서 인민봉기가 일었고, 크게는 10월 대구인민항쟁, 2·7 구국투쟁, 4·3 제주항쟁, 10월 군인반란 등으로 무조건 불복하자, 미군의 비호하에 숨통이 트인 망국 역적 매국노와 친일주구배들 그리고 이북에서 세력을 잃은 친일주구배들까지 합세된 남한정부는 몰염치하게도 지나치게 설쳐대니 드디어는 혼란의 화근이 되었다.

그리고 조국의 분단은 제2차 세계대전 중 전략상 미소간이 38선을 정한 것일 뿐 민족의 소망에 의한 것이 아니므로, 당연히 통일조국은 미소가 책임이 있으므로 공동위원회를 결성하여 수차의 회의 끝에 자주 민주 민족 통일 국가의 건립을 위한 5년 시한부로 신탁통치를 하기로 정하였다. 이에 남북 임시정부 및 각 사회단체 대표들에게 이 사실을 알리자, 각 단체 대표들 간에는 신탁이니 반탁이니 구구한 의견의 차이로 혼란만이 가중되었다. 그리고 급기야는 남북통일은 고사하고 정국분란이 격화되어 1950년 6월 25일 동족상잔의 비극이 나고야 말았다.

전쟁을 하다보면 밀고 밀리고, 죽고 다치는 게 예사다. 그런데 엄격히 말해서 이 전쟁은 조국의 통일독립을 쟁취하기 위한 이념전쟁이었다. 최후의 결전이 있기도 전에 미국은 유엔군이란 대군을 이끌고 대한군에 편승되어 세균전과 화학무기마저 남발하며 민족혼을 깨뜨리고 만주국경까지 반격을 하였다. 그러자 중국 의용군이 인민군에 합세하여 인해전술로 공격해오자 유엔군사령관 맥아더는 중국영토에 원폭을 사용하려고 했으나 미국 정부의 저지로 맥아더는 결국 뜻을 이루지 못하고 해임 당했다.

그로부터 남북전쟁은 다시 38선 일대에서 소강상태였다. 전쟁 초기에 낙동강전선으로 진격했던 인민군대는 맥아더의 인천 상륙작전으로 인민군 후방이 차단되자 불시에 진격을 멈추고 춘천까지 철군령이 내려졌다. 그러나 이때는 너무도 다급했을 뿐만 아니라 상황이 전도되어, 인민군은 경남과 전남북 일대의 지방 야산대와 합류하여 전선전쟁의 호응전으로 후방교란전을 과감히 단행했던 것이다.

후방 각처에서 체계적이고 조직적인 투쟁을 전개하기 위해 남부군南

部軍이 형성되었고, 사령부 거점을 뱀사골에 두면서 경남과 전남북, 충남북 일대를 관장하며 후방 교란전을 한 것이다. 아울러 뱀사골에는 이북 중앙당 대역지도부격인 조직체와 연락망을 두었고, 전북도당부와 도인민위원회, 각 사회단체들이 폭넓게 점거했으며, 도당부 산하 호위부대 · 보급부대 · 전투부대 · 연예대 · 신문사 · 무전통신사 · 의무대 · 당학교 · 병기수리공장 등이 갖추어졌다. 특히 남원군당부도 이곳의 전방에 배치되어 신속한 민간정보와 정찰을 책임졌던 것이다. 그 외에 원활한 당 조직사업을 추진하기 위해 전북도당부는 회문산 · 변산 · 내장산 · 잡방산 · 방장산을 거점으로 남부지구 분구도당부와 이에 따른 연대병력을 배치했으며, 덕유산 · 운장산 · 방장산 일대에도 북부지구 분구도당부와 이에 따른 연대병력을 배치하여, 과감하게 지방사업과 아울러 후방교란전을 전개하였다. 그러던 중 예기치 않았던 남부군이 새로이 형성되고 북부와 남부에 배치한 각 연대는 남부군에 배속하면서 사단으로 승격되어 체계적이고 조직적인 후방교란전을 원활히 전개했던 것이다.

그러자 정부에서도 이러한 후방을 교란하는 존재를 방치할 리 만무하였다. 이미 군부사령부와 경찰전투대사령부를 남원시내에 설치하고 주도면밀하게 토끼몰이식 작전으로 서서히 보급로와 연락망을 차단하여 빨치산의 전세를 무력화하였다. 그리고 전투기 편대까지 동원하여 공중정찰을 해가며 의심나면 기총소사를 해댔고, 산 속에서 연기를 보거나 빨치산의 행적을 발견할 때는 즉시 네이팜탄과 세균탄까지 퍼부어 댔다. 그리하여 도처에 산재한 빨치산은 전사 · 폭사 · 아사 · 병사 · 자살 · 생포 · 자수 · 이탈 등으로 일망타진되기에 이르렀다. 왜 이와 같은 동족상잔의 비극이 전개되었을까? 각자 곰곰이 생각해 볼 문제이다.

이러한 비극이 최후까지 이어진 곳이 바로 뱀사골이다. 이것은 뱀사골 심산유곡에 세걸산과 삼봉산의 드높은 준령이 외각으로 길게 뻗어 있어 좋은 은닉처가 되었기 때문이다. 특히 정령치와 세동재·부운재·너렝이재 등이 빨치산의 출입로로 사용되었으며 그 중에 부운재가 더욱 두드러졌던 곳이다. 여기에 모든 부대의 원만한 출입을 위해 세걸산 정상에서 능선을 따라 내려오다 세동재를 지나 우뚝 솟은 원한봉에 한때 부대를 배치했다. 군인·경찰·의경들이 접근하면 언제나 공방전을 하게 되어 다 같은 동족의 아들딸이자 아까운 청춘이 수없이 희생되게 되었다. 그리하여 뱀사골 일대는 어디나 격전지였으므로 원한이 맺힌 넋이 수만 명이나 된다.

그러한 연유로 뱀사골 입구 반선마을에 옛날 송림사지 터를 골라 6·25전적기념관과 충혼탑이 건립되어 있다. 다시는 이와 같은 동족상잔의 비극이 이 땅에 재연되는 일이 없도록 모두 각성하고, 무엇보다 화합하고 단결해서 후손들의 부귀영화를 위해, 전 세계 인류의 항구적인 평화와 행복을 위해 다 같이 협심할 때임을 강조하고 싶다.

다음은 내가 이곳에 산재한 많은 전설과 천혜의 경관 그리고 주민들의 생활상을 「안내문」으로 작성한 것을 소개해 보고자 한다.

지리산 반야봉에서 능선 따라 곧바로 북행하면 묘향대를 지나 투구봉과 기암봉을 거쳐 약 14㎞에 위치해 있는 평지 마을 반선에 이른다. 여기는 해발 470고지로 능선의 왼편이 뱀사골이요 바른편이 심원골이 된다.

이곳은 삼거리이자 중심지이다. 국립공원 집단시설 지구로 지리산 북부 관리사무소와 6 · 25 전적기념관이 한 건물 안에 들어 있으며, 그 옆에 충혼탑이 세워져 있다.

이곳은 옛날 송림사가 있었던 지역인데 아주 해괴한 전설이 구전되고 있다.

매년 여름철이 되면 장마비에 뇌성벽력이 칠 때는 이 사찰 노승 한 명이 오간 데가 없이 사라지는 것이었다. 이 소문을 들은 사람들은 입을 모아 극락세계로 갔다느니 신선이 되어 극락세계로 갔다느니 온갖 소문이 자자했다. 그 중에서도 신선과 동반하여 극락세계에 간 것으로 믿는 사람이 가장 많아 이 마을을 반선伴仙이라고 부르게 되었다고 한다.

그 뒤에도 이러한 해괴한 일이 해마다 반복이 되자 이 고을 원님은 필시 괴변으로 단정하고 즉각 하나의 방법을 시도하기를, 한복을 지어 저고리 동정을 달 때에 비상을 동정 속에 숨겨 넣고는 그 해에 차례가 되어 가게 된 노승에게 하사하였다. 그러자 그 노승은 천당에 가는 것도 다시 없는 영광인데 뜻밖에 원님마저 비단옷을 내려 주니 더 없는 기쁨이라 생각하며 그날이 오기만을 기다렸다.

그러던 어느 날 마침 비가 오고 천둥번개가 치자 노승은 그 하사 받은 한복을 입고 대기하였다. 그런데 잠시 후 노승은 오간 데가 없이 사라졌다. 대중은 모두 천당에 간 것으로 생각하고 기쁨의 축하를 드렸다.

그러나 다음 날이 되자 이상한 이야기가 전해왔다. 뱀사골 뱀소에 들어가려는 못된 이무기를 발견했는데, 그 이무기는 송림사의 노승을 잡아먹었으나 비상독으로 죽어 있더라는 것이었다. 소문을 들은 사람마다 바로 사실을 확인하였는데 틀림이 없게 되자, 이때까지 행방불명이 된 노승은 모두 이곳 이무기의 장난이었음을 알게 되었다는 전설이다.

당시 그러한 사연에 연유되어 이곳을 반선이라 했고, 그 뒤에는 금포
증의錦袍贈衣라고도 부른다는 전설이 있다. 이 외에도 이곳 사찰은 고승
이 많아서인지 반선 입구에 부도까지 있었으나 1960년대에 괴한이 들어
조각된 석물 일체를 훔쳐갔다고 한다.

여기에서 왼편 계곡으로 약 400m 들어가면 선인대仙人臺를 볼 수 있
다. 이 소의 바닥은 온통 암석으로 깔려 있고 수심이 깊고 폭도 넓다. 큰
물이 져 바윗돌이 굴러와도 그대로 굴러가는 것이 특이하다. 그리고 또
한 선인대에서 여름철 농번기에 가뭄이 들면 이 고을 원님은 친히 여기
와서 기우제를 올린 곳으로 전해지고 있다. 이 소로 내리치는 물이 선인
폭포요 바로 한쪽 부위 흘러내린 물속으로 1미터가 넘는 둘레로 깊이가
패여 있는 것을 보게 되면 가히 신기하다고 하겠다.

여기서 1km 정도 오르게 되면 전답과 약간의 평지가 나오는데 여기에
뱀사라는 사찰이 있어서 이 골짜기를 통칭 뱀사골이라도 불러왔다는 것
이다.

과연 계곡은 어디나 좌우 능선에서 뻗어 내린 많은 준령의 암벽들이
등을 돌려 막아 있어 마치 방안 같은 느낌이 든다. 그래서 사찰 명칭마저
도 '등 배背' '바위 암巖' 자를 넣어서 '배암사' 라고 했으며, 사찰이 이
계곡에 들어 있어 '배암사골' 로 부르게 되었다는 다는 전설도 있다.

그러나 지금 우리가 '배암사골' 을 '뱀사골' 이라 부르게 된 것은 영남
사람들의 된사투리에 이곳에 사는 무식한 사람들이 무심코 따라 부른
것이 일반화되어 부르게 된 것으로 보고 있다. 가당치 않은 명칭임으로
시정되어야 할 것이다.

여기에서 약 800m를 올라서 가다보면 꽤나 넓은 평지가 보이는데 여기에 옛날 정진암이라는 암자가 있었다고 한다. 일명 연정이라고도 부른다. 정진암에서 바로 올라 다니는 길을 바른편에 두고 계곡으로 들어서면 유달리 큰 바위가 여기저기 산재되어 누가 보나 준엄하고도 신기하게 보인다. 바로 그 부근에 큰 바위 세 개가 기이하게도 괴어 있어 석실石室이 되고 또한 이곳에 사철주야 흘러내리는 포암폭포를 볼 수 있다.

여기에서 계곡을 타고 올라가면 와운臥雲마을을 옆에 두고 흘러내리는 굴바우골물이 뱀사골 주류와 마주치는 곳에 요룡대搖龍臺가 있다. 이곳은 한 쌍의 용이 앞뒤로 앉아서 뱀사골 위로 갈까, 아래로 갈까 잠시 망설이며 보는 특이한 형상이다. 그리고 반석 위로 1m 이상 돌출한 괴석에 공교롭게도 큰 바위가 올라 있어 그 형상을 보면 마치 연구나 하는 듯한 인상을 준다. 또한 이곳 좌우 반석 위로 옥같이 맑은 물이 내리치는 수렴폭포를 볼 수 있다.

다시 계곡을 따라 오르게 되면 탁용소濯龍沼에 이르고, 짝지어 위 아래로 헤매는 용들이 심연폭포 청강수에 즐겨 논다는 곳이다. 바로 위에 있는 천연적인 암반보는 볼수록 신비하다. 또 위로 약 1,500m 오르면 아룡소가 있고, 바로 위에 뱀소는 수심이 약 10m로 반선 송림사와 사연이 얽힌 곳이다. 아주 웅장하고 물이 돌아 나가는 것이 특이하다.

그 위로 100m 거리에 있는 병풍소屛風沼는 수심은 약 8m로 주변 절경이 웅장하고도 신비하다. 계곡에 깔려 있는 절벽 바위를 타고 흐르는 물은 마치 엘리베이터에 실려 내려오지만 마치 용이 오르는 모습과 같다 하여 등룡폭포登龍瀑布라 부른다. 폭포 주변의 비경은 가히 뱀사골을 대변할 만한 경관이라고 할 만하다. 여기에서는 자기도 모르게 발이 멈추게 되고 탄성이 절로 나오게 되는데, 자신이 바로 신선인 듯 한 환상에 빠져 흐르는 시간이 안타깝게 느껴지는 곳이다. 반선에서 10리 길이니 한 번 쯤은 가볼 만한 곳이다. 그 위로 50m 지점에 깔려 있는 바위는 몇 만 년 전에 이곳에 물이 흘러 골짜기가 생겼다는 것을 알게 해준다.

다시 약 800m를 오르면 단심폭포丹心瀑布를 볼 수 있다. 이곳 일대에 빨치산들의 근거지가 있었던 곳으로 각 단체의 비트들이 여기 저기 무수히 들어 있었다. 토벌대 군경은 물론이요 폭격기까지 빨치산의 주요 거점이 이곳임을 단정하고 대부대가 동원되어 소탕작전을 벌였다. 정찰기와 폭격기도 날아들었고 폭탄과 네임팜탄 기총소사를 온종일 퍼부었으며, 토벌대도 가세하여 박격포와 중화기 등 무서운 화력을 퍼부어 댔다. 6·25 동족상잔의 비극이 다년간 이어오던 중 여기에서 최후 결전이 벌어졌던 것이다. 피차 일편단심으로 싸우고 죽음으로 충성을 다한 곳이다. 그 충성심이 없었다면 격렬한 싸움도 없었을 것이다. 토끼봉 하단부에는 무선통신 시설을 했던 곳이 있는데 그로 인해 통신골이라 부르게 되었다.

이러한 연유를 세인들에게 알리기 위해 반선마을에 6·25 전적기념관이 세워지고 아울러 충혼탑이 세워지게 되었다. 이 근방 일각에 신성한 민주민족 통일독립 국가를 외치고 산화한 넋을 위로할 위령탑도 세워져야 할 것이라고 세인들은 말한다.

여기에서 다시 위로 약 2킬로미터 올라가면 간장소이다. 반야봉과 명선봉 사이 계곡에서 나오는 물과 명선봉과 토끼봉 사이에서 나오는 물이 이곳에서 합수되고 주위가 험준하다. 간장소의 수심은 약 10m나 된다. 많은 사람들은 이곳의 많은 물을 보면서 백두산의 천지연을 연상한다고 한다. 이 소로 쏟아지는 맑은 물을 통천폭포通天瀑布라고 한다.

이곳 간장소에 전해오는 전설은 기가 막힌다. 사람은 누구나 염분을 섭취해야 생명과 건강이 유지되는데, 운봉을 비롯해서 장수·진안·무주 등지의 주민들은 가까운 경남 삼천포에서 나오는 소금으로 충분했고, 당시 수송수단이 지게였을 때는 이 고갯길이 중요한 생명선이었던 모양이다.

그래서 아주 옛날 어느 한 소금 장수가 소금짐을 차려 짊어지고 경남 하동군 화개를 지나 지리산의 화개재를 넘어서 약 3㎞ 길을 내려와 이곳 물가의 험한 비탈길을 지나다가 돌부리에 걸려 넘어져서 소금짐을 물에 빠뜨렸다고 한다. 그리하여 소금기가 섞여 간장소라고 했던 것이 오늘날까지 유전되었다고 한다. 반선에서 9㎞요 해발 1,000m가 넘는다.

여기서 우측 골짜기로 약 2㎞ 오르면 반야산장이 있고, 1㎞ 더 가면 주능선 날날이봉, 화개재이다. 해발 1,200m이다.

다시 우측 능선으로 약 1㎞ 더 오르면 여기가 이름 높은 반야봉이다. 1,732고지로 동서남북 크고 작은 수 만 봉우리가 눈 아래 운무에 싸여 망망무제로 펼쳐 있고, 사방으로 뻗은 능선들은 반야봉을 정수리로 머리카락을 산발한 듯 한 형상으로 늘어서 있다. 그래서 고대에는 방장산方丈山이라 이름했고, 고려에 들어와서 두류봉頭流峰이라 고쳐 불러왔고, 조선시대에 들어와서 반야봉이라 고쳐 부른 것으로 전해지고 있다.

반야봉에서 되돌아 내려가 명선봉과 토끼봉 일대에 피는 6월 철쭉은 향기가 짙고 아름다워 무릉도원에 온 것 같은 환상에 사로잡히게 한다.

능선을 따라 더 내려가면 연화천인데 처녀와 총각 사이에 많은 사연을 전해주는 곳이다. 이곳에 연화산장이 있다.

광활한 산비탈 뱀사골 일대에는 약수를 채취하는 거자수나무(자작나무)와 고로쇠나무가 수십 리 구간에 꽉 들어차 있다. 그 외에도 천 가지 만 가지 약초가 많이 자생하여 채약꾼의 발길을 끌고 있다.

이러한 연유로 천혜의 신비를 간직한 우리나라 삼신산三神山 중의 하나인 지리산, 그 중에서도 뱀사골 70리 계곡에 자생하는 기화요초며 오만 가지 금수들이 사시장춘四時長春조화를 이뤄, 중국에 진시황도 영생불로초永生不老草를 얻으려고 이곳으로 채약꾼을 보냈다는 전설이 전해 오기도 한다.

다시 반선에서 우측 심원골 학천을 거쳐 덕동마을 위쪽에 외아골에 들면 옛날 있었다는 정각사의 흔적은 볼 수 없으나, 승려들이 열반하면 여기에서 화장을 했던 곳으로 전해지고 있다. 이 외에도 점복골이나 광산골 · 절골 등지에는 한때 쇠붙이를 달구던 대장간이 있었다는데 지금도 간혹 쇠붙이를 줍는다.

다시 계곡으로 되돌아 와서 위로 직행하면 달궁마을을 못 가서 평지가 있는데, 2천 년 전 마한왕의 세거지인 궁터로 주춧돌이 놓여 있었다.

그러나 박정희 정권이 작전도로라는 이름으로 노고단 성삼재를 넘어 도로를 내면서 훼손하더니, 전두환 정권은 산업도로라 이름으로 성삼재를 넘어 천은사泉隱寺와 화엄사를 잇는 도로를 확장하여 포장까지 하면서 이곳 궁터내 일부를 무너뜨렸고, 국립공원 집단시설을 하면서 주차장시설을 한답시고 주춧돌의 흔적마저 없앴다. 참으로 안타깝기만 하다.

여기를 지나서 달궁마을 입구에 옛날 용암사가 있었던 곳으로 전해지고 있다. 그 위로 기룡소는 반석 위로 흐르는 물이 가히 볼 만하다. 여기서 우측으로 정령치골을 약 1㎞ 들어가면 막소를 볼 수 있다. 주변이 웅장하고 가파른 경사에 수심은 약 5m로 그 주변이 아름답다. 다시 돌아서 계곡을 약 300m 오른 지점에 쟁기소를 볼 수 있다. 수심은 약 10m로 물이 돌아 흘러내리는 것이 특이하다. 또 오르면 약 80m지점에 쟁반소는 수영하기에 안성맞춤이다.

여기서 좌측으로 투구봉 쪽이 봉산골이요 빨치산 전북도당부는 이 골짜기 위쪽에 병기공장을 차려 총기의 수리와 사제실탄, 수류탄, 지뢰 등을 만들어 냈다. 다시 계곡에서 위로 오르면 심원의 용소를 볼 수 있다. 수심은 약 10m요 주위 경관이 좋아서 나그네의 발길이 끊이지 않는다.

계속 계곡을 따라 오르면 반야봉이요, 이 골짜기를 대소골이라 한다. 용소에서 보이는 도로가 산업도로요 그 도로를 따라 왼쪽으로 가면 노고단에 오르게 되고, 오른쪽으로 가게 되면 성삼재를 넘어 구례 천은사를 가게 된다.

여기서 되돌아가면 전남북 도계인 돌고개 삼거리요, 여기서 왼쪽으로 가면 정령치에 오르고, 길 따라 내려가면 구룡폭포를 지나 주천으로 가는 산업도로변에 춘향묘와 용호서원을 지나 지리산 국립공원 출장소를 거쳐 남원시에 이른다.

위와 같은 「안내문」처럼 역사와 풍경을 간직하고 있는 지리산이야말로 삼천리 아름다운 금수강산 남단에 위치한 거산이며 명산이자 영산이다. 경남과 전남과 전북 3도 포중 둘레 800리에 걸쳐 위치하고 있으며, 1967년 12월 27일 국립공원 제1호로 지정이 되었다. 이곳 지리산 공원관리는 각 도로 나누어져 있으며, 그 중 우리 전북관내의 지리산 국립공원 북부관리사무소는 반선에 있다.

전북의 북부 지리산 포중 마을들을 통틀어 남원시 산내면의 관할지로 지정되어 있고, 산내면 소재지인 대정리를 비롯해서 8개리 16개 자연부락으로 이루어져 있다.

주민들의 주업은 농업이며 부업으로 한지와 목기·한봉·양돈·양계·과수원 등을 해오고 있으며, 최근에는 지리산이 관광명소로 크게 부각되면서 관광객들의 발길이 늘어나자 상업과 숙박업, 음식업을 하는 곳을 어디나 찾아볼 수 있게 되었다.

끝으로 이곳 지리산 국립공원을 찾아오는 탐방객은 특이한 위락시설이 전혀 없다. 다만 물 맑고 공기 좋아 여름철 피서지로 찾아든 피서객뿐이고, 고유문화와 선대의 생활상을 탐구하고 미래를 구상하는 탐방객은 적어 허탈감을 주는 실정이다.

그러므로 무엇보다 관계당국은 이미 국립공원으로 지정이 되었고 집단시설지구마저 정해져 있으므로, 이점을 심사숙고해서 위락시설을 먼저 마련하여 탐방객들이 편안하고 즐겁게 지낼 수 있도록 해야 할 것으로 생각한다.

그리고 사찰(배암사·송림사·용암사·정각사 등)이나 역사 유적, 전적지 등을 복원하고 보존하여, 윤리관·도덕심·정의감을 함양할 수 있도록 하는 것이 무엇보다 중요한 일이다.

다음으로는 박정희 정권 당시 당국에서 고안했던 고전미가 풍기는 물레방아를 만들어, 낭만에 깃들어 있는 풍경을 만들어 정서교육을 함양함에도 관심을 가져야 한다고 생각한다.

민족혼

    1983년 12월 21일(음력 11월 18일) 무민공파 종중종회에서 종회장으로 피선되었다.

    무민공 황진 장군은 나의 13대조부이시며 1592년 임진왜란이 나기 전에 동복현감이셨다가 전란이 나자 즉각 전쟁에 참여하시고, 혁혁한 진공을 세워 절충장군에 오르시고, 다음으로 충청도 죽산부와 음죽현에 주둔한 왜적을 격파하여 실지 회복하시자, 일약 충청도 병마절도사에 오르셨다.

    1593년 6월 영남 땅 진주성에서 크게 공훈을 세우시고 순국하신 무민공 황진 장군의 문중인 종중사를 보게 된 것이다.

    이울러 남원이 고향으로 임진왜란에 순국하신 3충 즉 황진黃進·고득뢰高得賚·안영安瑛을 모신 사액 정충사賜額旌忠祠가 대원군의 훼철령으로 1871년에 훼철되었는데, 이를 복설復設하고자 하는 열망은 110여 년간 호남유림들의 숙원이요 3충의 종문 후예들의 염원이었으나, 36년 간 일제의 식민지 폭정과 1945년 8 · 15 해방 후 국내 혼란에 이어 6 · 25 동란으로 뜻을 이루지 못하고 있다가, 1984년에 드디어 세 종문에서 정충사 복설추진위원회가 조직되었고, 복설추진위원장에 내가 피선되어 주어진 책임 아래 정충사를 복설하였다.

또 정충사에 모셔 있는 3충의 사적이 담긴 『정충록旌忠錄』을 번역하여 간행했으며, 곧이어 우리 문중에서 1984년도에 무민공 선조의 묘역을 사초했으며, 아울러 무민공의 영정을 모시게 되었다. 무민공의 유물 중 모든 교지와 교문서, 완문 125점이 국가문화재 제942호로 지정되었으며, 무민공의 유적지에 대한 문화재 지정 후진사업은 현재 추진 중에 있다. 무민공의 묘역과 정충사의 성역화 사업을 정부에서 연차적으로 3년 간을 진행하였다.

1987년 장군의 유물인 홍패紅牌 · 백패白牌 · 교지敎旨 · 완문完文 · 고문서古文書 등이 보물 제942호로 지정된 일은 그나마 다행한 일이다. 그러나 장군의 유적지도 마땅히 국가문화재로 지정되어야 함은 물론이다. 현재 장군의 묘소를 비롯한 정충사旌忠詞 등은 초라하고 황폐한 채로 방치되어 있어 보는 이의 가슴을 아프게 한다.

이는 당연히 국가적인 차원에서 성역화로 복구되어야 하고 교과서의 역사과목에도 수록하는 등 후속작업이 따라야 할 줄로 믿는다.

이것은 민족정기를 바로 세우는 매우 중요한 일이다.

한편 정충사 복원사업이 한창일 때에 지리산 국립공원 반선 집단시설지구에 편입되는 용지 중 나의 소유 부동산이 많았는데 남원시 운봉면에 거주한 이병희의 소개로 박정희 대통령의 청와대 비서관이었던 한기욱 박사와 이군상과 처음으로 인사를 하게 되었다.

한기욱 박사는 종교가이며 북한 출신으로 당시 케냐 대사였다. 전북 도지사 조철권과는 군대시절부터 친한 사이라고 했다.

그런데 국립공원 집단시설지구와 공원개발사업 일체를 도지사의 권한 하에 집행하게 되어 있기 때문에 친분이 있으면 절호의 좋은 기회라고 생각되었다.

그런데 한기욱 박사는 모든 일을 직접 하지 않고 동업자인 이군상에게 위임하여 그와 모든 것을 상의하게 되었다.

이때에 이군상과 소개자 이병희는 공원 반선시설지구 내의 용지를 물색하던 중에 70% 이상의 상당한 땅을 내가 소유하고 있었기 때문에 나하고 대면을 하게 되었다.

그 자리에서 나는 솔직히 말했다.

"1980년 8월 보안사령관 전두환의 지시에 따라 과거에 빨치산 생활을 했다는 이유로 삼청교육대에서 한 달간 순화교육을 받아야 했던 사실이 나에게는 사회적으로 떳떳하지 못한 처지이므로, 이제는 관계당국과 왈가왈부하면서 나의 주견을 말하고 싶지 않소.

그러나 나의 소망은 내가 직접 개척하고 개발하고 영위해왔던 반선 정기버스 정류소를 당국의 설계도와 같이 용지와 건물까지 지어주었으면 하는 것이오. 그리고 박정희 정권 때부터 말이 있어왔던 것으로 정서 함양을 목적으로 낭만이 깃들어 있고 고전미가 흐르는 물레방아를 만드는 것을 완결 짓는 것입니다. 이것은 이미 가동하고 있는 나의 수력방아실을 개축하되 물레방아 궁굴통은 당국에서 만들고 다른 것은 내가 투자하여 만들 것을 합의하여 남원군에서 결재까지 나 있으니, 이것을 건축을 해준다면 나의 소유 부동산을 지금이라도 이전을 해줄 수 있습니다."

하고 분명히 밝혔다.

그들은 쾌히 받아들이며 편입된 토지 외에 연속된 토지까지도 같이 이전등기를 해준다면 시설용지 이외의 이전된 토지는 전부 환원해 주겠다면서 제의해왔다.

그래서 나는 요구대로 받아들이고 바로 공증사무소를 찾아갔다.

1983년 12월에 나의 부동산 대지와 전답·임야 등 약 6정보가 넘는 시설편입지와 그 외에 연속토지로 임야와 답지 등 4정보가 넘는 토지까지를 넣어서 공증을 체결했다.

그런데 그간 전북도청은 지방 토지가는 아예 외면하고 엉뚱하게도 대지는 평당 만 원 정도, 논은 약 6천 원, 밭은 약 2천 원, 임야는 고작 3백 50원에 감정가격을 고지하여 땅을 사겠다고 통지를 해왔다. 이때에 모든 토지와 관계된 편입 용지 소유주가 현 공무원과 공무원 가족들이었고 많은 부동산 소유주는 나로부터 공증계약하고 이전등기를 취득한 한기욱이었다.

이해타산을 초월해서 모두 도장을 찍어주었으나, 국가에서 녹을 먹는 공무원들은 입찰권을 취득하기 위해 겨우 몇백 평의 임야와 전답 소유주인 한기욱은 불응하자 전북도당국은 토지수용령을 적용하여 공탁하고 유가로 몰수를 해 갔다.

그리고 내가 반선과 산내 간 약 9km 구간 도로확장과 수축공사를 해서 대형버스가 운행하게 되면서부터 1975년부터 1986년까지 정식으로 세금을 바쳐가며 영위해왔던 정류소를 공원지구 내의 정류소는 다시 허가를 받아야 한다며 무조건 권리권을 박탈하고 경쟁입찰에 붙여 낙찰자에게 권리권을 주었던 것이다.

그렇다면 그간에 개척하는 데 들인 돈은 당연히 조사해서 정리되어야 하지 않겠는가? 그러나 그 사실에 대해서는 지금까지도 일언반구 언급이 없다. 나는 당초 1941년 일제가 군수물자의 하나인 목탄木炭을 반출하기 위해 개설한 소형 차량 운행로를 대형 버스가 운행할 수 있도록 확장하고, 걸림돌 수십 군데를 발파하고, 교차로도 28개소나 개설하는 등 난공사를 1971년부터 1974년까지 무려 4년간의 노력과 자본을 투자하여 개척했다.

그리하여 1987년 10월부터 버스운행을 하게 되었고 아울러 평소 한 달에 만 원 미만의 수수료를 받고 영위해왔으나, 현재보다 미래를 내다보고 전연 개의치 않고 이날까지 극복해왔다.

그러므로 전라북도의 그와 같은 조치는 있을 수 없는 일이다. 그런데 당국에서 지정한 정류소 부지는 전답과 임야·대지 등 9백여 평을 경쟁입찰하여 불하하게 되자 호남여객회사에 2억 2,350만 원에 낙찰되었다. 평당 25만 원이나 되는 돈이다. 낙찰자는 그 외에도 입찰 권리권을 매입한 사례금과 중개료까지 별도로 거의 천만 원의 수익도 있었다. 바로 낙찰 받은 호남여객은 나하고 지금까지 주객을 해왔던 사이이다. 그리고 다음 입찰경쟁자는 24만 원과 23만 원이었다. 그렇다면 그 단가는 그 당시의 현지 지가라고 볼 수 있는 일이 아닌가.

그런데도 그와 같은 가격으로 나의 땅을 사들였던 도당국은 농지정책이며 국립공원 집단시설을 빙자하여 강제로 재산을 강탈한 것밖에 안 되는 것이다.

도대체 당국은 부동산 투기를 단속한다고 하지만 이와 같은 부조리를 저지르고 있는 것이다.

바로 그놈들이 눈뜨고 권력을 쥔 도둑놈이 아닌가.

이때부터 인근 마을 토지 가격은 일시에 폭등하여 평당 30만 원을 호가하게 되었고, 매수자는 대부분 외지의 대자본주와 기업가의 손에 들어간 것이다.

결과적으로 정부가 이곳 부동산 투기를 조성한 것이나 다름없었다. 이와 같은 당국의 특혜로 높은 가격으로 매수한 한기욱 박사는 지금까지 정류소를 지어주겠다는 약속뿐이고 아무런 말도 없다.

그 외에 물레방아도 조감도와 설계서까지 작성하여 1979년 10월 중순까지 남원군 공보실에 제출하였으나 아무런 지시가 없다. 그간 몇 차례를 남원군에 직접 건의했으나 공원법만을 운운하면서 6년 동안 명쾌한 답이 없는 것이었다.

특히 5공화국이 집권하면서 모두 인사이동이 되어 말을 해도 그때와 달라 탄식만 할 뿐이었다.

이렇게 지리산국립공원 조성을 빙자하여 집단시설지구에 거주하고 있는 주민에게 그간 끼쳐온 막대한 경제적 손실은 무엇으로 보상하겠는가?

대한민국은 민주공화국이요 법치국가라는 말이 무색하다. 세상이 아무리 탁하다 할지라도 위정자들은 개척정신은 살려주고 개발정신은 높이 평가해 줄 줄 알아야 할 것이다.

주변에서는 내가 정당하게 모은 재산을 강제로 빼앗으려 하였고, 정부는 사상 문제를 악용하여 나를 삼청교육대까지 보내는 등 괴롭혔다.
이 나라의 위정자요 목민관을 믿을 수 있겠는가?

정약용이 『목민심서』를 통해 갈구했던 진정한 목민관이 그립다.

과연 이렇게 하다가는 누가 임진왜란과 일제식민지 통치를 다시 당하
지 않는다고 말할 수 있겠는가.

내가 지리산에 정착한 것이 1955년 5월 23일부터였다.

어느새 반세기가 다 되어 가고 있다.

인생은 한바탕 꿈이라고 했던가.

내가 이루고자 했던 민족혼이 살아 있는 나라인데…….

그 꿈이 어서 이루어지길 기대하고자 한다.

주월리로 가는 길

반선 마을에서 며칠을 머물며 황의지 사단장님과 대화를 나누면서, 아직도 빨치산 투쟁을 하면서 가졌던 이념과 신념이 다소 변화는 되었지만 그래도 대부분 남아 있음을 발견하였다.

참으로 이념과 신념이라는 것이 무서운 것이구나 하는 것을 절감하지 않을 수 없었다. 지금에서야 장기수들이 자신의 뜻을 굽히지 않고 차디찬 감옥에서 20년, 30년을 갇혀 있는지 이해할 수 있을 것만 같았다.

2001년 7월 하순의 날씨는 매우 무더웠다. 며칠 간(25일부터 28일까지) 대화를 하면서 사단장님의 일생을 빠짐없이 들었다. 그것은 우리 현대사의 고통과 질곡을 남김없이 보여주는 생생한 증언이었다.

이제는 눈도 나빠지시고, 다리도 점점 더 아파하신다. 저녁이면 전등을 켜 놓고 늦게까지 책을 보시기도 하고 글도 쓰시기도 하니까 눈이 더 나빠 지셨나 보다고 하였다. 이제는 쉬어야 하는데, 하고는 싶고, 건강을 따라주지 않는다고 하셨다.

사모님이 건강을 걱정하며 말씀하셨다.

"이제는 고생도 고생이지만 아파 싸서. 가만히 있으면 발이 아파 싸서 못 견뎌요. 그래서 고통을 잊으려고 일을 하고 그러는가 봐요. 연장 갖다 감추기도 해봤지만 누가 뭐래도 소용없어요. 그런데 이제는 일도 못하고 죽게 생겼어요. 눈도 백내장 수술을 해서 침침해요. 수술도 할 시기가 있나 봐요. 백내장이 싹 덮었을 때, 여물었을 때 뭉쳐 있는 것을 싹 잡아 긁어내야 하는데, 초기에 해서 크게 효과가 없는가 봐요. 수술한 날 바로 내려와 버렸어요. 약만 넣고 그래요. 보통 백내장을 수술하면 일주일 있다 실밥 뽑고, 일주일 있다 퇴원하여 모두 보름정도는 걸린다는데, 하루 만에 왔으니 말이에요."

그러시면서 그나마 손자에게 희망을 가지고 계신 모양이었다.

"중 3짜리 손자가 아주 싸가지가 있어요. 아무 말썽도 피우지 않고, 지 할아버지한테도 그렇게 잘해요. 전라도 촌놈이 서울 가서 장을 쳐요. 엄마들이 우리 손주만 보면 데려가 쌌고 그런데요. 할아버지한테도 수시로 전화를 해서 건강을 물어봐요. 할아버지 아픈 것도 손주가 먼저 알아서 식당에 있는 아버지한테 비상을 걸어요. 할아버지 아프신데 왜 그렇게 안 가보느냐며, 서울에서 먼저 안다니께요.

그러나 아들은 장사를 하다 보니께 여기 올라올 시간이 없어요. 대꾸도 안 하는 아들을 그렇게 야단을 쳐요. 저 양반이 아들이 그러는 것이 이제는 늙고 병들었으니까 얼른 돌아갔으면 하는 마음을 먹었는가 보다 하고 생각을 하지만, 자식은 그게 아니죠."

"아드님이 운영하는 식당은 관광철에는 수입이 괜찮을 것 같은데, 어떤지요?"

사모님 대신 사단장님께서 말씀하셨다.

"봄에는 꽃구경, 여름에는 피서, 가을에는 단풍 구경, 겨울에는 설경을 구경하러 사시사철 관광객이 오지. 하지만 제일 많을 때는 아무래도 여름 피서철이여. 그것도 학생들이 여름 방학을 하고부터 한 달 동안이 제일 많이 오지."

"그래서 식당은 장사가 잘 되는가 봐요?"

"그럭저럭 생활은 유지하고, 자식들 대학 3명, 중고등학교 1명씩 모두 다섯 명 뒷바라지하기에는 바쁜가 봐."

제대로 가르치지도 못한 아들이 이제는 손주들은 모두 대학교에 보내고 열심히 사는 모습이 대견스러운 모양이었다. 그래도 아들에게 못마땅한 것이 여러 가지 있는가 보다. 그 중에 하나가 사단장님께서 받은 상장이나 상패를 식당에 걸어놓았으면 하는 것을 아들이 반대를 하는 모양이었다.

"어디서 상을 받은 것을 식당 벽에다 죽 걸고, 상패는 진열을 하라고 하는데도 안 한다고 야단을 해요. 돌로 된 것도 많고, 사진 액자도 있어서 걸기도 쉽지 않아요. 물론 저 양반은 아버지를 자랑스럽게 생각하는 아들이 되었으면 하는 바람도 있고, 오는 사람이 그런 상을 받은 집안의 자식이 운영하는 곳이니까 아는 사람은 달리 본다는 것이죠."

하고 사모님이 옆에서 자세히 설명을 하는 것이었다.

"아드님은 우선 장사를 생각하니까 그러시는 걸 거예요."

내가 아드님 편을 들어 말했다. 그러자 사단장은 아들의 고충을 이야기 하는 것이었다.

"아들이 성질이 있어요. 나는 늘 아들에게 식당시킨 일 때문에 죄를 진 것 같지요. 각시에게 식당일을 시킹께 지도 기를 못 펴요. 식당일이라는 것이 여자들 일이잖아요. 그러니까 아무래도 여자들이 힘들죠. 만들고 차리고 설거지 등 다 여자의 손길이 닿아야 하는 일이잖아요.

아닌 게 아니라 나도 바쁠 때는 식당일을 도와주지만 식당은 진짜 힘들어요. 하려면 한 십 년하고 말아야 해요. 너무 오래했어요. 개발되기 전부터 한 것이 어느새 한 20여 년이나 했지요. 정류소를 하니까 기사들이 밥을 먹어야 해서 시작한 것이 오늘날까지 하고 있는 것이에요."

자그마하시면서도 아사히 신문을 읽으신다는 사모님은 지적이면서도 인자해 보이셨다.

"그러면 이 상가는 어떻게 분양을 받으신 건가요?"

"개발될 때 분양을 받은 거에요. 그런데 그 상가를 지금까지 본인이 가지고 있는 집은 거의 없어요. 다 내놓고 나갔어요. 세든 사람은 대개 칠천만 원 정도에 들어왔어요. 그보다 전세금을 덜 내고 다달이 한 사십만 원 정도 월세로 하는 사람도 있어요. 식당 옆 '서울슈퍼'는 사십만 원에 사천만 원을 냈다고 해요. 그래도 요즈음은 놀러 오는 사람이 다 싸가지고 오니께 장사가 잘 안 돼요. 고기 재서 아이스박스에 넣고 반찬 가지고 와서는 밥해서 먹고 하니까 어디 가서 잘 안 사먹어요."

시대가 변하여 이제는 알뜰 피서를 즐기는 사람이 많이 늘었나 보다. 마침 밖에는 비가 오고 있었다. 무더위가 조금 수그러드는 것 같았다.

"피서철에 계곡물이 범람하지는 않나요? 몇 년 전에 이 뱀사골에서 게릴라성 폭우로 많은 사람이 죽었다는 뉴스를 본 적이 있는데요."

"이 정도 비가 오면 계곡물이 많이 불어나지는 않아요. 그러나 이 정도 비에도 나오라고 방송을 하는 등 난리죠. 몇 년 전 폭우로 물이 불어나 인명 피해가 있어 관리사무소가 두드려 맞았거든요. 이렇게 방송을 하면 위험한 자리에 있는 야영객은 밖으로 나오지요."

"여름에 피서하기는 참 좋겠어요. 계곡이 깊어서요."

"여름 한철 지나면 개 잡고 관리소 직원, 파출소 경찰 등 다해 먹었어요. 지들도 월급 받고 하는 것인데도 말이죠. 정류소하는 죄로 그들에게 해 먹여야 했어요. 정류소만 안 뺏겼어도 이런 고생은 안 하지요."

사모님은 정류소를 빼앗긴 것이 무척이나 아쉽고 속상하신 듯 했다.

"한스런 것이 많아요. 정부가 그렇게 한 것이. 누구 하나 죽여도 분이 안 풀리지요. 어떻게 도둑놈들이지 그런 짓을 할 수 있는가 말이죠. 원망스럽고 원통하고 그래요.

정치권력을 등에 업고 서민들의 땅을 다 빼앗은 것이죠. 개발계획을 미리 알고 헐값에 사서 비싸게 파는 것이 어떻게 보면 자유 민주국가에서는 죄에 해당되지 않지만, 위정자들이 그러면 직권남용이에요. 어떻게 구실을 붙이든 사기를 처먹는 탐관오리 같은 놈들이지요.

저 양반 젊은 시절에는 빨치산 투쟁에 바치고, 박정희 정권에서는 가진 재산을 다 빼앗기고, 전두환 정권에서는 삼청교육대에 끌려가 고초를 겪고 파란만장한 삶을 사셨어요.

물레방아도 잘 만들어 놓았는데 부수어 국립공원관리소장 사택을 지었어요. 아이고 미쳐요. 칼 안 든 강도놈들이지. 강도도 그런 강도가 없지. 그렇게 사기를 처서 빼앗고, 권력으로 몰아붙이는데 당할 재간이 있나요."

"그렇습니다. 그러나 그 동안 위정자들에게 빼앗기거나 수탈당한 서민들의 재산이 어디 한둘이겠습니까. 전국 요지 요지마다 있는 자, 가진 자, 쥔 자들의 횡포가 이루 말로 다 표현할 수 없는 것이지요. 그러니 그것을 원한으로 품고 있으면 내 건강만 손해가 나는 것이니까 이제는 잊으세요."

내가 위로의 말을 드리자

"그려, 나만 손해여."

하며 사단장님도 거드셨다.

"조상이 있고 천지신명이 있고 하늘이 있으니까 정의가 승리할 것입니다. 역사 앞에서 부끄러운 짓을 한 사람들은 언젠가는 심판을 받고 벌을 받을 것이라는 사필귀정의 천리를 생각하세요."

내가 다시 위로를 하자 사단장님은

"그려, 그려."

하고 또 맞장구를 치셨다.

마침 비가 오는데도 손님이 찾아왔다. 아마도 기도를 하러 온 모양이었다. 바로 뒤에 기도처가 있기 때문에 수시로 기도하는 사람이 오는 것 같았다. 그 중에 한 사람이 말했다.

"저는 기가 센 데를 좋아해요. 여기 들어와 보니 기가 센 것 같아요. 그래서 여기서 기도하고 두타산에 갔다가 다시 또 올 예정이에요. 지금 여기 찾아오는데 운봉으로 넘어와서 고생을 많이 했어요. 인월로 들어와야 하는데 말예요. 남원에서 올 때 운봉으로 가는 표시 옆에 뱀사골 표시를 해주었으면 좋겠어요."

말하는 사람은 남자인데 아마도 부인이 무당인 것 같았다. 여자 몇 명을 데리고 이곳을 찾아오느라 고생을 했던 모양이다.

사단장님 댁, 그러니까 반선정사 바로 뒤에는 바위로 된 절벽 아래에서 샘물이 솟아나는 곳이 있다. 그것에 기도처가 마련되어 있다. 그것이 인근에서는 꽤나 유명한 기도처로 알려져 있는 모양이었다.

"나는 여하튼 지리산 산신한테 와서 기도를 드리고 하는 것은 어떤 사람이 되었든지 간에 괜찮다고 봐. 기도를 하는 것은 자기 수행을 하는 의미도 있응께 성심껏 기도하며 살아가는 삶은 의미있는 삶이 될 테니까."

사단장님은 무당들의 기도처와 잠자리를 제공하고 푼돈을 받고 있었다. 그리고 그들의 기도에 대해서 긍정적인 생각을 갖고 계신 듯 했다.

"장마가 져 구정물이 계곡에 넘쳐흘러도 기도처의 샘물은 맑고 깨끗하지. 그래서 옛날에는 부락사람들이 이 물을 먹고 살았거든. 그곳엘 무당들이 들어와서 촛불을 켜 놓고 기도를 하는 바람에 기도하는 곳으로 바뀌었어. 산신상도 어느 무당이 갖다 놓았어. 100일 기도드리던 어느 무당은 돌무더기로 탑을 쌓아서 둘이나 만들어 놨지. 저기 보이는 것이 그것이여. 근사하지? 하나가 와서 기도하고 괜찮다고 소문을 내니까 서울, 경기도, 강원도 등 전국에서 많이 찾아오고 있어.

전에는 산 계곡마다 기도하는 무당들로 들끓었지. 그러다 보니 촛불로 인해 화재도 발생하고, 돼지머리나 음식물 등을 치우지도 않고 그냥 가버리기 때문에 오염이 되어 지금은 그렇게 못하게 해.

이곳에 와서 기도를 하는 사람들을 위해 장소를 제공하고 잠자리도 제공하니까 그들이 돈을 몇 만 원씩 주고 가지. 방이 전부 네 개여. 기도하는 무당은 밤새도록 한다지만 그와 함께 온 사람들은 잠을 자야 하니까. 무당이 기도를 하는 것은 자신의 소원성취를 빌고 수행을 통해 신으로부터 계시를 더 잘 받고자 함이니까 나로서는 괜찮다고 봐. 남에게 사기 치는 무당이 아니라면 남의 고통을 덜어주고 미래를 알게 해주는 그런 무당은 우리 민족의 신앙이었으니까 그나마 명맥을 유지할 수 있도록 놔두어야지."

옆에서 사모님은 이곳이 매우 영험한 기도처라고 생각하시고 계셨다.

"이 뱀사골 계곡을 올라오다 보면 시설도 잘해 놓고 기도원, 절, 굿당 등 간판이나 마크도 세워 놓고 하지만, 여기는 아무런 표시도 없는데 많이들 찾아와요. 오는 사람마다 여기를 이렇게 해 놓으면 좋겠네요, 저렇게 해 놓으면 좋겠네요 하면서 요구를 하니까, 도랑의 축대도 쌓고 바위가 물을 막으니까 이 양반이 그것을 깨뜨리는 등 고생을 많이 했어요. 너무너무 애써서 그만 하라고 말리는 데도 듣지 않으시더니, 올해는 땀이 나서 매일 옷 버릴 정도로 약해지고 힘들어 하셔서 옛날만 못해요. 이날까지 그 모습을 평생 보고 살았어요. 며느리가 그 수발을 하나요? 내가 하죠. 올해는 신경질이 나니까 그만 일하시라고 달달 볶고, 망치 같은 것도 들여놓으라고 하면 들여다 놓지 않고 그곳에 그냥 놓고 그래요. 속상하니까요."

때마침 전화가 왔다. 아마도 뜻밖에도 빨치산 활동을 함께 하던 사람인가 보다.

"오늘 전화 온 사람은 유락진이여. 남원군당에 있었지. 유락진이가 지금은 일행이 있어서 나중에 온다는군. 산내 살고 있는 황 씨가 군단에 있었고, 방량기가 살아 있어서, 이곳에는 나까지 셋이 살아 있어. 그때는 잡히면 형무소에 가서 몇 년을 살고 그랬어. 우리 때만 해도 잡히면 석방을 하여 작전에 투입을 시켰지.

또 살아 있는 사람은 서울에서 보험회사를 가지고 있는 최태환이라는 사람이여. 본래 인민무력부장 중령이지. 6·25 전쟁 때 내려와 낙동강 전선에서 부상을 당했어. 후방에 있다가 산으로 들어와 빨치산 군사부 간부로 있었지. 그러다가 1953년도에 하산을 해서 지금 서울에 살고 있는 것이여. 탱크병단이나 418연대 참조장으로 있던 외팔이라는 사람이 다행히 살아 있어. 이제 5명이 살아 있는 것이여. 셋이는 여기 위령탑 건립에 찬동을 하였구먼. 친구 하나 더 생기니 기쁘고 힘이 나는구먼."

"그래도 동지들이 살아 있으니까 마음으로 위안이 되시겠어요. 서로 힘들고 아픈 것을 이해하고 위로해 주니까요."

"그렇지. 그 말을 하니께 생각이 나는 사람이 있구먼. 안지식이여. 그 사람 아주 서예를 잘해. 그래서 글을 많이 써주었어. 형무소에 오랫동안 있으면서 글을 배워 50여 점 이상 써주었어. 한문 선생을 시키려고 하는데, 지금 선생이 가르치고 있는데 자기가 그럴 수 없다며 안 하겠다는구먼. 세월이 흘러가면 이 사람이 해야 할 것이여. 지금 선생이 나이도 많고 몸도 아프고 얼마 살지 못할 것이니까."

나는 살아 있는 분들이 있다는 말씀에 갑자기 여성 빨치산인 김정분이라는 분의 생사가 궁금했다. 그분은 사단장님이 생포될 당시 산골집 온돌에서 함께 체포된 분으로서, 사단장님을 여러 번 위기에서 구해준 생명의 은인이었다.

"사단장님, 여성 빨치산인 김정분이라는 분은 어떻게 되셨나요?"

"김정분이라는 빨치산은 지금 전주에 살고 있어. 아, 그러니까 지금 4년간을 못 봤어. 4년 전에 만났을 때는 호떡 장사를 하더라구. 전북대를 나온 남자와 결혼을 했는데 성이 사씨여. 그 놈팡이가 아무것도 없는 난

봉꾼인가비여. 대학만 나왔다 뿐이지 아무것도 하질 않고 있으니 말이야. 여자가 호떡 장사를 해 가지고 생계를 유지해 나가는 것을 보면 어려운 살림을 사는 것이여. 내가 그 꼴을 보니 가슴이 아프더라구."

나도 그 말을 들으니 김정분이라는 분이 안쓰럽게 느껴졌다. 그리고 그 분을 꼭 한 번 만나고 싶었다. 그러나 이번에는 어렵고 다음에 기회가 닿으면 가보았으면 했다.

4일째 되는 날 반선마을 주변의 유적지를 둘러보고, 사단장님이 태어나시고 자라나신 순창군 동계면 주월리를 한번 가기로 하였다. 그래서 아침밥을 먹고는 일찍 길을 나섰다.

충혼탑과 위령탑

우선 먼저 주변 유적지를 둘러보기로 하였다.

전적기념관은 반선마을에서 뱀사골 상류로 몇 분만 걸어 올라가면 되었다. 전적지를 보자 사단장님은 서운한 점이 많으신지 말씀을 하셨다.

"이곳에 전적기념관을 세울 때, 나 자신도 6·25 전쟁 기념관은 있어야 한다고 생각했지. 그런데 나중에 국군전사자 충혼탑과 백선엽의 공적비가 서 있는데, 공비니, 빨갱이니, 좌익이니 하는 말이 그 공적비에 들어가 있단 말이여. 백선엽이 누군데 그려. 일본놈 만주군관학교를 나온 박정희와 다 똑같은 놈들인데. 그리고 백선엽이가 빨치산 토벌작전에 참가하여 얼마나 많은 희생자를 냈는가 말이여. 그 사람의 공적비가 세워져 있다는 것은 무엇을 의미하는 것인가. 빨치산은 반민족적 행위를 한 사람이라는 것이 아닌가 말이여.

정말 빨치산들이 누구인지 알기는 아는가. 다 민족주의자들이여. 빨치산 치고 민족주의자가 아닌 사람 있으면 말해 보라구 그려. 친일주구 도배들을 몰아내자고 일어난 사람들이여. 그래서 목숨 걸고 싸웠던 것인데, 그것이 공비이고 빨갱이여? 그건 얘기가 안 되지. 공비니 빨갱이니 좌익이니 하는 말은 친일파들과 미제국주의 추종자들이 정권을 유지하기 위해 하는 말이여.

충혼탑에 그런 말이 쓰여 있으니까 내가 올라가질 않아. 그래서 내가 생각하고 있는 것이 저들과 싸워 목숨을 잃은 빨치산 동지들을 위해 위령탑慰靈塔을 세우고 싶은 것이여.

가끔 살기가 불편하니까 전주도 가고 싶고 서울도 가고 싶을 때가 있어. 전주에 가면 아들집에 내 방을 만들어 놓고 있어. 허지만 내가 여기 있는 이유는 나 있는 동안에 위령탑을 세워야 한다는 바람 때문이지. 그래서 공비니, 빨갱이니, 좌익이니 하는 말로 죄인 취급하는 것에서 벗어나고 싶고 그렇게 죄를 짓고 죽어간 동지들의 원혼을 풀어주고 싶은 것이여."

"하루 빨리 사단장님의 소원이 이루어지길 빕니다."

"그래야지. 나는 전적기념관 세울 때도 일하는 사람들에게 다 우리 집에서 밥해 먹였어. 왜 그런고 하니, 그때는 이 지역에서는 내가 그래도 제일 유지였어. 그리고 아깝게 목숨을 잃은 군경이 무슨 죄가 있는가. 그 사람들은 나쁜 사람 아니잖아? 다 선량한 민족 아닌가.

전적기념관 지어 놓고 그곳에서 처음에는 관리자가 숙직을 했어. 그런데 저녁에 자고 나면 뭔 소리가 난다고 무섭다고 그러더군. 귀신소리가 난다나. 군인도 빨치산도 많이 죽고 해서 그런가 봐. 밤에 숙직을 혼자 하면 무서워서 못한다는 것이여. 그래서 내가 이불을 싸들고 가서 함께 자 주기도 하였지. 그러니 아직도 풀리지 않은 원혼이 있다는 생각이 드는 것이여. 내가 하루 빨리 위령탑을 세워야 하는데. 이제는 나이 팔십에 힘도 없고 도움을 주는 사람도 적으니 걱정일세."

"그러나 사단장님의 소망은 반드시 이루어질 것입니다. 너무 상심하지 마세요."

"그럴까? 옛날 내가 먹었던 뜻을 실천하기 위해 목숨을 바쳐 뛰어봤지만 결과 없이 끝이 났어. 내가 그렇게 노력한 것은 이 나라를 일본에게 팔아먹은 매국노, 매국노로 인해 일본에게 달라붙어 먹고 살았던 친일파를 분명히 가려내어 처단을 해야 한다는 것이었지. 그래서 나의 마음 속에는 반세기가 넘었지만은 그것이 항시 남아 있는 것이여.

친일주구도배들에 대한 처단이 제대로 안 되어 가지고 지금까지도 그 사람들이 영향력을 행세하고 있어. 솔직히 말해서 지금까지 남아 있는 그들을 보면 울분이 끓어오르지. 공비, 빨갱이, 좌익이니 말하지만 자유 민주민족 통일독립을 위하여 외치고 나왔던 애국자일 뿐이여. 공비가 뭐여. 박정희, 전두환, 노태우 등 군사정권들이 그렇게 이단시, 죄악시한 것이여.

그나마 김대중 정권은 민주화투쟁을 해온 국민의 정부라 덜하지. 대북 햇볕정책도 사실은 올바른 길이여. 그러나 북한 주민이 소신껏 일할 수 있도록 뒷받침을 해주어야 하는데 서로 당리당략에만 집착하여 싸우고 있잖아. 그것을 보고 있노라면 임진왜란 당시 동인이니 서인이니 하면서 분열하고 대립하여 싸우는 모습 같아 가슴이 답답하단 말이여. 율곡선생이 십만 명 양병설을 주장하였지만, 동인의 한 사람이었던 유성

룡이라는 사람이 그것을 받아들이지 않아 임진왜란을 막지 못하지 않았는가?

우리가 국가와 민족의 통일과 평화와 장래를 생각한다면, 이러한 싸움을 일소하고 건설적인 정치를 하여야 할 것이여. 요즈음 국회에 무슨 안건이 상정되면 그것 가지고 쌈박질만 해대니 한심한 것이여.

50여 년 전 민족의 통일을 위해 투쟁하였는데 이직도 남북이 분단이 되어 있고, 남한은 남한대로 매일 제대로 된 정치 못하고 있으니까 그 한이 풀리지 않은 것이여.

난 징그럽게 애국자여. 이 뜻도 알아주는 이 없이 돌아갈 것 같아 억울하지. 남북이 분단이 되어 있으니까 그 뜻이 빛나지 않은 것이여. 남북이 통일되면 다르겠지. 남들처럼 평범하게 살아야 하는데. 모든 것이 억울한 것투성이지.

상해 임시정부에서 투쟁을 했던 김구 선생도 이승만 정권에 의해 살해되고 그 뜻을 펴지 못했지만, 그래도 그런 사람들은 이름이라도 남기고 국민들로부터 존경도 받고 있지. 그러나 우리 빨치산은 이름도 남기지 못했을 뿐만 아니라, 공비니 좌익이니 빨갱이니 하면서 마치 민족의 반역자로 불리는 불행한 운명을 살아왔어. 사실 나도 김구 선생한테 가려고 했는데 안 되고, 그 운명이라는 것이 그렇게 되어 버렸네.”

회한이 많으신 듯 했다. 그래서 내가 위로의 말씀을 드렸다.

“사단장님께서 살아오신 투쟁의 삶이 그렇게 빛을 발하지 못하고 있지만 남북통일이 되어 과거의 활동이 재조명될 될 때에는 그 빛을 발하게 될 것입니다.”

“죽은 뒤에 무슨 소용이 있겠나. 그때는 중고등학교만 제대로 나와도

다 산에 들어가 투쟁을 했어. 그러나 결국 다 죽었어."

"그때는 지식인들 치고 좌익사상에 심취하지 않을 사람이 없었다고 들었습니다."

"그랬지."

"혹시 반선마을에 정착한 후 북한에서의 접촉은 없었나요?"

"없었지. 그렇게 활동을 했고, 혁혁한 전공을 세웠으면 접촉을 할 만도 한데 없다는 것은 다행한 일이지. 인간성이 좋지 못한 사람들은 늘 과거의 전력으로 빨갱이로 몰아붙이니 접촉을 안 한 것이 다행한 일이지."

"그래요. 재산활동하시던 때와 현재의 북한은 많이 달라졌다고 생각되는데 지금은 북한을 바라보시는 시각은 어떠신지요?"

"난 그것에 대해 말하고 싶지가 않아. 그때 내가 한 일 자체가 마음대로 안 되고 있는 판국인데, 솔직히 말해서 많은 피해를 보고 있는 사람인데, 생각할 여지가 없었어.

북한 사람이 나쁘다고 하지만, 6·25 전쟁 때 압록강까지 밀고 들어갔을 때 맥아더 장군이 이북에 어떠한 피해를 주었지 아는가. 평양의 도시 전체가 폭탄을 투하해서 집 두 채인가만 남고 모두 파괴되었다는 것이여.

그리고 살아 있는 이북시민들은 모조리 끌고 내려왔어. 북한에서 친일도배들이라고 재산몰수 당하거나 직장 빼앗겨서 내려왔기 때문에 감정을 가지고 내려온 것이고, 그 놈들이 좌익을 찾고 빨갱이를 찾고 한 것이여.

인민군이 맥아더의 인천상륙작전으로 차단되니까 전부 춘천으로 오라고 하였는데, 꽉 막혀 갈 것을 포기한 곳이 있었지. 특히 전라도 지역의 인민군 가운데는 올라가지 못하고 야산대와 접촉된 것이지. 그때에 일부는 올라간 사람도 있어. 결국 공습을 받으면서 밀려간 것이여.

그때 얼마나 폭격을 했던지 집도 두 채밖에 안 남기고 모두 잿더미로 만들어버렸다는 것이여. 거기 있는 시민들은 중공군의 인해전술로 밀려오면서 다 끌고 온 것이여.

남한에 온 북한사람들은 서북청년단원들이나 미국에 의해 끌려온 사람들이나 또 자발적으로 온 사람, 버림받아서 온 사람, 선전에 의해 온 사람, 끌려서 온 사람 몇 부류가 있지.

북한이 우리보다 경제적으로 잘 살았다면 북한에 대한 인식도 달라졌을 것이여. 물론 주체사상은 김일성 개인주체사상으로 변질되었고, 통일관도 대남적화통일이라는 것에 한정되어 있어 문제지만, 현대사회는 경제가 곧 정의를 좌우하지 않는가?'

"그러나 일부 야당의원이 주장하듯이 가만히 보면 남한은 미국이나 일본의 경제식민지가 되어가고 있다고 주장하잖아요."

"그려. 경제식민지여."

"아이엠에프 이후 큰 건물, 큰 기업이 미국 자본가들에게 많이 넘어가고 있다고 하더만."

"일본이 일제시대에 수탈해 간 것은 강제수탈이고, 지금은 눈 뜨고 일본과 미국에게 다 빼앗기고 있어요. 젊은이들은 미국과 일본의 유행과 사상에 물들어 우리의 고유의 사상을 잃어버리고 있어요. 잘 사는 나라가 믿는 사상이 최고인 양 서양사상이 범람하고 있어요. 민족정신을 잃어버린 사람이 많아요.

그렇다고 본다면 올바른 민족주의나 올바른 주체사상을 강조하는 것은 북한이나 남한이나 모두 당연한 일이죠. 물질이 더 중요하냐, 정신이 더 중요하냐, 그러나 남한은 정신을 더 소중히 여기는 민주주의이지만 풍요로운 물질주의에 빠져 정신이 황폐화되고 있어요.

그 동안 독재 정권은 체제유지를 위해 남북한의 긴장을 조성하고 용공분자를 사정없이 투옥하고 감시해왔어요. 그래서 체제에 반대하는 세력은 무조건 빨갱이, 좌익으로 몰아버렸지요. 다 같은 민족주의자인데도 정권의 희생물이 된 것이죠.

사단장님 같은 분도 국가와 민족을 위해 투쟁을 하셨는데도 평가를 제대로 받지 못하고 아무 것도 없이 이렇게 80평생을 살아오셨어요. 숨죽이며 어깨도 펴지 못하고 말입니다. 그렇게 국가와 민족을 위해 노력을 했는데도 위정자들은 재산을 빼앗는 등 갖은 횡포를 다 부렸어요. 이것은 정의가 아니라는 생각입니다. 그러나 언젠가는 그 명예가 회복될 것입니다.

사단장님과 대화를 하면서 이러한 내용을 국민들에게 알려야 되겠다 싶다는 생각을 더 하게 되는군요."

"얼마나 좋소, 고맙소."

"손자인 인철이가 똑똑하여 앞으로 가문의 정신을 이어받아 훌륭한 인물이 될 것입니다."

"맞아. 가문을 자랑스럽게 생각하고 있는 것 같아."

"선생님 같은 분한테 한 시간만 얘기 들었으면 좋겠어요, 우리 인철이가."

"인철이가 그런 정신을 이어받을 거예요."

"다음에 기회가 있으면 말을 들었으면 좋겠구먼. 책을 통해 읽은 것과 이렇게 박 선생을 통해 말을 듣는 것과는 틀리거든. 내가 자주 얘기하니께 좀 무뎌지는 것 같여. 제삼자가 얘기하면 좀 다르거든. 그것이 좀 아쉽고. 서울에 보낸 것을 왜 안타깝게 생각하느냐 하면, 가까이 있으면 나나 내 손님들 한테나 많은 것을 듣잖여. 오늘 같은 날도 인철이가 여기 있으면 듣고 할 텐데 그게 좀 아쉽지.

서울에 저들끼리 놔 놓으니께 삐끗할까 봐 그게 염려 되여. 대학 문 앞에 가도 성인이여. 하는 짓도 틀리고 노는 것도 틀리고 노는 장소까지 틀려. 그런 것을 보면 하물며 대학원을 졸업하면 얼마나 다르겠는가. 우리 손자 인철이도 지금 중3이라 아무것도 모르고 날뛰고 하는데, 고등학교 졸업하고, 대학교 졸업하면 다르겠지. 이 할애비가 한 일을 이해할 것이구면."

"이해하구 말구요. 아주 자랑스럽게 생각할 날도 있을 것입니다."

"박 선생이 젊으시니 많이 이끌어 주소. 손자, 손녀들이 다섯이 다 올라가서 자기들 밥해 먹고 공부한다는 것이 얼마나 기특한가. 누가 시켜서 되는 것이 아니여. 시골에서 서울에 올라가 일등을 한다는 것은 보통 머리가 아니지."

"촌놈이 시골서 일등을 해도 서울 가면 등수 안에 들기가 바쁘거든요. 벌써 공부하는 식부터 다른 걸요. 그만큼 능력이 있고 정신이 똑바로 박혀야 해요. 아무리 똑똑하고 공부 잘해도 부모에게 효도를 하지 않는 사람은 크게 성공하기 힘들죠. 인철이는 능력도 있고 인물이나 체격도 좋고 효자이고 하니, 앞으로 크게 성공하지 않을까 생각해요. 조상님과 할아버지의 정신을 이어받고 집안의 저력을 발휘하여 사회에 펼칠 수 있는 재목이 될 것이라고 생각합니다."

"그려. 나도 그저 그거 하나 바라고 있지. 공자도 그 아들이 똑똑하지 못하고 일찍 죽었으나 그 손자인 자사가 똑똑하여 중용이라는 책을 지었지 않은가.

아들은 배우지 못해 못났더라도 그러한 손자를 낳아 준 아들이니까 높이 사주지. 그러면 화가 덜 나더구먼. 하나하나 눈에 거슬려 화가 나는 경우가 많아. 식당 한답시고 고생은 하지만 그것은 어디까지나 장사꾼 아닌가. 국가와 나라를 위해 일할 수 있는 그런 재목은 아니지 않은가. 이제는 손자에게 그것을 기대하고 있다네."

나는 충혼탑을 내려오면서 사단장님의 꿈과 소망이 손자, 손녀에게 담겨 있음을 알았다. 그렇다. 인간은 꿈과 소망을 잃어버려서는 안 된다. 집안에 내려오는 가풍과 그 정신은 면면히 이어져 반드시 그 꿈과 소망이 이루어지리라 믿는다.

잡초에 덮인 정충사

전적기념관과 충혼탑을 구경하고 내려왔다.

충혼탑에 쓰여 있는 글귀 중 공비토벌작전에 공이 있다는 말이 귀에 거슬리는 것은 당연하리라는 생각이 들었다. 전적기념관에는 6,338명의 군인들을 위로하는 충혼탑이 있었는데, 뱀사골을 내려오다 보니 경찰들의 영혼을 모셔놓은 순국경찰합동묘지가 있었다.

"반선마을에서는 8km, 저 삼거리에서는 9km, 저 사거리에서 우측으로 가면 실상사로 가고, 좌측으로 가면 인월로 가지. 실상사는 800m여."

"그때는 왜 절에다가 군인들이 주둔지를 정했을까요?"

"건물도 크거니와 야지野地니까 은닉처도 되었기 때문이지, 그리고 보급투쟁을 이런 데까지 나오시지는 않았거든. 실상사만 해도 드러난 데니까 자신들의 모습이 쉽게 노출이 되니까 안 나오는 것이지."

실상사에 도착을 하였다. 내가 운전을 하고 사단장님이 방향을 가리켜 주시니까 쉽게 길을 찾을 수 있었다. 실상사 근처까지는 접근이 가능한데, 차량이 절 내에까지는 들어가지 못하게 되어 있었다. 한쪽 주차장에 차를 세웠다.

사단장님은 걷기가 불편하셨지만 그래도 함께 실상사實相寺를 동행해 주셨다.

실상사는 통일신라시대인 828년(흥덕왕 3년) 홍척洪陟이라는 스님이 구산선문九山禪門의 하나로 자리를 잡은 데서 비롯된다. 신종禪宗이 처음 전래된 것은 신라 제36대 혜공왕惠恭王 때인데, 발전을 못하다가 도의道義, 道儀와 함께 입당入唐, 수학하고 귀국한 증각대사證覺大師 홍척이 흥덕왕의 초청으로 법을 강론함으로써 구산선문 중 으뜸 사찰로 발전하였다. 도의는 장흥長興 가지산迦智山에 들어가 보림사寶林寺를 세웠고, 홍척은 이곳에 실상사를 세워 많은 제자를 배출하였고, 전국을 다니며 포교하도 하였는데 이들을 실상사파實相寺派라 불렀다.

실상사에 갔다 오자 배 면장이라는 분이 사단장님을 보시고는 인사를 하는 것이었다. 나는 정중하게 인사를 드렸다. 그러자 나의 방문을 사단장님으로부터 들으시고는 실상사에 대해 아시고 있는 것을 설명하는 것이었다.

"일본 후지산과 천왕봉하고 여기 실상사 철불鐵佛하고 일직선상에 있어요. 2,900m의 후지산에서 1,950m의 천왕봉을 내려다보고 있어 우리가 늘 노략질을 당해 왔다는 생각을 하여, 그것을 누르기 위해 철불을 안치했다는 말이 있어요. 일본책에도 그렇게 나와 있구요. 실상사에서는 나라의 큰 일이 있을 때마다 철불에서 땀이 흐른다는 거예요."

배 면장이라는 사람의 성함은 배종수 씨였다. 전적지 관리소장도 하시고, 부면장도 하셨다고 했다. 그 분이 말씀하시는 철불이란 보물 제41호인 철제여래좌상鐵製如來坐像을 말하는 것이었다. 정말 일본의 업신여김을 막기 위해 철불을 세웠는지는 알 수 없으나 민중들의 소망이 투여된 설화라는 생각이 들었다.

실상사에서 사단장님의 13대 조부이신 황진 장군의 영정을 모셔놓은 남원군 주생면 정송마을에 있는 정충사旌忠寺로 향하였다.

"남원 부사였던 최원회가 주동이 되어 남원유림들이 모여서 삼충三忠을 기리기 위해 지었는데, 본래 짓기는 섬진강 바위에 지었는데 나중에 이리 옮겼어. 정충사가 있는 산의 봉우리를 수덕봉이라고 그래. 대원군 때 각 지방에 있는 사원에 대해 철폐령이 내려졌을 때 여기도 훼철毀撤을 당했어."

정충사는 큰길에서 조금 마을 쪽으로 들어왔다. 그리고 마을에서도 뒤쪽에 있어 마을을 가로질러 조그마한 산을 옆으로 끼고 돌아가야 했다.

"들어가는 길이 좀 비좁기는 한데 대나무가 있어 주변풍경은 괜찮네요. 대나무가 열 길은 되겠어요. 오솔길을 걸어올라, 마을 담길을 올라오는 것도 운치가 있네요. 그런데 큰길에 정충사라는 도로 표지판이 없는 것이 아쉽네요. 찾아 올라오기가 쉽지 않겠어요."

마침 여름 매미소리가 구성지게 울려 퍼지고 있었다. 정충사 앞에도 제법 큰 대나무가 올곧게 잘 자라고 있었다.

"황 장군의 성품처럼 대나무가 곧고 푸르네요."

"당초에는 이 대나무밭이 우리 산에 속하는 땅인디, 우리 집안에 못된 양반이 자기들 집안 할머니 묘를 여기다 썼어. 그것을 핑계 삼아 이 땅을 팔아먹었어. 그래서 외간 문을 여기에 지으려고 했던 것인데 짓지 못하고 말았지. 이건 정송재여. 손님들이 오면 묵는 곳이지."

정충사는 황진 장군의 무덤과 그 아래쪽에 비각이 있고, 그 아래쪽에 정송재가 있었다. 정송재에서 비각 쪽으로 오르는 왼쪽 계단 섬돌 위에는 망초와 쑥이 허리까지 자라 있었다. 비각 앞마당에는 무궁화꽃이 좌우와 중앙에 피어 있었다. 산내에서 가져 왔다고 했다.

황진 장군의 묘역에 오르니, 묘 둘레에는 큰 소나무들이 병풍처럼 늘어서 있었다. 그러나 억새풀이 돋아나 비석도 감싸고 있었다. 좌우에 서 있는 무인석도 공덕비도 모두 잡초에 쌓여 있었다.

"여기(오른쪽)에 있는 공적비의 글씨는 전주 황욱지의 글씨를 일부 받아다가 쓴 것이여. 비문은 감상현이 썼어."

갈참나무, 망초, 억새풀이 돋아서 자라고 있는 모습을 보니 안타까웠다. 그나마 마침 패랭이꽃이 비석 옆에서 분홍빛 웃음을 흘리고 있어 삭막한 분위기를 화사하게 바꾸어 주고 있었다.

주변은 꽤나 넓어 보였다. 무덤도 사진에서 보는 것보다는 높아서 두 길 정도나 되어 보였다.

"이 묘가 처음에는 일반 묘하고 똑 같았어. 석물은 그대로였지만 크게 다시 사초를 했어. 주변을 다듬고, 묘도 장군묘 답게 키웠지."

"주변정리만 잘하면 괜찮겠어요."

나는 황진 장군께 인사를 올렸다. 그리고 그의 충혼과 용맹과 순절에 경의를 표했다.

"진입로를 황인성에게 의뢰하여 군청에까지 계획서를 주었는데 땅이

팔려서 못 짓고 말았지."

진입로가 좁기는 좁았다.

"묘역은 잘 되었는데 벌초를 해야겠어요. 정송재 지붕도 파란 천막을 덮어놓은 걸 보니 빨리 보수를 해야겠구요."

"추석에 와서 해야겠구먼."

"그냥 놔두면 참나무가 묘 봉분 위에 자라겠어요."

내려가는 계단 돌 틈새로 쑥, 망초들이 허리 높이까지 자란 것도 있어 계단이 안 보일 정도였다. 발을 딛기조차 힘들었다. 이렇게 훌륭한 장군 묘역도 관리하는 후손이 없으니 잡초에 묻히고 마는 것이다. 어리석은 잡초가 어찌 장군을 알아보리요. 무덤을 타고 앉아 뿌리를 내리고 있는 나무와 잡초를 보니, 얼마나 무지한 미물인가 알겠다. 자기가 자라고 이 땅을 지켜준 장군을 모르고 있지 않은가.

그러나 고금의 영웅호걸도 잡초에 묻히고 마는 것을. 누가 자연에 신령한 기운이 있다고 말했던가. 신령한 기운이 있다면 천하를 호령했고, 나라를 수호했고, 그리고 비운에 간 장군의 무덤 위에 올라앉아 자신의 생명을 유지하려고 하겠는가. 그리고 조상이 있고 천지신명이 있다면 어찌 이렇게 무심하단 말인가. 참으로 안타까운 일이었다.

이순신 장군의 묘역은 국가에서 관리해주고 성역화하여 잘 가꾸어 주고 있지만, 이곳은 완전히 버려진 묘나 마찬가지였다. 그것도 황씨 문중에서 관심을 가지고 있기에 이 정도 유지되고 있는 것이 아닌가 하는 생각이 들었다.

고령토로 만든 기와는 정송재 앞에 쌓여 있었다. 덩굴식물은 이 기와가 어디에 쓰이는 줄도 모르고 절반을 끌어안고 뒤덮고 있었다. 장충사 앞 순의문殊義門이 있고, 대나무가 굵은 것이 열 길은 되어 보이는데, 대나무 잎이 떨어져 갈색의 자리를 깔아 놓은 듯하였다. 대나무와 소나무는 원래부터 있었던 것이라고 했다. 나와 사단장님을 반기려는지 매미는 요란스럽게 울어 대며 적막을 깨우고 있었다.

정충사를 내려와 마을을 지나오는데 낯선 이를 경계하는 개짖는 소리, 닭 우는 소리가 요란하였다. 대낮에 닭이 우는 것이 무슨 사연이 있는지는 모르겠으나, 그래도 닭 울음소리를 듣는 것이 마치 고향에 온 듯한 기분을 들게 하여 좋았다.

"땅을 팔아먹은 사람이 내내 우리 집안에 어른인데 황국현이라고 그려. 그때는 세상이 시끄럽고 하니까 종중에도 나댕기지 않았지. 종회장을 한다고 하여 잘 하는 줄 알았지, 땅을 팔아먹고, 묘는 파다가 할아버지 산소 옆에다 써 놓는 줄 알았나."

마을길도 넓히고 회관도 새로 지은 것 같았다. 그러나 자기 조상이 아니라고 훌륭한 어른의 묘역관리를 저토록 소홀히 하고 있는 마을 사람들이 어쩐지 무심해 보였다. 물론 이것은 나라에서 관리하거나 전라북도에서 관리를 해야 한다. 그러고 보면 어른이나 전라북도 공무원들 중에는 황진 장군의 업적을 제대로 아는 사람이 한 사람도 없는 것이 아닌가 하는 생각이 들었다.

"어제가 37.2도라고 했는데 오늘도 그에 못지않게 덥겠네요."

"그렇겠어."

"오늘 와서 보니 너무도 마음이 아프네요. 국가에서 관리를 해줘야 할 것 같은데요."

"누구 하나 관심가지고 하려는 사람이 없으니께 저 모양이지. 가서 난리를 피워도 하는 척하다가 자리 바뀌면 또 꿩 구워먹은 듯이 감감 무소식이니 참."

"지방문화재로 지정을 받으면 남원시청에서 관리를 할 텐데요."

"그러게 말이여. 그런데 그것도 쉽지가 않네그려."

이순신 장군의 묘역인 아산 현충사에 비해 패장의 묘역이라고 그런지 관리가 소홀하여 잡초에 싸이고 풍우에 낡아가는 정충사를 보고 내려오는 나의 마음은 무거웠다.

그러나 나라를 사랑했던 마음이야 이순신 장군과 황진 장군이 같지 않았겠는가.

황진 장군의 나라를 위하는 마음을 후손들에게 가르쳐주기 위해서라도 국가에서 관리와 보수만이라도 신경을 써주었으면 좋겠다.

고향 주월리

정충사 참배를 하고 내려와서는 바로 사단장님의 고향인 주월리로 향하였다. 출발한지 얼마 되지 않아 창 밖을 보니 순창군 동계면 내령마을을 지나고 있었다.

경주 정씨들이 살고 있다고 했다. 마을 중앙에 큰 느티나무가 있었다. 그 밑에는 수령이 몇 백 년이나 된 것 같았다. 그 나무 밑에는 정자가 있었다. 느티나무만 보아도 저 마을이 얼마나 오래 동안 이곳에 있었는가를 알 수 있었다.

내령마을의 보를 막았다는 말씀을 하셨는데 바로 그 마을이었다.

"보라는 것은 냇물을 막은 것이지요?"

"그려. 냇물을 막은 것이지."

"어느 정도 큰가요?"

"농토에 물을 댈 수 있는 양을 생각해서 만들어. 물이 내려오는 양도 생각해야지. 물도 많이 내려오지 않는데 크게 막을 필요도 없는 것이고."

지나가면서 보는 보이지 않았다. 내령마을을 지나자 금방 동계면 소재지인 신흥리 마을이 나타났다. 면사무소가 보이고, 사단장님의 장조카가 운영한다는 버스정류소도 보였다. 버스 정류소 옆에 작은 가게도 하고 있어 그곳에서 수박을 한 통 큰 것으로 샀다. 사단장님의 고향에는 동생분이 살고 있는데 빈손으로 가는 것도 예의가 아닐 듯 싶어서였다.

"여기 신흥리마을은 나의 외할아버지가 사셨던 곳이여. 그 어른 사당이 뒤에 있어. 이곳에 순흥 한씨 서당이 있었지."

그러는 사이에 산모퉁이를 돌아 마을 입구로 들어섰다.

"여기부터 우리 동네여. 저것은 저수지고. 왜정 때 아버님이 지주들을 찾아다니면서 만든 저수지가 바로 저 저수지여. 잉어도 기르고 했었지. 길이가 120미터 정도, 폭이 30 내지 40미터 정도는 될 것이여. 원수原水 가 나오는 보이기 때문에 아주 좋아."

보에서 마을로 들어서면 봉우리가 첩첩이 둘러 싸여 마을을 감싸고 있었다. 좌우도, 앞에도, 그 앞에도 산이다. 깊은 계곡으로 들어가는가 싶더니 갑자기 꽤나 널찍한 들판이 좌우로 나타났다. 들판 건너에는 산이 가로막고 서 있었다. 그 산 앞 밑으로 섬진강이 흘러가고 있었다.

"동네가 본래 빈한한 동네였지. 저 보를 막아 이곳에 농사를 제대로 지어 형편이 좀 나아졌던 것이지."

벌판 군데군데 양옥집이 있었다.

"옛날에도 벌판에 저런 양옥집이 있었나요?"

"없었지. 그 후에 지은 집이여."

드디어 마을에 도착을 했다. 마을 앞으로는 길이 있고 길 건너에는 정자가 있다. 정자 주변에는 너럭바위가 너댓 개가 있다. 그리고 그 주변에 느티나무가 아닌 이름 모를 아름드리 나무가 대여섯 개 있어 그늘을 만들고 있었다. 나무 위에서는 매미소리가 귀청을 울리도록 울고 있었다.

정자 밑으로는 강 위쪽을 막은 보에서 4km 정도 길게 작은 도랑이 흐르고 있다. 그 밑으로 강까지는 40, 50m 정도의 강변이다. 그리고 섬진강 상류라 큰 냇물 정도의 강이 흐르고, 그 강을 건너 산 준령이 이어져 있다.

사단장님의 아버지의 공적비는 바로 정자 옆 나무 그늘 아래 서 있다. 두 개나 서 있다.

"마을 생활개선을 시켜 준 공이 크기 때문에 세워진 공덕비여."

두 공덕비에는 다음과 같이 쓰여 있다.

월촌 선생 황달주 공적 추모비 月村先生黃達周功績追慕碑

거사 황공달주 축제 기념비 居士黃公達周築堤記念碑

도착하자 아우님이 마침 정자에 계시다가 우리는 맞는 것이었다. 키는 사단장님보다 조금 작았지만 다부져 보였다. 나는 동생분에게 이것저것을 여쭈었다.

"어렸을 때부터 느티나무와 정자가 있었나요?"

"여기 바우가 일곱 개 있소. 그래서 칠성정七星亭이라고 그러오. 이것이 고인돌인디, 여기서 돌촉, 돌칼이 나왔소."

"고인돌이라면 상당히 오래된 마을이겠네요?"

"그렇소. 오래된 마을이오."

"어렸을 때 저 강에서 목욕도 하고 좋으셨겠어요."

"좋았죠. 지금은 오염이 되었소. 여기서 모래찜질도 하고 그랬소."

하고는 모래사장을 가리켰다.

"저 앞산 이름이 뭔가요?"

"보산報山이라고 그러오. 저건 윗보산, 요건 아랫보산이오."

"옛날 어렸을 때 이 수로가 있었나요?"

"십리 보라고 했는디, 4킬로 또랑인 셈이지. 이 보에 대한 유래가 있소. 요 아래 감밭이라고 있소. 가물어서 감밭이라고 그러오. 물이 없어 농사짓기가 힘들었소.

하루는 꿈을 꾸는데 서리를 요렇게 죽 내려놓을 테니 그것을 따라 도랑을 내라 하는 것이었소. 그래서 깨어나 봉께로 요리로 서리가 쪼옥 있어서 또랑을 친 것이 4km요. 여러 부락 사람들이 모여서 보를 쌓았소. 한 번 쌓아 놓은 것이 지금까지 절대 무너지덜 않소.

보는 저 위에서 막았는디, 보산 주인 부자 양반이 마을 뒤쪽에 살았소. 그때는 모두 곤란한 때라 놔서 아이들이 빤스 바람으로 올라가서 놀다가 동네 앞을 지나가게 되었소. 빤스 바람으로 다닝께 문란해 보잉께로 부자 양반이 종들을 시켜 붙들어다 감나무에 매놨지 않았겠소. 그런데 아이가 그만 죽어버렸소. 그래서 할 수 없이 부자 양반이 산을 그 부모에게 주어버린 것이여. 그래서 보산이라고 그러오. 보답으로 준 것이라고 그래서 보산이지.

자 앞의 산은 풍악산, 치알봉이오. 키알 모양 높은 봉이 앉아 있다고 해서 붙은 이름이여, 저쪽 아래 보이는 산은 순창 체계산이오. 이 마을은 물이 빙 돌아서 나가는 것이 배모양이라고 해서 주월리舟月里라고 했다고 그러오. 저기 강 건너 산 밑 바위가 귀신바우요. 귀신이 비쳐선가 몰라도 물이 깊고 고기도 제법 많이 살고 그러오."

"여름에 홍수가 나면 다리가 넘치겠어요."

"물이 저기 자국이 있잖소? 작년 홍수에도 물이 저기까지 올라갔소."

"엄청나네요. 낚시하는 사람도 있네요."

"저 바우는 쪼악바우라구 그러오. 쫙 갈라져 있잖소? 그 밑 물이 깊소. 마을 뒤쪽에 보이는 것이 오른쪽 위부터 노적봉, 당그레봉, 윗장태봉, 아래장태봉이오. 윗장태봉에서는 물이 안 나와요. 아래장태봉에서는 물이 나오고. 그래서 신흥리에서 오다 보면 아래장태봉 기슭에 닭장 같은 것이 쪼악 있는 것이오. 닭을 기르려고 해도 물이 필요하니께 그 밑에 있는 것이오.

강 모래사장이 싹 떠내려 갔었는디 요번 비에 또 떠내려 왔소. 모래는 참 좋지. 은모래여. 아주 곱지. 섬진강 상류라 놔서 모래는 맑고 깨끗하지. 사오십 미터는 될 것이여. 저쪽 물 건너 마을이 대자마을이여. 그 위로 올라가면 장항노루메기여. 그 너머로 임실군 땅이여. 이쪽은 순창군 땅이고."

"형님이 산에 들어가 투쟁하실 때 어때셨어요?"

"고생 많았지. 혼났지. 나도 한때는 따라 들어갔었지. 들어가니까 입대를 안 하면 뭔 일 난다고 그러지, 빨치산은 빨치산대로 죽이려고 그러지. 우린 만나면 죽어. 그래서 할 수 없이 피난을 댕기다가 군인을 가버렸어. 아마 1951년에 들어가 1954년에 제대를 했을 것이여. 이래 뵈도 6 · 25 참전용사여. 저 양반하고 나 하고는 다른 길을 걸었지. 빨치산과 군인이니 한 집안에서 서로 싸운 것이지. 결국은 내가 이겼지. 허허허. 회문산에 저 양반하고, 이현상이 하고 유적이 있다 해서 가 보았지."

지금은 웃으시지만 한 집안에서 형제가 빨치산과 군인의 신분으로 싸웠다는 것을 듣고는, 비극도 이런 비극이 있을 수 있을까 하는 생각을 하지 않을 수 없었다.

"군에 입대하여 6 · 25 때는 강원도에서 금화고지, 백마고지 전투에서 싸웠지. 854고지, 305고지에서도 싸웠어. 스물다섯에서 스물여덟까지 싸웠소. 전쟁 한창하고 휴전이 되어서 나왔소. 지금도 유공자라 괜찮소. 이것이 유공자 모자요. 1926년생이요. 형님보다는 네 살 아래요."

사투리로 토해내는 거침없는 소리에 나는 사단장님과는 다른 성격을 읽을 수 있었다. 키는 조금 작으나 어깨는 딱 벌어졌다. 성격이 급한 듯 했고, 눈이 작고 찢어진 눈으로 상대방을 간파하는 지혜가 숨어 있는 듯 싶었으며, 그래도 오래 동안 농사를 지으신 분이라서 그런지 인자함과 따뜻함도 배어 있는 듯했다.

"나는 한 가지 서운한 점이 있어. 전쟁은 엄한 놈이 하고, 공은 엄한 놈이 가져간단 말이여. 돈은 다치지 않은 놈이 타고, 우린 죽도록 싸우기 만 하고 타지도 못하고 말이여."

이야기를 하면서 집에 도착을 하였다. 가지고 온 수박을 드렸다. 마침 점심때여서 사모님이 점심을 준비하고는 상을 내왔다. 방을 둘러보니 벽에는 사단장님의 방에서 보던 황희 정승, 황진 장군, 매천 황현의 사진 이 걸려 있었다. 아마도 사단장님께서 사진을 집안사람들에게 모두 나누어준 모양이었다.

"내가 살고 있는 이 집은 옛날에는 이런 집이 아니었지. 사는 양식이 바뀌어서 다시 지었어. 이곳이 원래는 1,318평 밭이었어. 밭가에다 집을 지었지."

"들어오다 보니까 파평 윤씨 묘와 비석이 있는데, 어떻게 마을 가운데 있나요?"

사단장님께서 말씀하셨다.

"옛날 헌다 하는 집안에서 묘지를 쓸 때는 자리를 잘 보는 지관에게 보아서 쓰지. 좀 권력 있는 사람들은 동네 한가운데라도 좋다면 쓰는 것이여. 옛날에는 정경 부인이라는 소릴 안 했어. 정부인이지. 근자에 와서 그 양반이 정일품이 되었구면. 자기들 마음대로 바꾸는 것이여. 그게 다 후손들의 욕심이지.

이 마을은 120호가 모두 불타고 다시 지은 것이여. 여기에 있던 사립명신제는 도지사의 허락을 받아 지었던 것이여. 옛날집과 사립명신제는 붙어 있었는데, 지금 집에서는 팔십 미터 정도밖에 떨어져 있지 않지만, 나지막한 언덕이 있기 때문에 보이진 않지."

나는 말로만 듣던 사립명신제를 보고 싶었으나 지금은 집과 모든 것이 불타고 없다니 아쉬웠다.

"조 위에 지은 것은 누에를 키우려고 지었던 것이지. 누에를 치는 것도 공지에다 지어 놓고, 칠 때만 그곳에 가고 했지. 약간 멀어도 누에는 치는 것이여."

이때 동생분이 오디술이라며 술을 권했다.

"오디술이여. 조금씩 드셔. 형님도 지독허긴 지독하네. 술도 담배도 끊고 말어. 제가 술도 끊었다가 형님 때문에 도로 술을 먹어버렸어. 묘사를 지내러 갔었는디 형님이 그때 담배를 끊었던 모양이여. 묘사 지내러 가면 하루 한 갑을 주거던. 아, 그런디 형님이 동생도 담배는 피지 말게 그러신단 말이여. 내가 애초에 담배를 좋아하덜 않았으니까 그때 휙 집어 내던져 버리고 피우지 않았지.

그 뒤로는 담배도 안 피우고 술도 안 먹고 했지. 그런데 술, 담배 먹던 사람이 술, 담배를 끊으니까 누구하고 말도 하기 싫고, 대답도 하기 싫고, 누가 말하면 저리로 가버리게 되어 놈팡이가 되버리더란 이 말이여."

"맞아, 그려."

하고 사단장님이 대꾸를 하셨다.

"그런데 하루는 형님이 뭐라 하는고 허니, '동생, 그렇게 살고자 하는가, 그 좋아하는 술도 왜 끊느냐 이 말이여.' 하신단 말이여. 아마도 그때는 형님이 다시 술을 하셨던 모양이여. 그래서 술은 조금씩 하게 되었소. 그러고 보니께 한번은 형님이 다시 담배도 피우시더란 말이여. 그래서 '형님은 왜 담배를 다시 피워요? 하니까, '손님을 만나면 가만히 있기도 그렇고 답답하기도 하여 피우게 되었네.' 하신단 말이여. 세상 산다는 게 다 그렇소. 피우던 술, 담배도 끊었다가 다시 피우고, 피우다가 다시 안 피우고 그런 것이 세상 아닌가 싶으이. 그러니 자 한 잔 하십시다."

술 한 잔을 하고 나자 또 동생분이 말을 이어갔다.

"참, 어느 새 형님도 80이신데, 옛날에는 환갑을 못 넘겼어. 지금은 환갑을 다 넘기잖소. 요즈음은 칠십일세를 환갑으로 알아야 해. 칠십오세인 나도 옛날 같으면 많은 나이여. 그런데 지금은 우리가 뛰어야 해여.

누가 할 사람이 없어. 젊은 사람이 없어. 늙은 사람이 해야 해.

그런디 한 가지가 서운하고 섭섭한 것은 정부에서 너무 낭비를 한다는 생각이 들어. 정부 비난을 한다고 안 좋게 생각할랑가 모르겠지만, 내가 볼 적에는 실업수당을 왜 줘. 일을 정당하게 시키고 줘라 이 말이여. 일을 시켜도 한 놈은 오토바이를 타고 와서 받쳐놓고는 한 쪽에 앉아서 할 일 없이 소일한단 말이여. 김대중 대통령이 칠십팔세라서 노인이 돼갖고 그냥 그런가 해서 사람들이 불만이 많어. 벨 사람이 다 있어. 나도 전쟁도 많이 해보고, 가볼 데 안 가볼 데 다 가본 사람이지만, 대통령이 너무 물러갔고 그런 것이 아닌가 싶어. 참 좋은 양반인디.

우리나라 산세는 전라도와 경상도는 틀려. 경상도에 가면 산세가 좋아 인물이 많이 나는가 비여. 사람이 열 번 찍어 안 넘어 가는 사람이 없어. 나도 성질이 급한 사람이여. 텔레비전 보다가 성질이 나면 집어던지는 사람이여. 이것도 지금 고쳐다 놓은 것이여. 아, 이놈의 부아가 나 참을 수 없을 때가 많다니께.

이북의 김정일이는 에헴 하고 앉았고, 이남의 우리는 핵이 있어 뭐 있어. 박정희 그 양반이 만들라고 할 때 만들었어야 하는기여. 매국노한테 매여서 핵도 못 만들었단 말이여. 옛말이 있어. '미국놈 믿지 마라, 소련놈 속지 마라.' 그것이 참 잘 지어났어.

우리나라는 미국놈에게 구속이 돼 갖고 한문도 없애버리고 말이야. 지금은 영어 배우려고 발광들이잖소? 그러니 우리나라는 우리나라 글 그대로 사용해야 혀. 왜 나라가 이리 갔다 저리 갔다 뒤죽박죽이냔 말이여. 줏대가 없어. 한심할 때가 많아.

지 할아버지가 지 할아버지지 남의 할아버지 아닝겨. 난 지금도 형님

한테 무릎 꿇고 절혀. 요즘 아이들은 지 애비 보고 이렇게 고개만 끄덕하고 말아버려. 동방예의지국에 예의가 없어. 참 분통 터질 때가 많소.

내가 칠남매를 두었소. 며느리보고도 '너 집에 왔응게 내게 와서 절해라, 그러면 네 밑에 동생들도 절 할 것이다.' 하고 말하고는 절 시키고 있소. 내가 절 받고자 해서 그런 것이 아니여. 이것은 웃어른을 섬기는 기본 예절인 것이여. 나는 그렇게 교육을 시키고 있소.

한 번에는 다 못 가르쳐. 옛날에 방 나갈 때는 뒤로 걸어나가지 어디서 엉덩이를 보이고 나가는가. 아버지가 어떻게 무섭던지, 호가 호랭이여. 그 밑에서 배운 것이여. 그 양반이 배운 양반이 아니여. 못 배웠어. 그렇지만 무식똑똑이라고 그런 양반이었어. 다른 양반은 비석이 하나 있을 똥 말 똥한 양반인디 아버님은 두 개나 있어. 그래도 이 마을 사람들은 누구 때문에 밥을 먹게 되었는지 알아. 저수지 막고, 보 만들고 하지 않았으면 밥은 고사하고 죽도 먹기 힘들었을 것이구먼.

그 방죽을 막을 때 어떤 사람이 자기 논이 그 안으로 들어가게 되었지. 그랑께 그 영감택이가 내키질을 하며 아버지 이름인 달주를 부르면서 아들 삼형제와 함께 다 빠져 뒤지라고 노래를 부르고 있더란 말이여. 이런 망할 놈의 빌어먹을 영감택이가 있어. 그래서 내가 쫓아가서 '왜 내키질을 하고 그러쇼' 하니까 못하더라구. 그 보 때문에 그 아래 마을이 전부가 부자가 되었어. 이제는 자기들이 참 그 양반 때문에 부자가 되었다고 그려. 처음에는 나쁜 사람이란 소릴 들을망정 나중엔 괜찮아. 자식인 내가 그곳엘 가면 대접을 받아.

동계면은 13개 리에서 주월리가 제일 가난했었는데, 지금은 제일 부자마을이여. 아버지가 누에도 하게 하셨고, 대나무 소쿠리를 만든다, 그

룻을 만든다 하여 죽제품도 만들게 했어. 그런데 어찌 그리 명도 짧으신지, 마흔아홉에 돌아가셨어. 지금 마흔아홉이라면 한창 나이가 아닌가. 어찌 보면 한심스럽고 안타까울 뿐이지.

그 분은 다른 술은 안 잡수셨어. 오디술이라고 이것만은 잘 잡수셨어. 자 한 잔 더 들어보시게."

동생분은 나에게 오디술을 한 잔 더 권하는 것이었다. 술은 못하지만 맛이 너무 좋아 먹다 보니 금방 취하는 것 같았다.

"누에는 물도 안 먹고 하는데도 체하덜 않어. 요즘엔 당뇨병에 좋다고 누에고치보다 누에로 다 팔아버려. 내가 지금도 누에를 쳐. 저 앞에 저게 잠실蠶室이여. 아버지 뒤를 이을라고 그런 거지. 젊은 사람이 없으니까 안 할라고 그런단 말이여. 내무부장관(아내)도 안 하려고 그려. 잘 되면 내가 잘했다 하지만, 못 되면 네가 못했다 하니까, 누에 칠 때는 이혼서류를 써놓고 한다는 말이 있어. 허허허.

그렇게 삽시다. 그냥 두루두루 웃어 가면서 삽시다. 이제는 그래요. 젊어서는 성질이 불같았소. 새끼를 일곱을 두었으니께 싸움도 많이 하고 살아왔지만, 이제 나이 먹어보니 욕심낼 것도 없소이다. 돈 있으면 뭘 할 것이여. 늙은 사람들은 욕심이 없는 것이여. 젊은 사람이란 욕심을 내야지. 이제는 싸놓고 살고 싶지 않아. 이놈도 주고 싶고, 저놈도 주고 싶소. 원래는 욕심이 많은 사람이었어. 지금은 욕심도 다 버렸소, 성낼 것도 없어. 내가 서른한 살부터 지금 일흔다섯 살까지 일기를 써놨어. 내 별호가 면장이여. 그렇게 살고 있어."

나는 동생분이 일기를 오랫동안 썼다는 사실에 놀라지 않을 수 없었다. 시골 촌로村老만으로 알고 있던 동생분은 내게 신선한 감동이었다.

"정말 대단하시네요."

"난 스타킹을 신으오. 이것이 시원하다오. 땀 안 차고 그러오."

하면서 스타킹 신을 것을 보여 줄 때는 어린애처럼 장난기가 보였다.

"여기 가물치, 잉어가 아직도 많은가?"

하고 사단장님이 물으셨다.

"가물치는 몰라도. 잉어는 많이 있소."

하고는 동생분은 또 나름대로 사설을 시작한다.

"아시아에서는 우리가 중앙이여. 일본놈은 섬놈이고 우리는 반도인이요. 우리가 3천만 인구일 때 일본놈들은 1억 인구였어. 그래서 일억일신一億一身이라고 했어. 우리 한반도를 놓치면 동남아시아에 미국도 기반이 없어. 러시아도 북한을 놓치면 부동항을 잡기 힘든 것이여. 중국도 마찬가지여. 내선일체內鮮一體는 일본놈들이 한 것이여. 대륙진출을 하려면 일본도 우리가 필요한 것이여.

일본놈들은 강했어. 이 양반(사단장님)이 일본 왜정시대 때 징병간 양반이여. 이 양반이 징병갈 때 아버님하고 나하고 이 양반하고 셋이 삼거리까지 나갔어. 그때까지 아버님은 눈물도 흘리지 않았어. 잘 가그라 해놓고는 돌아서는디 눈물을 흘리면서 피눈물을 흘리는 것이여. 내가 그걸 보고는 얼마나 눈물을 흘렸는지…….

그런데 우리집이 명당집은 명당집이여. 죽지 않고 중국으로 해서, 소련으로 해서, 인천으로 해서 살아돌아왔단 말이여. 전북일보를 봉께 알았지. 그때 아버지가 돌아가셔서 상복을 입고 있었는데, 상복을 벗고 갔지. 가 봉께 포로수용소라고 마당에 포장을 딱 쳐놓고 있더구먼. 포로는 포로지.

아, 그런데 봉께 나는 큰디 이 양반은 조만해 보여. 면회를 하는디 형사가 하나 섰지, 경찰 하나 섰지, 감시가 심혀. 조금 얘기하니까 가라 그려.

명당을 쓰긴 썼어. 내 처삼촌 김종규도 같이 갔는데 안 죽고 살아왔어. 갖은 풍상을 다 겪고 살아왔으니까 명당은 명당이지."

점심 탕으로 민물에서 자라는 다슬기탕을 끓여 내오셨는데 맛이 참 좋았다.

"탕이 일미네요."

"대사리탕이라고 하는디 앞 강물에서 잡은 것이오."

"아, 그래요. 사단장님의 말씀만 듣다가 직접 와서 들으니 감회가 새롭네요. 사단장님의 어릴 때 추억 얘기, 마을 얘기, 징병 끌려갈 때 장면, 면회갈 때 얘기, 어릴 때 추억 얘기 등이 여기 와서 보니 실감이 나네요."

"시대를 잘못 만났응께 그렇지, 황진 장군 담에는 이 양반이 기여."

"그렇습니다. 황진 장군께서 전라도 지역에서 투쟁을 하셨고, 형님께서는 이쪽 지역에서 빨치산 사단장으로서 활약을 하셨잖아요. 두 분이 다 운이 없어 패장이 되었지만 훌륭한 장군이라고 생각합니다."

"그렇게 생각해 주시면 고맙수다."

동생분은 나의 말에 고마움을 표했지만, 사단장님은 그냥 빙그레 웃기만 하셨다.

"남북이 대치하고 있기 때문에 빛이 안 나는데, 앞으로 통일이 되면 빛이 날 것입니다. 50년 전 조국의 통일을 위해서 싸우신 그 공은 반드시 후세에 다시 평가를 내릴 것입니다."

"형님이 하신 행동이나 내가 군대에 들어가서 싸운 것이나 모두가 국가와 민족을 위해서 싸운 것이여. 모두가 충성심이니 다 마찬가지여."

"그런데도 불구하고 평가도 못 받고 있으시니 제가 그것을 드러내는 데 힘을 보태겠습니다."

"그래 주신다면 을메나 고맙겠소."

점심을 먹고 동생분과 인사를 하고는 집을 나섰다. 오후 3시가 되었기 때문이다. 지금 출발해도 서울에 도착하려면 늦은 밤에나 도착할 것이기 때문이다. 더군다나 사단장님을 전주 아들집에 모셔다 드리고 가야 하기 때문에 서둘러야 했다. 마을을 지나가면서 강가를 바라보니 사단장님이 막은 것 같은 보가 보였다.

"이 보를 막으신 거죠? 옛날에 막은 보가 지금 그대로 보존되고 있는 것인가요?"

"아녀. 김영삼이 정권 잡을 때 콘크리트로 튼튼하게 다시 막았지."

"여기서 빠져서 허우적거리셨다는 것이죠"

"그려. 이 공사를 내가 했어. 십리보는 여기서부터 나가는 것이여. 자연적으로 흘러가게 돼 있어. 여기가 상류니까."

"고향을 아우님께서 잘 지키시네요."

"그려. 고맙지."

섬진강을 끼고 상류로 조금 가니 마을이 나왔다.

"이 마을을 이동리라고 해. 이 동네는 이동 중에서도 장항마을이여."

"여기도 느티나무가 큰 것이 두 그루나 있네요."

"그려. 마을마다 있는 느티나무는 천 년의 세월을 건너온 영물이지. 마을의 모든 전설을 간직한 나무여. 말없이 서 있는 나무이기에 배울 점이 많어."

사단장님은 지나면서 나타나는 마을에 관해 이런 저런 말씀을 해 주셨다.

그렇게 가는 동안 어느 새 전주시내에 들어섰다.

그날을 기다리며

시내에 들어서서는 전주 아들집에 사단장님을 내려 드리기 위해 집을 찾아갔다. 아들은 한약 재료상 겸 건강보조식품을 파는 가게를 하고 있었다. 이층집으로 사는 것이 괜찮아 보였다.

2층에 있는 사단장님을 위해 마련한 방에서 차 한 잔을 먹게 되었는데, 그곳에서도 볼 수 있었던 것은 황희, 황진, 황현의 초상화를 벽에다 나란히 걸어놓은 것이었다. 하나님도 부처님도 무당도 믿지 않고 오로지 조상을 신처럼 받들고 있다는 것을 느꼈다. 지리산 뱀사골의 반선정사에서도, 동계면 주월리 동생분 집에서도, 전주 아들집에서도 하나같이 세 분의 영정이 모셔져 있는 것이었다.

조상 숭배, 조상 숭배 하지만 조상을 정말 종교처럼 믿는 분을 처음 만난 듯싶었다. 단군, 환인, 환인의 삼신三神이 우리 민족의 신앙이 될 수 있음과 같이, 황씨 문중에서는 세 분이 삼신三神이 되고 있는 것이었다. 일본의 신사神社가 바로 이렇게 해서 생긴 것이 아닐까 하는 생각도 해 보았다.

이러한 정신은 나라가 평화로울 때는 조정에 나아가 황희 정승처럼 명 재상이 되고, 나라가 위급할 할 때는 목숨을 던져 나라를 구하는 무인 武人과 의사義士, 즉 임진왜란 당시 전라도를 지킨 황진처럼 장군 즉 무 인이 되고, 한일합방이 되자 절명시를 남기고 목숨을 끊은 매천 황현처 럼 의사가 되었던 것이다.

그리고 또한 나라가 바로서지 않음을 보고, 국가와 민족을 위해 산과 강과 들을 누비며 빨치산 투쟁을 전개한 사단장 황의지, 그는 바로 그 조 상인 삼황(황희, 황진, 황현)이 낳은 투사요, 열사요, 지사요, 무인이라고 할 것이다.

손자인 인철 등 자손들에게 기대를 걸고 있는 것도 바로 그런 가문의 정신을 계승하여, 더 훌륭한 동량지재棟樑之材가 되기를 바라는 간절한 소망 때문일 것이다.

이번에 사단장님을 뵈면서, 이제는 연로하여 식당에 식사하러 가시다 가도 굴러 넘어지시기도 하였다는 말씀을 듣고 안타까움과 함께 세월의 무상함을 느끼지 않을 수 없었다. 삼년 반이나 눈이 오나 비가 오나 바람 이 부나 회문산, 운장산, 백운산, 지리산 등을 마치 호랑이처럼 누비시던 분이었는데, 이제는 100미터도 높이의 산기슭을 오르내리기 힘들어 하 시는 모습, 거기에다가 귀도 잘 들리지 않고, 눈도 잘 보이지 않고, 걷기 도 힘들어 하고, 기억력도 가물가물해지는 모습 등을 보면서 그야말로 인생의 덧없음을 느끼지 않을 수 없었다.

사단장님의 몸 이것저곳에 나 있는 탄흔(총알자국), 여기저기 남아 있는 상처, 깨물어 잘린 혀로 인한 어눌한 말은, 이것은 한 개인의 상처요 탄흔이요 어눌한 말이 아니라, 우리 민족의 탄흔이요 상처요 어눌한 말이 아닐 수 없다.

사단장이 가지고 있는 한과 분노와 억울함은 바로 왜곡되고 일그러지고 부정한 길로 걸어온 우리 민족의 현대사의 자화상이다. 아직도 떳떳하게 대접받지 못하는 빨치산의 투쟁은 우리 민족이 사상사적으로 절름발이임을 알아야 할 것이다.

사단장님은 황희, 황진, 황현을 통해 민족정기와 혼을 계승하려 하였고, 빨치산을 통해 남북의 평화적 통일과 민족의 자주적 통일을 이루려고 했던 것이다.

삼국 통일 당시 백제와 고구려의 조정은 부패와 무능으로 얼룩져 있다고 역사는 기록하고 있다. 그리고 삼국을 통일한 신라만이 화랑도의 정신과 불교정신으로 뭉쳐 삼국을 통일할 수 있는 정신을 가지고 있었다고 기록하고 있다. 역사는 승자만을 긍정적으로 기록하는 편향적 역사관에 의해 기록되는 경우가 많다는 것을 상기해야 한다.

마찬가지로 지리산 충혼탑과 백선엽의 비석에 기록되어 있는 공적은 승자로서 긍정적인 역사적 평가를 받고 있지만, 지리산 빨치산들은 패자로서 그들의 토벌대상이요 역사에서 사라져야 대상으로 기록되어 있는 것이다.

과연 이것이 정당한 역사의 평가일까?

백선엽이가 진정한 민족주의자였는가?

1937년 만주군관학교를 졸업하고 1944년 일본육군사관학교를 졸업한 박정희 또한 민족주의자였는가?

그들은 친일파가 아닌가?

그리고 우리 민족사에서 공산주의와 사회주의라는 사상을 갖고 생활한 것이 그렇게 반민족적이고 반역사적이란 말인가?

사상의 자유가 허락되어 있는 민주사회에서 개인의 사상적 자유를 억압하고, 그들을 역사의 죄인으로 몰아붙이는 것은 옳은 것인가?

그래서 우리는 패망한 나라의 역사, 패한 장군의 일생을 다시 돌아볼 필요가 있지 않을까?

승자는 기쁨을 주지만 패자는 슬픔 속에서 큰 깨달음을 얻듯이, 패한 인물에서도 좀 더 많은 교훈을 얻어야 하지 않을까?

차를 몰고 서울로 올라오면서 나의 마음에는, 기차를 타고 북경을 거처 남경에 도착하여 훈련을 받는 모습, 만주 관동군으로 이동하는 모습, 포로가 되어 눈 덮인 시베리아 벌판에서 탄을 캐는 모습, 포로수용소에서 매를 맞는 모습, 눈과 비와 바람을 맞으며 사시사철 강을 넘고 들을 건너고 산을 오르내리던 투쟁의 모습, 체포되는 모습, 삼청교육대에서 매를 맞는 모습 등이 파노라마처럼 지나가는 것이었다.

이번 지리산으로의 여행은 현대사의 어두운 과거로의 여행이었으며, 고통과 아픔과 한으로 문드러진 슬픈 장군의 삶과 영혼으로의 여행이었다.

나는 그 어둠과 고통과 슬픔과 한이, 밝음과 즐거움과 기쁨과 신명으로 바뀌고, 남북한 이념의 벽을 넘어 통합과 통일의 그날이 하루 속히 이루어지기를 손꼽아 기다려 본다.

2001년 사단장님을 뱀사골에서 뵈온 이후 한 동안 뵙지 못했다.

그러다가 2008년 12월에 연락을 해보니 2007년에 돌아가셨다는 말을 들었다.

참으로 안타까운 일이다.

삼가 고인의 명복을 빈다.

유족들은 그 동안 아버지에 대한 자세한 내막을 모르다가 필자가 쓴 인터넷에 실려 있는 사단장님에 대한 글을 보고 몇 날 며칠을 밤 새워 눈물로 읽었다고 했다.

한때 빨치산 투쟁을 한 아버지를 원망도 하고 미워도 했지만, 나의 글을 읽고는 아버지가 너무 자랑스럽고 훌륭한 분이라는 것을 알고 많은 후회와 회한의 눈물을 흘렸다고 한다.

그래서 기꺼이 책 출간에 적극적인 협조를 해 주기로 하였고, 이 책이 비로소 세상에 빛을 보게 된 것이다.

위의 글이 사단장님의 삶에 누가 되지 않을까 염려되지만, 넓은 아량으로 출간을 허락해 주신 유족분들에게 다시 한 번 깊은 감사를 드린다.

아울러 어려운 경제적 여건 속에서도 기꺼이 출간을 해주신 작가 출판사 손정순 사장님과 직원 여러분께도 진심으로 감사를 드린다.

2013년 2월 20일
수락재水落齋에서
박 찬 두